日本の歴史　六

京・鎌倉 ふたつの王権

本郷恵子

Hongo Keiko

小学館

日本の歴史

京・鎌倉
ふたつの王権

第六巻

アートディレクション　原研哉
デザイン　竹尾香世子
美馬英二

凡例

- 年代表示は原則として和暦を用い、適宜、西暦を補いました。
- 本文は原則として常用漢字および現代仮名遣いを用いました。また、人名および固有名詞は、原則として慣用の呼称で統一しました。なお、敬称は略させていただきました。
- 歴史地名は、適宜、（　）内に現在地名を補いました。
- 引用文については、短歌・俳句なども含めて、読みやすさ、わかりやすさを考えて、句読点を補ったり、漢字を仮名にあらためたりした場合があります。
- 文献史料の読み下しは、原則として『新編日本古典文学全集』（小学館刊）に収められている史料はそれに依拠し、そのほかは適宜、筆者が読み下しました。
- 中国の地名・人名については、原則として漢音の読みに従いました。ただし慣習の表記に従ったものもあります。
- 朝鮮・韓国の地名・人名は、原則的に現地音をカタカナ表記しました。ただし、歴史的事柄にかかわる地名・人名などは漢音読みにした場合があります。
- この巻が扱っている時代の年表を巻末に掲載しました。
- 図版には章ごとに通し番号をつけ、それぞれの掲載図版所蔵者、提供先は巻末にまとめて記しました。
- おもな参考文献は巻末に掲げました。
- 五十音順による索引を巻末につけました。
- 本書のなかには、現代の人権意識からみて不適切な表現を用いた場合がありますが、歴史的事実をそのまま伝えるために当時の表記どおりに掲載しています。

1

戦う人びと

武士の死生観

●**鉄黒漆塗三十六間四方白星兜《てつくろうるしぬりさんじゅうろっけんしほうしろぼしかぶと》**

軍装は、合戦の場での武士の存在表現であり、華麗なものが好まれた。鎧とともに菊籬金物《きくまがきかなもの》で装飾された、鎌倉末期の金工芸技術の粋を尽くした兜。

↓80ページ

●後三年合戦絵巻
源義家《みなもとのよしいえ》が奥州の豪族清原《きよはら》氏を滅ぼした合戦では、非戦闘員も巻き込み、殺戮《さつりく》が繰り広げられた。この後、武士は辺境防衛の盾から、王権の護《まも》りへと役割を転ずる。

↓152ページ

3

●武士の家の門前

門外を通る乞食《こつじき》や修行者を捕らえて、追物射《おいものい》（動く標的をねらって射ること）の的にしようとしているところ。武士の殺伐たる内面をうかがわせる。

（『男衾三郎絵巻《おぶすまさぶろうえまき》』）　→214ページ

◉厩につながれた名馬

騎射中心の戦闘では、馬は大事なパートナーとなる。鎌倉時代には馬を描いた傑作が現われる。脚の動きなど、特徴をよくとらえた写実的な表現である。

（『馬《ば》医《いの》草紙《そうし》』）　→12ページ

5

●平家納経

平氏一門が、厳島《いつくしま》神社に奉納した装飾経。彫金の技法を駆使した題箋《だいせん》や縁金具、水晶の軸首など、多彩な趣向が凝らされる。経巻をひもとけば、精緻な世界が展開する。

→97ページ

7

●中尊寺金色堂

天治《てんじ》元年（一一二四）の建立。奥州産の金をふんだんに使い、南洋からのヤコウガイの螺鈿《らでん》細工で装飾する。南北の奢侈品交易と、京都から招いた最高の職人の技術の集成。↓155ページ

◉信濃安楽寺八角三重塔

信濃国《しなののくに》は極楽寺流《ごくらくじりゅう》北条《ほうじょう》氏が守護をつとめ、塩田《しおだ》の地には「信州の鎌倉」と呼ばれる独自の文化圏がはぐくまれた。組物《くみもの》を密に配する、一三世紀末の禅宗様建築の遺構。

↓263ページ

目次

日本の歴史　第六巻

京・鎌倉　ふたつの王権

第四章

第五章 中世社会の確立 143

京・鎌倉　ふたつの王権

はじめに

『年中行事絵巻』の世界

1

混乱と喧噪

待賢門《たいけんもん》の前では、人と馬がごった返している。画面からは互いに呼び交わす声、馬のいななきなどが聞こえてくるようだ。興奮した馬が暴れだし、必死で手綱をとる者があり、蹴《け》られないように逃げ出す者がある。画面全体に方向の定まらないエネルギーがあふれ、どのように収拾がつくのか見当がつかない（次ページ図版）。

『年中行事絵巻《ねんじゆうぎようじえまき》』に見える朝覲行幸《ちようきんぎようこう》の図の一部である。正月に、天皇が上皇（退位した天皇）の御所に出かけて年始の挨拶《あいさつ》を行なう儀式が朝覲行幸である。永暦《えいりやく》元年（一一六〇）、後白河《ごしらかわ》上皇が法住寺《ほうじゆうじ》殿《どの》に移ってから慣例化したといわれ、絵巻に描かれているのは応保《おうほう》三年（一一六三）、二条《にじよう》天皇治世の折の様子と推定されている。絵巻の冒頭は、天皇が紫宸殿《ししんでん》の南面にお出ましになったところで、階《きざはし》の下には天皇の乗り物である鳳輦《ほうれん》が寄せられている。たくさんの駕輿丁《かよちよう》がこれを担ぎ、そのまわりを武官が取り巻く。整然とした、静けさと権威を感じさせる画面である。

朝覲行幸の行列は、内裏《だいり》の建礼門《けんれいもん》を抜け、さらに大内裏の東側にある待賢門を通って一般道に出る。待賢門の前では、武官たちが馬に乗って、行列の先陣の隊形をつくろうとしているのだが、なかなかまとまらず、先ほどの喧噪《けんそう》が繰り広げられているというわけだ。内裏のなかのしんとした様子とは、明らかな対照をなしている。

なんとか行列の体裁を整えて待賢門を出た一行は、洛中《らくちゆう》の大路を通って、東山《ひがしやま》にある上皇の御所

◉牛と牛飼童
貴族の牛車を引く立派な体格の牛と、これを操る牛飼童《うしかいわらわ》。明らかに壮年の男性だが、烏帽子を着けず、元服前の少年と同じ髪型で、通常の成人男性とは異質な存在である。（『平治物語絵巻《へいじものがたりえまき》』）
前ページ図版

に向かう。大内裏の空間を抜け巷間《こうかん》に出れば、また別のかしましさが待っている。美々しい行列をひと目見ようと、正月らしく門松を立てた町屋の前に多くの人々がひしめき、屋内からものぞいているのである。

京都で行なわれるさまざまな行事を通じて、貴族と民衆は互いに見物し、また見物される関係にあった。朝廷の行なう行事を民衆が見物する一方で、賀茂祭《かものまつり》などの祭礼の際は、わざわざ桟敷を組んで皇族や貴族らが見物したのである。人々は祭りを楽しむと同時に、やんごとない方々の姿に間近で接する機会を与えられたのだった。

都市のなかの野生

粛々と進んでいく行列の後ろのほうでは、牛車《ぎっしゃ》が暴走している。身分の高い人々は、乗ってきた牛車を道に並べ立て、その中から見物する。路肩に止めたベンツやロールスロイスの中から、外を眺めるわけである（一二ページ図版）。しかし、先ほど待賢門《たいけんもん》の前で馬が暴れていたのと同じく、牛車につけられた牛も制御不能になることが少なくなかった。垂髪《すいはつ》の男が鞭《むち》を振り

2

◉『年中行事絵巻』にみる待賢門前の群衆
人馬入り乱れての混乱。『年中行事絵巻』は後白河院の下命によって作成され、蓮華王院《れんげおういん》の宝蔵に収められた。原本は焼失し、一部が模本の形で伝来している。

上げて牛を抑えようとしているが、うまくいかない。牛に追われて馬も走りだし、近くにいた子供たちも大あわてで逃げだす（次ページ図版）。

院の御所に向かう天皇は、多くの舁手《かきて》に担がせる輿《こし》を利用したが、これはよほどの貴人か、山の中など車を通すことのできない場所での交通手段であった。それ以外は馬か牛車を利用することになるが、とくに馬は簡便な乗り物として多用され、もちろん合戦の際の乗馬としては大活躍した。当時の戦闘は騎馬戦が基本だから、馬はたんなる乗用ではなく、より積極的に武器のひとつとしての役割をもつ。優秀な武器を持てば、それだけ敵を倒すことが容易になるのである。

いうまでもないが、当時の馬はサラブレッドではない。小型の在来種が、戦場では重さ約三〇キログラムに及ぶ武装をした武者を乗せて駆けまわらなければならなかった。体格が劣るぶんは気性でカバーしなければならず、したがって優秀な馬は気が荒くなくてはならない。もちろん、日常用いられる馬にそれほどのエネルギーは要求されないが、ただ貴族が行事などで馬に乗ると、必ずといっていいほど落馬や暴走という事件が起こる。乗り手の技術も未熟なのだろうが、乗用として危険のないようにする〝調教〟という概念がそもそも薄いのだろう。

3

◉貴人の牛車
庶民は祭りなどを路上で見物するが、身分の高い人々は牛車の中から見る。並んで駐車する高級外車と、交歓するお抱え運転手たちの図。（『年中行事絵巻』部分拡大）

一方、牛はどうだろうか。私たちの描く牛のイメージは、牧場で寝転び、のんびりと反芻《はんすう》している穏やかな生き物だが、中世の牛はむしろ獰《どう》猛《もう》で、闘牛を思い浮かべたほうがいいようだ。牛車の牛が暴走するのは絵巻物では定番の図柄で、しばしば起こることだったらしい。

そもそも牛車は貴人のためのぜいたくな乗り物で、身分や用途に従って、さまざまな意匠が凝らされていた。朝廷への参内、祭りの見物などの機会には、身分の高い人々の牛車が何台も並び、豪華さを競う。となれば、それをひく牛にも凝りたくなるわけで、体格に優れ、見栄えのするものを選《よ》りすぐって用いたのである。絵巻物に登場する牛たちは、どれもかなり鋭い目つきに描かれている。貴人の牛車をひく〝逸物《いつぶつ》〟といわれるような牛に限っていえば、いささか気味の悪い生き物だったと思われる。

童子と烏帽子

この厄介《やっかい》な動物を御するのが牛飼童《うしかいわらわ》で、『年中行事絵巻《ねんじゅうぎょうじえまき》』のなかでも、無帽で長い髪を後ろに結んだ姿で描かれている。この風体が男性にとっての明確な身分表象になっているのは、ほかの人々の姿と比べると明ら

◉暴走する牛車
絵巻物の群衆シーンでは定番の図柄。中世の牛や馬はほぼ必ず暴走するが、車につながれた牛の場合は、とくに危険が大きい。(『年中行事絵巻』部分拡大)

かである。子供や頭を丸めた僧侶を除いて、成人男性は冠や烏帽子《えぼし》など、なんらかのかぶりものを着けており、それこそが社会のまっとうな構成員としての約束事だった。『東北院職人歌合絵巻《とうほくいんしょくにんうたあわせえまき》』に見える、負けがこんだ結果、身ぐるみはがされてしまった博打《ばくち》打ちも、身体は真っ裸だが、烏帽子だけはかぶっているのである（下の図版）。

というわけで、無帽の成人男性というのは非常に変則的である。じつは牛飼童はいくつになっても〝童〟であり、それは烏帽子を着けないという姿で描き表わされる。もちろん牛車の先に立つための、見栄え重視の美少年もいるが、獰猛《どうもう》な牛を扱うには経験や体力が必要である。頭が禿《は》げ、ひげをたくわえた牛飼童も多く描かれ、年齢や男性的風貌《ふうぼう》と〝童《どう》形《ぎょう》〟のスタイルにはかなりのギャップがある。野獣に近い牛を統御するのは、彼らにとっても、体力で劣る部分を気迫でカバーする必要があったはずで、異様な風体の荒々しい人々というのが、牛飼童の実像だったろう。

都市のなかにふつうに存在する野生の代表的なものが牛であり、これをなんとかなだめて使いこなす特別な人々が牛飼童であった。烏帽子を着けた人々のまっとうな集団からはずれて、頭をむきだしにしたまま年齢を重ね、みずからのなかにある野性を保持しながら、牛と共生していたのだ。都市は野生を排除するのではなく、野生の力を取り込むことによって成り立っていた。となれば

5

◉博打
勝負に負けて身ぐるみはがされた博打打ち。裸で双六盤《すごろくばん》の前に座り、さいころを振る壺を手にした姿。折烏帽子《おりえぼし》だけはかぶっている。（『東北院職人歌合絵巻』）

〝調教〟はナンセンスで、野生と折り合う技能と、野生を抑えつける気迫を身につける以外に共存の道はない。予定調和的な都市と身分の秩序は、野生の要素としばしば衝突したが、両者の緊張関係こそが社会に活力を与え、成長へと導いたのである。

貴族の闘鶏・庶民の闘鶏

『年中行事絵巻《ねんじゅうぎょうじえまき》』からもうひとつ、闘鶏《とうけい》の場面を取り上げよう。三月三日の上巳《じょうし》の節句には闘鶏を行なう風習があり、階級を問わず広く受け入れられていた。現在でも東南アジアでは、熱気に満ちたギャンブルとして人気があるようだが、わが国でも、地域によっては最近まで行なわれていたという。絵巻には貴族の広壮な邸宅と、庶民の集まりと、二つの対照的な場面が取り上げられている。

まず貴族の屋敷のほうを見てみよう。門前には客が乗ってきた牛車が並べられ、牛も放されてくつろいでいる（ただし、牛の目は笑っていないというか、眼光鋭く油断がならない）。表門を入るとさらに門があり、その向こうが闘鶏の場となっている（下の図版）。寝殿《しんでん》の中央の間から東側には主人や客が座し、反対側は御簾《みす》を下ろして、すき間から女房たちが

6

◉貴族の闘鶏
会場の華やかなしつらえや、舞楽の披露など、闘鶏ばかりでなく、多くの楽しみが用意されていた。（『年中行事絵巻』）

見物している。庭の東西には五色の幔幕《まんまく》を巡らせた幄舎《あくしゃ》が建てられ、舞楽《ぶがく》の楽人らが控える。鶏を闘わせて、勝った側は舞を披露《ひろう》する趣向である。中門と表門との間には、出番を待つ鶏を世話する人々や、庭の様子をのぞき込む人々がいて、華やかな雰囲気が漂っている。

一方、庶民の闘鶏はどうだろうか。鳥居をくぐった先に簡単な祠《ほこら》があり、供物《くもつ》が供えられている。闘鶏が行なわれるのは祠の前の広場で、多くの人々が観戦している（下の図版）。舞台となっているのは、祇園社《ぎおんしゃ》あたりの御旅所《おたびしょ》と考えられている。

結果を予測できない勝負事は、神意を占う手段として多く用いられた。神前で籤《くじ》をひくのと同じ感覚であろう。闘鶏もそのひとつで、『平家物語《へいけものがたり》』には、壇ノ《だんの》浦《うら》の合戦を間近に控えて、源平双方から味方につくよう要請された熊野《くまの》別当湛増《べっとうたんぞう》が、紀伊《きいの》国田辺《くにたなべ》の熊野三所権現《さんしょごんげん》の神前で、闘鶏を行なって神意を計ったことが見える。源氏《げんじ》の白旗、平氏《へいし》の赤旗にかけて、白の鶏七羽と赤の鶏七羽を神前で闘わせたところ、赤の鶏がすべて負けてしまった。湛増は源氏に味方することに決めたという。

7

偶然は神意の現われとする感覚は、賭博《とばく》と神とを結びつける。賭博を禁じる法令や、賭博を否定する意見は、中世社会でも一般的だったが、そのような良識的判断とは別に、原初的な欲求を満足させるために〝神〟が持ち出されたふしもあろう。神域での賭博、あるいは賭《か》け事《ごと》の場を神域になぞらえる慣習は、広く行なわれたのである。

扇の骨の間から見る

庶民の闘鶏《とうけい》の場で、人々は鶏の闘いを楽しむとともに、何ほどかのものを賭《か》けていた可能性がある。鶏を囲んで熱狂している輪の外、鳥居の近くには、数人の人が立って顔の前に扇をかざし、その骨のすき間から見物している（下の図版）。この〝扇の骨の間から見る〟行為は、中世の絵巻物にしばしば描かれており、概して人品骨柄卑しからぬ人物が、大路や川原などの公共の場で見せるポーズである。しかるべき立場の者が、見るべきでないものを見る場合に、このようにしたのではないか——あるいは一歩進んで、異常な出来事に遭遇した際、直接

◉庶民の闘鶏
庶民の行事はいつもにぎやかだ。中央では二羽の雄鶏が闘っている。周囲には多くの待機中の鶏がいて、持ち主は出番に備えて調整中である。（『年中行事絵巻』）

8

◉見物人のしぐさ
闘鶏ファンの輪から少し離れて、扇をかざして見物する人々。扇の骨の窓は、空間を隔て、場の空気の共有を断ち切る意味をもった。（『年中行事絵巻』部分拡大）。

見ることで穢《けが》れに感染することを防ぐために扇を隔てたのではないかという説が、黒田日出男《くろだひでお》・網野善彦《あみのよしひこ》によって出されている。

このしぐさから連想されるのは、連子窓《れんじまど》の格子の内側から外を見る行為である。検非違使《けびいし》庁の儀礼に、囚人に枷《かせ》をつけて連行する様子を再現する着鈦《ちゃくだ》の政《まつりごと》というものがある。これを同庁の長官である別当《べっとう》は、庁舎（といっても長官の私邸内にしつらえた仮設の建物だが）内にいて、連子窓からのぞき見るのである。検非違使は現在の警察にあたる組織で、おもに刑事事件を扱ったから、犯罪を穢《けが》れと認識する当時の感覚では、その職務は穢れと切り離せないものであった。別当の屋敷内に置かれた庁舎も、主人の退任後は、解体して寺などに寄進したのである。穢れのもとである犯罪者との接触をテーマとする儀礼は、高位の貴族である別当にとって、同一の場に立って視察すべきものとはとらえられなかったのではないか。扇の骨の間から見物する行為も、内と外とに空間を分ける役割を扇が象徴的に果たし、骨の部分が窓と見なされたのではないだろうか。

『年中行事絵巻《ねんじゅうぎょうじえまき》』では、闘鶏＝賭博《とばく》に直接参加するわけではない、ただの傍観者であることを示すのが、扇の骨の間から見るというスタイルだったと解釈できよう。

賭博とアウトサイダー

庶民の闘鶏《とうけい》の場は熱気に満ちている。自分の鶏の調整に余念がない者がいる一方、争いも起こっている。画面の左側、見物の輪から少し離れたところでは、蓬髪《ほうはつ》の子供二人が殴り合っている（次ページ図版）。世話している鶏同士がつつき合ったようなことから、騒ぎになったのだろう。これを止めようとする男や、笑って見ている者などもいて、肝心の闘鶏の外もなかなかの混乱ぶりである。

反対側に目を向ければ、見物人のなかでかなり深刻な争いが起こっている（二〇ページ図版）。二人の男性が言い争いになり、一方が扇を突きつけて相手の非を糾弾し、もう一方がにらみ返している。いずれも腰の刀に手をかけているようで、一触即発の状態である。よく見ると二人とも水干《すいかん》のなかに鎧《よろい》を着けており、武力あるいは暴力に親しんでいる者と見受けられる。トラブルが起きれば、殴り合い程度ではすまない組み合わせである。画面の中でも、この二人はとくに強調して描かれているようで、類型的な描写でなく、容貌《ようぼう》や表情がきちんと描き込まれている。扇を突きつけている男のかたわらには、彼に従っているらしい稚児《ちご》がいて、これも刀に手をかけている。まわりの人々もこの争いに注目しているが、簡単には手が出せないようである。

この場面で注目したいのは、扇を突きつけている男の風体である。相手の男が、武装してはいるが烏帽子《えぼし》をかぶり、いわば善良な一般市民のスタイルを保っているのに対し、彼は頭をむきだしにして、長くした髪を後ろで結んでいるらしい。彼の後

9

●喧嘩する子供たち
七歳未満の子供は、神の世界に近い存在と見なされた。七歳になると親の仕事を手伝ったりして労働にかかわりはじめ、一五歳が成人して社会に参加する目安。（『年中行事絵巻』部分拡大）

ろの稚児は、やはり同じ髪型だが、こちらは年齢が若く、元服前だから烏帽子をかぶっていないという説明をすることが容易である。しかし、前面に出ている男は明らかに若くはなく、頬骨《ほおぼね》や顎《あご》のあたりの骨格を強調する描き方は、彼に個性的な表情を与えるとともに、その年齢を表現するためのものと解釈できよう。先の牛飼童《うしかいわらわ》が、年を取っても童形《どうぎょう》なのが異様だったように、この男の風体もかなり異様である。垂髪《すいはつ》に鎧を着け、刀を差した彼の姿、その尋常ならざる迫力は、画面上のエポックとして生かされている。この大人とも子供ともつかない人物の存在は、おそらく庶民の闘鶏という、いささか怪しげな風俗と連動しており、表面的にはにぎやかな情景としてみえるものが、じつは非常に危ういバランスで支えられていることを示す意味をもっていたのではないだろうか。

◉異形の男性
中世社会には牛飼童のほかにも、生涯童形で暮らす人々がいた。寺院内にも、女性のように着飾った稚児のほかに、童子姿の男たちがおり、雑用などをつとめていた。(『年中行事絵巻』部分拡大)

貴族の空間・庶民の空間

以上、朝覲行幸《ちょうきんぎょうこう》と闘鶏《とうけい》と二つの場面を見た。いずれにも共通するのは、貴人の空間における行事や儀礼が華やかな秩序のなかで行なわれるのに対し、一歩外に踏み出せば、収拾のつかない喧噪《けんそう》や怪しげな人々が跋扈《ばっこ》するという、内外の世界の性格の違いである。貴族の家の闘鶏は、合《あわ》せ物《もの》の一種「鶏合《とりあわせ》」であって、二羽の見事な鶏を比べてみることに眼目がある。歌合せ・貝合せ・花合せなど、貴族たちはいろいろな美しいもの、優れたものを持ち寄り、示し合って楽しんだ。賞品が出されることはあっても、せいぜいビンゴ・ゲームの類で、真剣な賭《か》け事《ごと》とはまったく異なる。宮廷で双六《すごろく》などの勝負事が流行することはあったが、あくまで予定調和的な世界のなかでのことで、神意を味方につけなければならないほどの切迫した勝負ではなかったのである。

一方、庶民の空間は、行事としての秩序はあるにせよ、つねにバランスを崩しかねない要素を抱えた危うさをもっていた。秩序を実現する力は、それを破壊しうる野生に多くを負っていたのである。天皇を頂点とする貴人の空間の荘厳な静けさは、庶民の空間がはらむ野生のエネルギーに広い意味で支えられており、同時に、怒鳴り合い走りまわる庶民らにとっても、自分たちの属する同じ世界のなかで粛々たる秩序が実現されつづけているという事実は、心の平安を保証してくれる意味をもったのである。

庶民の闘鶏の場の周辺には、左右に巫女《みこ》が配されている。右側の巫女は建物の中にいるが、左側の巫女（二二ページ図版）は筵《むしろ》を敷いているだけで、両者の格の違いが表現されている。神降ろしや口寄せなど、異界との交渉を代行するのが彼女らの仕事で、どちらも鼓《つづみ》を持っているのは、鼓が巫女という職業の基本的な表象だったためである。

庶民の活動の場は、暴走した牛に踏み殺されたり、刃傷沙汰《にんじょうざた》に巻き込まれたりと、つねに命がけであった。人の世界のすぐ隣に異界が広がり、巫女の力を借りてそちらと交渉することもあれば、望みもしないのに、いきなり向こう側に連れ去られることもあった。いま生きている世界が、彼らにとってどれほど確かなものであったのか、将来を予測することがどの程度意味のあることであったのか、私たちが簡単に想像することを許されないような隔たりが、現代と中世との間には広がっている。だからこそ『年中行事絵巻《ねんじゅうぎょうじえまき》』に描かれた、毎年決まって行なわれる行事・儀礼がもっていた意味は、私たちが考える以上に重かったのではないだろうか。季節や時間の流れと連動して、年中行事だけは決まった手順で繰り返される――それらは中世の人々にとって、自分の位置を測る里程標としての意味をもっていたのではないだろうか――茫漠《ぼうばく》たる世界のなかで、はっきりとわからない時間の流れのなかで、いまにも終わってしまうかもしれない人生のなかで。

行事や儀礼による予測可能性が一般の社会にまで普及した、ないしは民衆までを巻き込んだのが中世という時代である。時間の流れや世代の交代が民衆レベルにまで意識されたことこそが、中世社会を開き、発展させる原動力となったのである。

11

◉年老いた巫女
地面に莚を敷いて客を待つ巫女。祭礼時の神社の境内など、人の集まる場所を渡り歩いて商売をしていたのだろう。鼓・琴・鈴などは異界と交信するための道具である。(『年中行事絵巻』)

第一章

中世の成立

1

中世社会を語るために――王権の分裂と国家

●法住寺殿に到着した二条天皇　朝覲行幸《ちょうきんぎょうこう》の一場面。鳳輦《ほうれん》に乗った二条天皇が、父の後白河院に新年の拝礼をするために、院御所を訪問する。天皇に対して父権が優勢となったことを象徴する儀礼。（『年中行事絵巻《ねんじゅうぎょうじえまき》』）　前ページ図版

王様のいない国

昔々ある国に、とてもおしゃれな王様がいました――昔々ある国に、とても立派な王様がいました。でも王様の耳はロバの耳でした――昔話にはたいてい王様が出てくる。主役として、あるいは王子様や王女様の父親として、家来たちの主人として、貧乏な正直者に褒美を与える支配者として。昔話の登場人物は、虚実さまざまの体験をするが、最後に王様が出てきてねぎらってくれれば、めでたしめでたしの大団円である。物語の締めくくりに、王様はとても便利な存在だ。

この巻が叙述するのは、一一世紀なかばの院政の成立から、一四世紀なかばの鎌倉《かまくら》幕府の滅亡まで――日本中世の前半期にあたる、約三〇〇年の年月である。その特質をひとことで表わすとすれば「王権の分裂」だろう。誰が王様なのかよくわからない、どういう根拠で王様のようにふるまっているのかわからない――そもそも王様が治めているはずの〝国〟はどうなっているのだろうか？

驕《おご》る平氏《へいし》がとうとう都を追われ、かわって源氏《げんじ》一門の木曾冠者義仲《きそのかじゃよしなか》が入京してきたころの情勢を見てみよう。時に寿永《じゅえい》二年（一一八三）七月、義仲は粗暴なふるまいで貴族たちを恐れさせ、一一月には、クーデターを起こして後白河《ごしらかわ》法皇を幽閉してしまう。完全な覇者となった彼は、家来を集め

て相談する。
「そもそも義仲は、一天《いってん》の君《きみ》に叛旗《はんき》を翻し、戦いをしかけて勝利した。主上（天皇）になろうか、法皇になろうか？　主上になるには子供にならなければいけない。法皇になるのなら髪を剃《そ》って出家しなければいけないから、どちらも難しい。よしよし、それならば関白になろう」

義仲の目に映った都の支配者は、幼い天皇および天皇位を退いて出家した法皇で、それに次ぐのが天皇を補佐する関白であった。右筆《ゆうひつ》（書記官）として仕えた大夫房覚明《たゆうぼうかくみょう》が、「関白になるのは藤原《ふじわら》氏です。殿様は源氏でいらっしゃいますから、関白になることはできません」と意見したので、「それなら仕方がない」と、義仲は院の御厩《みまや》の別当《べっとう》の地位に就き、丹後国《たんごのくに》を知行することにしたという。

義仲が、『平家物語《へいけものがたり》』が描くとおりの粗暴で素朴な人物だったかどうかは問題だが、しかし彼のここでの役割は、物語のなかの〝愚者〟として、事実をそのまま映す鏡となることである。〝愚者〟の目で見れば、貴族社会の儀礼や作法はナンセンスでしかなく、「一天の君」として最高権力者の座に座っているのは法師と幼児――いずれも社会の正式構成員としての条件からはずれる者であった。

後白河法皇は保元《ほうげん》三年（一一五八）三二歳にして天皇位を退いてから、二条《にじょう》・六条《ろくじょう》・高倉《たかくら》・安徳《あんとく》という、四代の天皇の父あるいは祖父として実

2

◉後白河院
激動の時代を生き抜いた王。平氏や源氏の諸勢力に翻弄され、草創期の鎌倉幕府に対峙《たいじ》した。（『天子《てんし》摂関御影《せっかんみえい》』）

権を握ってきた。退位した天皇（上皇あるいは院と呼ぶ。出家していれば法皇となる）が、現職天皇の直系尊属としての立場、すなわち天皇に対する父権を根拠として政治を行なうのが「院政」で、中世朝廷における一般的な政治の方式である。朝廷の最高権威であるはずの天皇が、直接政務を担当するのであれば話はわかりやすい（もちろん、それはそれで複雑なのは、この全集の古代の部分をお読みくださった方々はとっくにご承知だろう）。だが、「院」権力の存在が、王権の所在をわかりにくくする第一の要素である。

武士の登場

安徳《あんとく》天皇に続いて即位した後鳥羽《ごとば》天皇も含めて、後《ご》白河《しらかわ》院は院政の主宰者として五人の天皇の上に君臨した。さぞかし強大な権力をもったかと思うが、じつは彼ほどひどい目にあった院はいない。

父の鳥羽院が崩御するとすぐ保元《ほうげん》の乱（一一五六年）。これには勝利をおさめたが、続く平治《へいじ》の乱（一一五九年）では藤原信頼《ふじわらののぶより》勢に幽閉され、熊野《くまの》詣《もう》でから急遽《きゅうきょ》引き返した平清盛《たいらのきよもり》勢の反撃に乗じて自力で脱出。平氏全盛の世となれば、治承《じしょう》三年（一一七九）の清盛のクーデターでひきずりおろされる。平氏の威勢が危うくなれば、都落ちに同行させられそうになり、御所から逃亡。かわって入京した木曾義仲《きそよしなか》にも幽閉され、そのつぎは壇ノ《だんの》浦《うら》で平氏を滅ぼしてきた源義経《みなもとのよしつね》が京都を制圧する。義経は、鎌倉にいる兄頼朝《よりとも》と不仲になり、後白河に頼朝に対する追討命令を出すよう迫る。遠くの頼朝より近くの義経ということで、後白河は頼朝を朝敵とする追討宣旨《せんじ》を出してしまうが、今度は頼朝に詰問され、釈明に努めなければならない。義仲・義経が京都を追われる際には、一緒に連れて行かれるのではないかと怯《おび》え、彼らが出ていったあとは、頼朝が上洛してきて攻撃されるのではないかと心配し……と、都が武力に蹂躙《じゅうりん》されつづけるなか、つねに新しい勢力に脅かされてきたのである。そのうえ天皇の権威の象徴である三種の神器《じんぎ》は、都落ちの平氏に持ち去られ、壇ノ浦で海に沈む。神鏡・神璽《しんじ》は見つけだされたが、宝剣は失われてしまった。安徳天皇にかわった後鳥羽天皇は、神器なしで践祚《せんそ》・即位という代替わりの儀式を行なわねばならなかった。

つぎつぎと入れ替わる武士の勢力に翻弄《ほんろう》され、後白河院の対応は、ひたすらご都合主義的であった。政治理念といえるようなものが、彼にあったかどうかはきわめて怪しい。だが京都を制圧したあらゆる勢力の交渉相手は、方法が政治的か暴力的かはともかくとして、後白河以外ではありえなかった。その意味で、彼は間違いなく比類ない権力の持ち主だったし、自身もそのことをまったく疑っていなかったであろう。朝廷のもつ権力・権威のどこに独自性があり、他をもって代えがたいのかという問題は、この巻のなかで、また天皇制を一貫して採用するわが国の歴史全体のなかで大きな意味をもっている。

3

◉『臨時公事録之図』にみる即位式
先帝の崩御・譲位後ただちに神器を継承し、天皇位に就くことを践祚という。践祚ののち準備を整え、即位式が挙行される。

天皇・院の評価

保元《ほうげん》の乱での勝利後、後白河《ごしらかわ》天皇の親政期を支えた藤原信西《ふじわらのしんぜい》（通憲《みちのり》）は、後白河の人物についてつぎのように述べたという。

「当今《とうぎん》（現在の天皇）は古今東西のうちで、比べるもののないほど愚かな王である。謀叛《むほん》を企てる臣下が身近にいても気づかず、他の臣下から忠告されてもわからない。これほどの暗愚はいままでに見たことも聞いたこともない。ただし、二つだけ長所がある。第一に、一度思い立ったことは他人がなんと言おうと必ずやり遂げる。第二に、一度聞いたことは年月を経てもけっして忘れない」

第一の長所には但《ただ》し書きがついており、賢主であればひどい欠点になるところだが、ほかによいところがないので、美点として数えるのだという。信西は非常に優れた人物で、数多い彼の子息もみな優秀だった。この一族の後白河に対する評価はなかなか厳しく、息子のひとりである俊憲《としのり》も、後白河を中国・西晋《せいしん》の恵帝《けいてい》になぞらえたという。恵帝は生来暗愚で、飢えに苦しむ民衆を見て、「穀物がないのなら、肉粥《にくがゆ》を食べればよいではないか」と言ったと伝えられる。マリー・アントワネットのような王様だったのである。

しかし、政務に精励すれば褒められるというものでもない。後白河の祖父にあたる堀河《ほりかわ》天皇は、万端心を砕いて政務に励み、賢王と称《たた》えられたが、半面、几帳面《きちょうめん》すぎて周囲を混乱させ、父の白河院も困惑気味であったと伝えられる（『続古事談《ぞくこじだん》』）。白河院は「吾《わ》れは是《こ》れ文王なり」と称したが、自身が学問に精進したわけではなく、優秀な文人政治家である大江匡房《おおえのまさふさ》を重用して、文道を重んじているからという理由であった。〝よきにはからえ〟式の鷹揚《おうよう》さが、王者の風格として歓迎されたらしい。

いずれにしても、院や天皇の権威は、各人の人格や能力・勤勉さとは別のところにあり、また、必ずしも絶対視されるものではなかった。むしろ貴族たちは、日記や日々の交際のなかで、院や天皇についての批判や不満をかなり自由に述べている。貴族社会全体が親密な一体感に支えられていたからこそと考えられるが、それと理念としての院・天皇の権威とが、どのように両立していたのかは考えるべき問題である。

民衆との距離もそれほど遠かったわけではない。九条兼実《くじょうかねざね》はその日記『玉葉《ぎょくよう》』のなかで、前述した信西らによる後白河評とともに、後白河院が洛中《らくちゅう》の蒔絵師《まきえし》の家を突然訪問した一件を記している。院は室内に座り込んで蒔絵師の作業を見物し、ふざけて引き出物を要求した。だが貧しい蒔絵師が応じられるはずはない。何日かのち、院の軽口を真に受けた蒔絵師は、美しい手箱を捧げて御所を訪ね、北面《ほくめん》の武士《ぶし》に追い払われたという。兼実は「軽々狂乱」と非難しているが、たしかに罪なことをしたものである。

都においては、院や貴族といっても民衆と同じ空間に属し、互いにその姿に触れる機会はけっして少なくなかった。両者の間にあるのは物理

4

◉蒔絵師
角盥《つのだらい》に刷毛《はけ》で漆《うるし》を塗っているところ。この上に金銀粉などを付着させて文様を表わす。（『七十一番《しちじゅういちばん》職人歌合《しょくにんうたあわせ》』）

的な距離ではなく、意識上の懸隔、生活感覚のまったくの異質さだった。蒔絵作品の美しさという地平において、両者の美意識や関心は一致するのだろうが、そのほかの点では互いに共感できる要素はほとんどなかったのではないだろうか。距離は近いが意識において遠いという関係は、つまるところ絶望的な断絶を意味するのかもしれない。

武士の政権の成立

源義経《みなもとのよしつね》の圧力に負けて、兄頼朝《よりとも》の追討を命じる宣旨《せんじ》（勅命を伝える文書）を出した後白河《ごしらかわ》は、つぎに頼朝に対して釈明することを迫られる。義経の謀叛《むほん》（この語を用いることによって、今度は義経を朝敵と見なすことになる）は「天魔の所為《しょい》」だと主張するのである。要するに人為の結果ではなく、天の悪意の結果であるといいたかったのだが、これに対する頼朝の返事は、それをもたらした使者の態度とともにまことに厳しかった。院御所《いんのごしょ》に頼朝の書状を持ってきた使者は、書状の名目上の宛《あて》先《さき》である院近臣高階泰経《いんのきんしんたかしなのやすつね》が不在と聞いておおいに怒り、文箱《ふばこ》を御所の入り口に投げ出していったのである。身分の差が大きく、頼朝から院に直接手紙を出すわけにはいかないため、形式的に、側近の泰経を宛先にしていたのである。

　おそるおそる封を開けてみたところ、内容は以下のごとくであった。

「天魔とは仏法に妨げをなし、人倫をわずらわせる存在である。多くの朝敵を倒し、君に忠節を尽くしている頼朝は、断じてそのようなものではない。あえていうなら、日本国第一の大天狗《おおてんぐ》は、ほかならぬ後白河院であろう」

目先の武力に屈してつぎつぎと節を曲げる後白河に対し、現在の混乱した状況を天の悪意のせいにするのなら、天の悪意を体現しているのはあなた自身だと決めつけたのである。全国を舞台に戦闘を展開し、命を的とし、身内を切り捨てる判断を迫られる身としては、宣旨一枚で多くの戦士の命運を左右する後白河に対して、断罪の言葉を投げつけたくなるのも当然だろう。「君」に対して忠を成すのは、しかるべき道理として語られてはいるが、その際の「君」と、後白河という人物とは、必ずしも一致していない。上に戴《いただ》くべき「君」があり、「君」を重んじる秩序を維持することは必要だが、それは「君」の座にある人物への崇拝や尊敬とはまったく別の問題だったのである。

頼朝は鎌倉の地に着々と政権を築き、ついに征夷大将軍《せいいたいしょうぐん》に任じられる。「日本の中世」といったときにまず頭に浮かぶのは、鎌倉幕府の存在だろう。明治維新まで続く武士による政権の始まりである。これは、京都の院や天皇のほかに、関東にもうひとりの王が生まれたことを意味する。主人である将軍と、従者である御家人《ごけにん》が御恩と奉公によって結ばれる関係が、その中核となった。

それでは、鎌倉幕府の成立後は、将軍を〝王〟と考えればよいのだろうか。しかし、ここでもまた王様は、私たちの後知恵《あとぢえ》をすり抜けてしまう。鎌倉幕府の将軍は三代までしか続かなかったのである。二代将軍頼家《よりいえ》・三代実朝《さねとも》いずれも殺害されて果て、頼朝の直系は絶える。鎌倉幕府の活力は、暗殺と陰謀・確執の緊張関係を源泉としていた一面がある。幕府執行部は摂関《せっかん》家の子息や親王を京都から迎え、つぎつぎに将軍の座に据えるが、実権を握らせることはなかった。幕府は承久《じょうきゅう》の乱《らん》

（一二二一年）で後鳥羽《ごとば》院と戦い、朝廷に対する幕府の優位を決定的にしたが、にもかかわらず院や天皇と〝王〟として公式に競合しようとしなかった。〝王〟をめぐる状況はますます混迷していったのである。

王者の意識

中世前期の政権において、王者であることは政治的実力の有無と必ずしも一致しない。また、権力の概念が、近代以降におけるそれとは大きく異なっているようにみえる。例をひとつあげよう。

鎌倉幕府成立からまもない建仁《けんにん》元年（一二〇一）九月、皇女が神を祀《まつ》る斎宮《さいぐう》として伊勢《いせ》神宮に下る斎宮群行《さいぐうぐんこう》が行なわれることになった。国家的な巫女《みこ》という斎宮の役割にふさわしい支度をし、多くの女官や従者からなる行列を仕立てて伊勢国まで赴くには、当然ながら金と手間がかかる。京都から伊勢への経路にあたる国々の荘園《しょうえん》には、駅家《えきか》役《やく》として、一行のための馬や人夫、宿泊や饗応《きょうおう》の経費を負担することが求められた。

朝廷では各荘園への賦課を決定後、徴収実務を「関東将軍の雑色《ぞうしき》」に命じようという意見が出されたという。また、重要な経由地となる近江国《おうみのくに》では、国使によって駅家役を徴収しようとしたところ、各荘で荘民が武力をもって抵抗するという事態が生じた。朝廷ならびに国司《こくし》の威信の低下を表わす事態にほかならない。そこで、いとも気軽に採用されたのが、同国守護《しゅご》の佐々木《ささき》定綱《さだつな》に命じて徴収させるという方策であった（『三長記《さんちょうき》』）。

近江国といえば京都膝下《しっか》の要衝であり、朝廷にとってとくに重要な位置づけの国である。その国について、国内各荘園に入部しての賦課徴収を、幕府配下の守護に、いわば丸投げすることがどのような意味をもつか、朝廷の人々はまるで無頓着《むとんちゃく》である。餅は餅屋というか、武力抵抗には武士の力で――という程度の判断だろう。国司による支配の徹底を図るのではなく、いきなり守護の力を借りようとする発想は、排他的な権力を打ち立てることをめざす近代的な支配感覚とは相容《い》れないものといえよう。幕府側の対応を史料で確かめることはできないが、のちの事例からして、朝廷の意向にそって良心的に働いた可能性がきわめて高い。

国家や支配について考える際に、租税の賦課権・徴収権の所在は有力な指標とされる。中世国家論の分野では、一一世紀なかばごろに生まれた一国平均役《いっこくへいきんやく》と呼ばれる賦課をめぐる問題が重要視されている。これは、天皇即位の年の大嘗会《だいじょうえ》、内裏《だいり》の新造、伊勢神宮の遷宮などの国家的事業の経費を、諸国の荘園・公領に対して一律賦課するものである。

前記の斎宮群行のケースも、京都から伊勢への経由国にかけられた平均役で、国司配下の公領については徴収が行なわれたが、荘園からは抵抗を受けたということだろう。院政期から鎌倉時代を通じて、一国平均役の賦課権が朝廷にあったことは間違いないが、徴収権については、幕府の関与

◉斎宮群行の行列
占いによって決定された斎宮は、三年ほどの斎戒《さいかい》生活のあと、発遣《はっけん》の儀式を経て、伊勢神宮に向かう。（三重県立斎宮歴史博物館作成の模型）

の度合い、あるいは朝廷から幕府に移行した時期が大きな問題となる。

というわけで、一国平均役は研究者にとっては大きな論点なのだが、先の例をみるかぎり、朝廷はまったく躊躇《ちゅうちょ》せず、守護に徴収業務を任せてしまっている。むろん朝廷―幕府関係の進展とともに、このような意識が変化していった可能性もあるが、彼らの〝支配〟観を理解するための、非常に興味深い事例とみることができよう。

雨水の禁獄と天下三不如意

強大な院の権力とその限界について語る二つの有名な逸話がある。ひとつは以下のようなものである。白河院《しらかわ》が天仁《てんにん》三年（一一一〇）に法勝寺《ほっしょうじ》で法会《ほうえ》を行なおうとしたところ、ひどい雨になったので延期した。同様の延期は三度に及び、四度目に決行した際も、やはり雨が降っていた。院はおおいに怒って、雨を容器に受けて獄舎につないだという（『古事談《こじだん》』）。もうひとつは、同じ白河院の「賀茂川《かもがわ》の水、双六《すごろく》の賽《さい》、山法師《やまほうし》、これぞわが心にかなわぬもの」（『平家物語《へいけものがたり》』）という言葉。一般に「雨水の禁獄」「天下三不如意《てんかさんふにょい》」といわれるエピソードである。

「雨水の禁獄」は、本格的な院政を開始した白河院の強大な権力を表わす。自然現象をも支配下に置こうとする意識は、王者としてのスケールの大きさ、あるいは未成熟な〝支配〟のもつ牧歌的雰囲気を物語るといえよう。しかし「天下三不如意」のほうは、すでにこのような支配に陰りが生じていることを示している。これは安元《あんげん》三年（一一七七）、比叡山《ひえいざん》の悪僧《あくそう》が神輿《しんよ》を振り立てて強訴《ごうそ》を企てた際に、過去の事例を振り返って『平家物語』が記したものである。比叡山延暦寺《えんりゃくじ》や大和《やまと》の興福寺《こうふくじ》に代表される寺院や神社が、独自に荘園《しょうえん》を開発し、軍事力を組織してみずからの主張を通すための活動を起こすのは、中世成立期以降に始まったことである。

僧兵や神人《じにん》の暴力もさることながら、人々は彼らが持ち出す御神体《ごしんたい》（神輿・神木など）に宿る神威を畏《おそ》れ、反撃に出る意欲を削《そ》がれてしまったのである。院の権力や朝廷における合理的な判断と神仏の威との衝突、つまり宗教が天皇や国家を護《まも》る役割を逸脱して独自の主張を始めたことは、社会に大きな影響を与えた。武士が中央政界に導入された大きな理由は、頻発する強訴に対抗するためであり、ここに院・武士・神仏という三つ巴《どもえ》の関係が形成されることになった。

後白河院が、みずからの判断の甘さを〝天魔〟のせいにして、言い抜けようとしたことからもわかるように、自然現象や神仏などの人為を超えた存在を便利に用いる術《すべ》を、中世の人々は十分心得ていた。人為や人知の及ばない広大な領域をカバーするために、宗教は大きな力を発揮したのである。〝王様のいない国〟について考えるにあたり、朝廷・幕府に加えて、私たちはそれらと別の次元で社会を左右する宗教の力にも目を向けなければならない。はたして、民衆が求めたのはどのような王様だったのだろうか。

6

◉興福寺維摩会
「維摩経《ゆいまきょう》」を講読する法会で、南京三会のひとつ。院政期には、六《ろく》勝寺《しょうじ》などを舞台に豪華な法会が行なわれた。（『春日権現験記絵巻《かすがごんげんけんきえまき》』）

後三条天皇の登場と荘園整理令

過剰の時代の幕開き

東京から新幹線に乗って京都に向かうと、あとわずかで目的地であることを知らせる車内アナウンスとともに、車窓に東寺《とうじ》の五重塔が見えてくる。JRのポスターにもしばしば取り上げられる景観で、京都に来たことを実感する瞬間である。

中世の始まりにおいて同様の位置づけにあったのが、法勝寺《ほっしょうじ》の九重塔であった。東国から京都をめざして上ってきた者が、ようやく目的地が近いことを思い、ふと目を上げたときに、高くそびえる九重塔に驚くのである。密集した町並みや高層建築があるわけではないから、草深い僻遠《へきえん》の地からやってきた者は、呆然《ぼうぜん》としてたたずんだことであろう。歩を進めるにつれ、九重塔はますますその威容を増し、こここそが世界の中心だという感慨がわきあがってきたに違いない。

一一世紀後半から始まる院政期は、法勝寺をはじめとする多

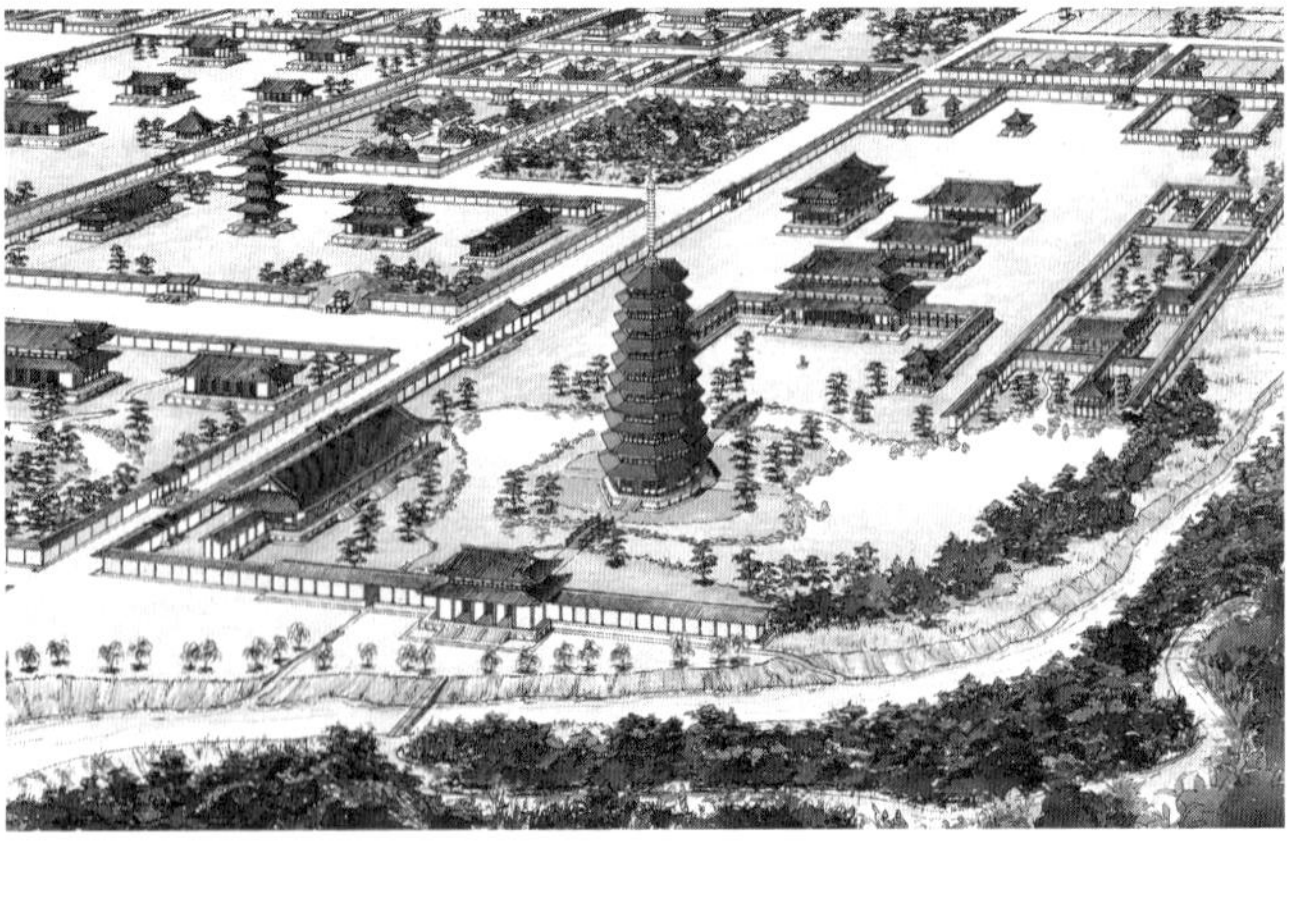

7

くの寺が建立され、そこを舞台に豪華な法会が催されるなど、京の都に富が集まり、殷賑《いんしん》をきわめた時代であった。この時代をひとことで表わすなら〝過剰〟という言葉がふさわしい。中世の扉が開かれ、〝過剰〟の時代として展開する様子をみていくことにしよう。

◉法勝寺推定復元図
永保《えいほう》三年（一〇八三）に建立された法勝寺八角九重塔は、高さ八〇mに及ぶ、院政のランドマークタワーであった。

摂関家を外戚としない天皇

治暦《じりやく》四年（一〇六八）、後冷泉《ごれいぜい》天皇が崩御し、弟の尊仁《たかひと》親王が践祚《せんそ》した。後三条《ごさんじよう》天皇である。彼らの父は後朱雀《ごすざく》天皇で、兄の後一条《ごいちじよう》天皇とともに、藤原道長《ふじわらのみちなが》の娘である上東門院彰子《じようとうもんいんしようし》を母としていた。後一条・後朱雀の時代は、藤原道長とその息子頼通《よりみち》による摂関《せつかん》政治の全盛期である。彰子に仕えた紫式部《むらさきしきぶ》が『源氏物語《げんじものがたり》』に描いたように、宮廷社会がもっとも雅《みやび》やかな時代だったといえる。後冷泉天皇もまた道長の娘である嬉子《きし》を母とし、頼通の娘寛子《かんし》を妻としていたが、彼らの間には男子が生まれなかった。後冷泉が男子を残さないまま四四歳で崩御したため、後三条が後継の天皇の座に就いた。彼の母は三条天皇の皇女禎子《ていし》内親王《ないしんのう》で、ここに藤原氏を外戚《がいせき》としない天皇が誕生したのである。宇多《うだ》天皇以来じつに一七〇年ぶりのことで、権勢をほしいままにしていた頼通にとっては歓迎すべからざる事態であった。しかし摂関家出身の女性から皇子が生まれない以上は、いかんともしがたかったのである。

後三条（尊仁）の地位は、もともと非常に不安定であった。寛徳《かんとく》二年（一〇四五）の後朱雀譲位、後冷泉践祚《せんそ》に際して、頼通は皇太子を決定するのを渋った。頼通の弟の能信《よしのぶ》が機転をきかせて後朱雀に進言し、尊仁を皇太子の地位に押し込んだ。その後も能信は一貫して尊仁を支え、ついに践祚に持ち込んだのである。二三年という長い皇太子時代を過ごしただけに、後三条が天皇位に就いたときには三五歳の壮年に達しており、外戚などに左右されず、独自の政策を打ち出す条件は整っていた。それもこれも、摂関家の子女が皇子に恵まれなかったという一事にかかっており、要するに血縁の論理に依拠するかぎり、権力の行方はつねに偶然性に左右され、予測不可能だったといえる。盤石《ばんじゃく》にみえた摂関政治も、寿命や出産などのすぐれて生理的な条件が重なることによって実現しているにすぎなかったことが、露呈したのであった。

天皇と藤原氏関係図①

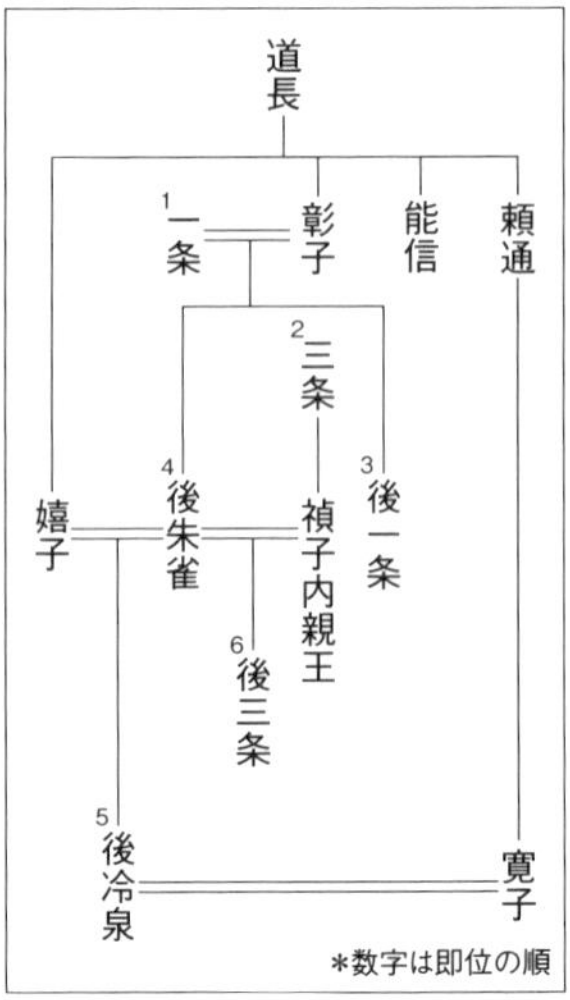

兄弟の並立と公卿の構成

摂関家《せっかんけ》のなかで、頼通《よりみち》に反して弟の能信《よしのぶ》が後三条《ごさんじょう》を支持したという事実を、どう考えればよいのだろうか。頼通の母は左大臣源雅信《みなもとのまさのぶ》の娘倫子《りんし》、能信の母は源高明《たかあきら》の娘明子《めいし》と、二人は母を異にしている。倫子所生の子女が本流の扱いを受けていたのは間違いないが、明子の子たちも、能信の兄の頼宗《よりむね》が右大臣に昇るなど立身を遂げていた。問題なのは、道長の男子七人のうち五人までが公卿《くぎょう》に昇り、高位の官職に就いているという事実である。摂関家の威信の賜物《たまもの》だろうが、このことが家内の統率よりも兄弟間の競合関係を促す方向に働いたと考えられる。

道長の五人の息子たちは、いずれも非常に長生きだった。後冷泉《ごれいぜい》天皇治世の最後の時期である康《こう》平《へい》六年（一〇六三）を例にとってみると、関白頼通七二歳、左大臣教通《のりみち》六八歳、右大臣頼宗七一歳、権大納言《ごんだいなごん》能信六九歳、同長家《ながいえ》五九歳となっている。複数の妻が子宝に恵まれれば、年齢の接近した子供たちがせめぎ合うことも起こるわけだが、それがいずれも六〇代、七〇代になるまで現役の公卿《くぎょう》として政治を主導しているのは、稀有《けう》な事態といわざるをえない。道長の子孫がこの後長きにわたって京都政界に君臨するのも、そもそもは彼らの生命力の強さのおかげといえよう（翌康平七年には、長家が没し、さらに同八年に頼宗・能信が亡くなって、ようやく高齢の兄弟が並び立つ状態に終止符が打たれる）。

院政開始以前の政治は、公卿会議によって動いており、政治上の発言権を確保しようとすれば、現任公卿の地位を去るわけにはいかなかった。一般貴族はかなりの経験と実績を積まないと公卿に昇任することができず、総じて公卿を構成する人々の年齢は高くなる傾向にあった。政治力や家柄も重要ではあったが、権勢を得るための抗争は、かなりの程度、生き残りゲームだったのである。しかしつぎの世代をみれば、頼通

8

◉貴族の邸宅の内部
寝殿造り内部の貴族の私的空間。豪華な調度に囲まれ、摂関家の藤原忠実《ただざね》が、常陸《ひたち》国司ゆかりの女性と交歓している場面。（『春日権現《かすがごんげん》験記絵巻《けんきえまき》』）

が五〇歳にしてやっと後継者となる師実《もろざね》を得るなど、血統の継承が危うくなっていることがわかる。このような状況下で、兄弟の間で権力をめぐる葛藤《かっとう》が生じていた。能信は、つねに兄たちの後塵《こうじん》を拝している立場からの逆転をもくろんで、後三条にかけたのである。

中世の幕開きの時代には、親から子へ縦に継承される〝イエ〟は、いまだ確たる形を現わしておらず、むしろ兄弟の並立・競合によって一族は横に拡大していた。そして院政の開始とともに現任公卿の地位が絶対的なものでなくなると、生命力という偶然性の高い要素は後退し、貴族社会はより安定的な構造を求めて再編成を進めることになる。

「幽玄の境」を踏み出して

以上のような状況のなかで、摂関家《せっかんけ》と天皇との血縁が途切れたところに誕生したのが後三条天皇《ごさんじょう》であった。摂関家の子孫のひとりである慈円《じえん》の著作で、承久《じょうきゅう》年間（一二一九～一二二二）に成立した『愚管抄《ぐかんしょう》』は、後三条の登場を歴史上の画期のひとつ「世ノスヘノ大ナルカハリメ」とみる。「ヒトエニ臣下ノママニテ摂籙臣世《せつろくのしん》ヲトリテ、内ハ幽玄ノサカイニテヲハシマサン事、末代ニ人ノ心ハヲダシカラズ」――臣下にすぎない摂政関白が政治を思うままにし、天皇が「幽玄の境」にこもっているようでは、この末世を治めることはできない――というのが後三条天皇の考えだったという。「幽玄の境」とは内裏《だいり》の奥深くということもあるのだろうが、それ以上に天皇の存在が理念的・象徴的な領域に祭りあげられていたことを意味するのだろう。主体的に判断し、政治を主導する天皇こそが、後三条の描いたあるべき姿だったわけである。

彼が行なった主要な政策が荘園《しょうえん》整理令である。延久《えんきゅう》元年（一〇六九）に宣旨《せんじ》を発して、寛徳《かんとく》二年（一〇四五。後冷泉《ごれいぜい》天皇の即位の年）以後に新たに設置された荘園、またはそれ以前の設置であっても由緒が不明のものを廃止することを命じ、実務担当機関として記録荘園券契所《きろくしょうえんけんけいじょ》（記録所）を置いた。荘園とは、国司《こくし》が管掌する公領の一部を割いて生まれた所領で、朝廷の全国支配の原則からはずれる領域であり、摂関家や大寺社にとっては独自の財源となった。国司と荘園領主との対立は頻発しており、「庄園諸国ニミチテ、受領《ずりょう》ノツトメタヘガタシ」という国司（受領）の嘆きの声があがっていたのである。

記録荘園券契所では、荘園設置の事情を示す文書（公験《くげん》）の審査が行なわれた。荘園整理が命ぜられることは前代からあったが、専門の審査機関を置いた点が、延久の政策の新機軸である。これによって、審査権・認可権をもつ中央政府の権威と、それに適合しうる文書を獲得することの重要性が広く認識されるようになった。中世の文書主義・当事者主義の意識を形成するうえで、大きな意味をもったと評価できる。すなわち、自己の権利を文書によって証明すること、および、自己の権利を守るために必要な措置を自力で講ずることである。

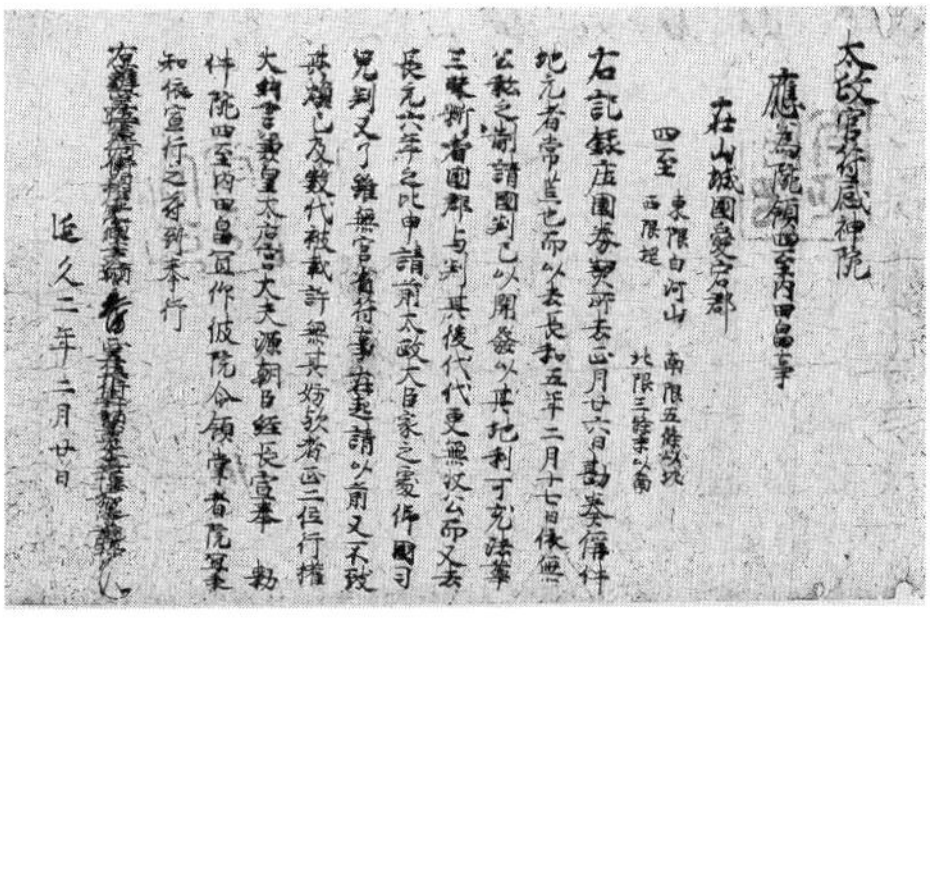

9

◉太政官符
祇園感神院《ぎおんかんしんいん》に対し、記録所の審議の結果、敷地内の田畑を所領として認可する旨を伝えた文書。紙面に複数の「太政官印《だいじょうかんいん》」を捺《お》す。（『八坂神社文書』）

最大の荘園領主である摂関家も、公験を提出した。実際に廃止された荘園もあったのだが、一方で『愚管抄』は、藤原頼通《ふじわらのよりみち》がつぎのように「サハヤカニ」言ってのけたと伝えている。

「五〇年あまりもの間、天皇の後見をつとめてまいりましたので、多くの者が縁を結びたいと所領を寄進してくれました。申し出られるままに受け入れてきましたので、証拠の文書などはございません。不審と思われる荘園があれば、どんどん廃止してくださってけっこうです」

このように出られては反論のしようがなく、頼通の所領は整理の対象からはずされることになったという。

あまりにも明白な案件については書類など作成する必要がない――というのは、ひとつの見識である。所領に限らず、父祖から代々伝えられてきた役職などについても、むしろ、文書という人為的な産物によって保証されているのではないことを誇る傾向が存在した。しかしながら、荘園の由来を審査したうえで承認するという中央政府の方針は、既存の権利が問題なく行使されているだけでなく、その正当性・合法性が文書によって証明され、天皇あるいは王権から承認されねばならぬという原則を社会に浸透させていったのである。

延久の荘園整理令による審査の結果、たとえば石清水八幡宮《いわしみずはちまんぐう》では三四か所の荘園のうち、二一か所が認可され（うち九か所は、一部の停止などの条件付き）、一三か所が停止された。国司および荘園領主を超えた審議・決定の権限をもつ機関として、中央政府が現われたのである。この動きが、国司と荘園領主のいずれにとって有利に働くかは、もう少し先の問題になる。

院政の開始

後三条の譲位と白河天皇の誕生

後三条《ごさんじょう》天皇は延久《えんきゅう》四年（一〇七二）一二月、在位四年余にして位を退き、皇太子貞仁《さだひと》が践祚《せんそ》することになった。白河《しらかわ》天皇である。精力的に政務を執ってきた後三条としては、譲位後についても明確なプランがあったはずだが、彼はこのわずか五か月後の延久五年五月に急逝する。遅く訪れた即位のチャンスを生かすだけの生命力を持ち合わせていなかったのである。

白河の母は、後三条即位の功労者であった能信《よしのぶ》の養女茂子《もし》。彼女は後三条との間に五子をなしたが、男子は貞仁だけだった。後三条には積極的に譲位しなければならない理由は見当たらず、何を意図していたかは推測するしかない。彼は茂子とは別に、源《みなもとの》基平《もとひら》の娘基子《きし》との間に二人の皇子をもうけており、延久三年誕生の実仁《さねひと》親王を将来の天皇として考えていたのではないかという説が出されている。摂関家《せっかんけ》と縁続きでない天皇の誕生を望んでいたというので

天皇と藤原氏関係図②

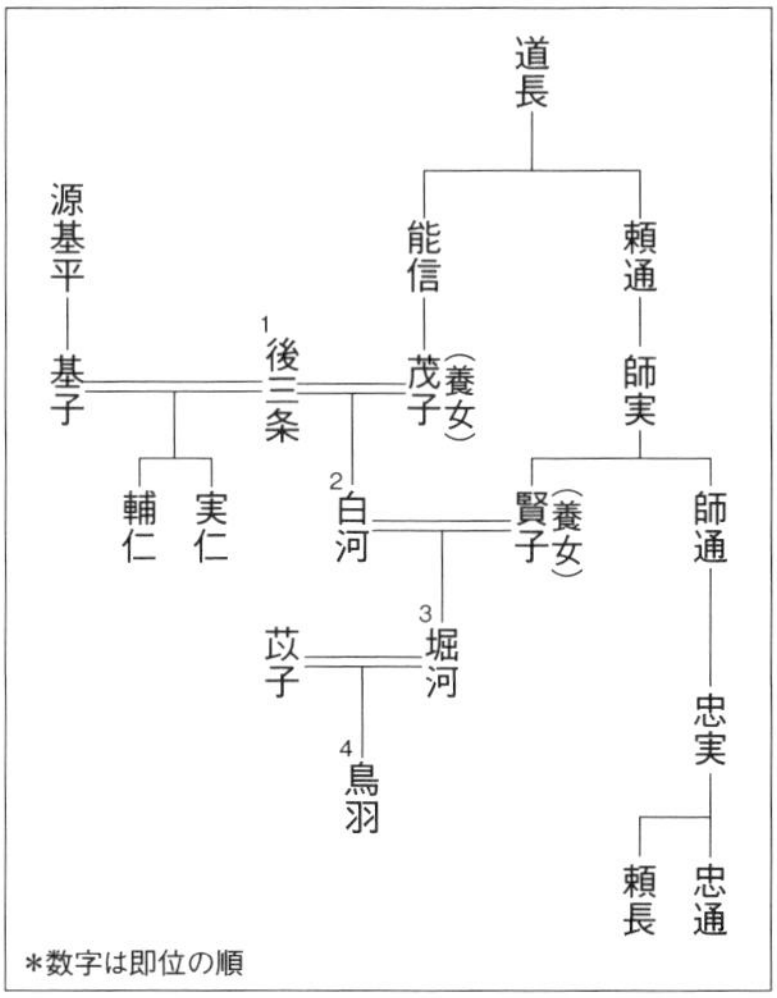

ある。実仁には同母弟の輔仁《すけひと》もおり、白河天皇の地位は、この異母弟たちに脅かされる危ういものであった。ただ一方で、延久六年には藤原頼通《よりみち》が八三歳で、また上東門院彰子《じょうとうもんいんしょうし》が八七歳で死去、翌承保《じょうほう》二年（一〇七五）には頼通の弟で関白の地位にあった教通《のりみち》が八〇歳で亡くなり、ついに古い世代の重石《おもし》が除かれる。ここに二三歳の白河天皇の体制が始まったのである。

白河天皇の中宮は源顕房《あきふさ》の娘賢子《けんし》で、頼通の息子で関白として白河とともに政治を主導した師実《もろざね》の養女として入内《じゅだい》した。二人の間には四子があったが、第一皇子敦文《あつふみ》親王が承保四年に四歳で夭折、第二皇子の善仁《たるひと》親王が後継者として意識されていた。白河の賢子への寵愛《ちょうあい》は厚かったが、彼女は応《おう》徳《とく》元年（一〇八四）に二八歳で亡くなってしまう。白河は賢子を最期まで看取《みと》り、遺体をかき抱いて離れようとしなかったという。配偶者への執着をこのように率直に示すこと自体、「幽玄の境」にいては難しいことであった。ここにも新しい王の姿をみることができよう。

また、後三条天皇に期待され、皇太弟であった実仁も翌応徳二年に一五歳で没する。同母弟の輔仁が不安材料として残ってはいるが、応徳三年一一月、白河は七歳の善仁に皇太子宣下《せんげ》を行ない、その日のうちに譲位・新帝への践祚《せんそ》という荒技《あらわざ》を実現した。ここに堀河《ほりかわ》天皇が誕生し、白河は上皇として位置づけられた。

院政開始の契機

後三条《ごさんじょう》・白河《しらかわ》の譲位は、必ずしも「院政」を目的としたわけではなく、早い段階で後継者を確定することがねらいだったと考えられる。後三条の場合、当面の後継者である白河のつぎの実仁《さねひと》親王が本命だった。白河も、異母弟の実仁の死に乗じて、すかさず息子の善仁《たるひと》を即位させたのである。いずれも、本意とする後継者を阻む条件を、少しでも早く取り除きたかったとみることができよう。そもそも、自分の望む後継者の即位を見届けたいと願うこと自体が新しい発想で、血統と生命力をめぐるきわめて不確定な問題をあえて乗り越えようとする、彼らの主体性を評価すべきである。また白河の場合、中宮賢子《けんし》への執着とともに、実仁・輔仁《すけひと》兄弟の祖母である禎子《ていし》内親王（陽明門院《ようめいもんいん》）への配慮が、後継者工作の重要な要素として働いたことも忘れてはならない。天皇の周囲の女性たちも、外戚《がいせき》関係をつくりだすこととは別の役割をもつようになった。

自分の属する世界を、みずからの予測可能な範囲に収めようとする意志は、必ずしも誰もがもちうるものではない。中世の成立期に、天皇がこの点について明確な意志をもち、それを実現していったことを記憶しておいていただきたい。この巻の後半では、同じ意志を抱く力が減退していく様子を述べなければならないからである。

10

◉春日社に御幸する白河院
寛治《かんじ》七年（一〇九三）、白河院は前年の霊夢の告げにより、春日社に参詣した。牛車の中には院の姿が見え、周囲には供奉《ぐぶ》の公卿《くぎょう》・殿上人《てんじょうびと》らが整然と居並ぶ。（『春日権現験記絵巻《かすがごんげんけんきえまき》』）

後三条・白河両天皇の譲位によって始まった院政は、その後の政治的・社会的状況に適合した形式として、しだいに常態化した。院政を定着させた情勢とは、どのようなものだったのだろうか。

成人後の堀河《ほりかわ》天皇は、関白藤原師通《ふじわらのもろみち》（師実《もろざね》の息子）の補佐を得て、積極的に政務に臨んだ。そのため白河院の政治への関与と並立することとなり、「世間のこと両方にあい分かつ」（『中右記《ちゅうゆうき》』）と評された。また師通は「おりゐの帝《みかど》の門に車立つ様やはある」（『今鏡《いまかがみ》』。退位した天皇の門前で下車して臣下の礼をとる必要はない）と明言するなど、天皇を盛り立てて意気軒昂《けんこう》であった。その体制が続けば別の展開があったかもしれないが、承徳《じょうとく》三年（一〇九九）に師通が三八歳で急死、堀河天皇も嘉承《かしょう》二年（一一〇七）に二九歳の若さで崩御する。師通物故の時点で、息子の忠実《ただざね》はまだ二二歳、地位は権大納言《だいなごん》で大臣にも昇っていないため（当時、上席の左大臣は六五歳の源俊房《みなもとのとしふさ》で、彼は八七歳で亡くなるまで、その地位にとどまりつづけた）、しばらく関白の地位は空席とされた。栄華を極めた摂関家《せっかんけ》は、若輩の氏長者《うじのちょうじゃ》のもと、危機的な立場に追い込まれていた。

重要な登場人物がつぎつぎと亡くなるなかで、つぎの天皇に立ったのは、堀河の皇子でわずか五歳の宗仁《むねひと》親王＝鳥羽《とば》天皇である。母は藤原実季《さねすえ》の娘苡子《いし》で、白河の生母茂子《もし》の姪《めい》にあたる。後三条皇子の輔仁親王は、対立候補としていまだ有力であったが、ともかくも宗仁の践祚《せんそ》が実現し、ここに中継ぎにすぎなかったはずの白河院の血統が、三代にわたって天皇の地位を獲得した。

白河院政の確立と摂関家の変容

白河《しらかわ》院は、自身の不安定な立場を十分認識していた。父の後三条《ごさんじょう》を皇位に押し上げてくれた藤原《ふじわらの》能信《よしのぶ》について、「故東宮大夫《とうぐうだいふ》殿（能信）がおられなければ、私が皇位に就くという運はまわってこなかったであろう」と言い、話題が能信のことに及ぶ折には、必ず〝殿〟の敬称をつけていたという（『愚管抄《ぐかんしょう》』）。三代続けての直系継承の期待を担う宗仁親王の誕生は、白河院にうれし涙を流させたばかりでなく、宮廷社会でも吉事として歓迎された。それだけに堀河《ほりかわ》天皇の夭折は痛手で、宗仁《むねひと》の即位が難しければ、白河はみずからが重祚《ちょうそ》（再度天皇位に就くこと）するつもりもあったという。自身の皇統を維持する強い意志をもっていたのである。

また、白河の重祚について、藤原頼長《よりなが》の日記『台記《たいき》』は、別の説を伝える。鳥羽の誕生以前、堀河天皇が病気になった折に、白河が重祚の意向を漏らしたことがあったという。これは譲位後の鳥羽が、「朕未生以前…」と、自分が生まれる前の皇位継承について述懐したなかで、語られたものであった。

「私が生まれる前のことだが、故堀河天皇が病気になられたときに、天下の人々はみな、輔仁《すけひと》親王が後継者になると考えた。故白河院は深く嘆かれて、こう仰せられた。『朕《ちん》は出家はしたが、まだ受戒（仏の定めた戒

11

◉慈円
関白藤原忠通《ただみち》の息子に生まれ、一一歳で青蓮院門跡《しょうれんいんもんぜき》に入室、仏教界の重鎮として活躍した。歴史書『愚管抄《ぐかんしょう》』を著わし、独自の史観を示す。

律に従うこと、またそれを誓う儀式）していないし、法名も名のっていない。天皇が反対されなければ、重祚してもさしさわりはなかろう』」

望みどおりの後継者を天皇に据える院政は、未来を先取りする意味をもつ。据えられた側も、生まれる前や、物心つく前の経緯に意識的にならざるをえなかった。未来と過去について、より長い間隔で見通す時間感覚が生まれてきているのをみることができよう。

鳥羽の践祚《せんそ》にあたっては、生母苡子《いし》の兄である藤原公実《きんざね》が、外舅《がいきゅう》（外伯父《おじ》）として摂政の地位を望んだという。血縁関係からいえばそれなりに理があり、『愚管抄』によると、白河院も少々悩んだ。しかし院別当《いんのべっとう》として近侍《きんじ》する源俊明《みなもとのとしあき》がまったく取りあわなかったため、これまでの実績を継承する形で摂関家《せっかんけ》の藤原忠実《ただざね》が就任することになったのである。ただし、不安定な地位を危惧《きぐ》する忠実は、「院の仰せ」によって摂政就任を命じられることを望み、補任《ぶにん》の宣命《せんみょう》にはその旨が明記された。外戚《がいせき》関係とは切り離された、摂政・関白の地位を継承する家という概念が明らかになり、同時にそれが上皇の権威のもとに位置づけられたのである。

こうして院政の条件は、ひとつずつ整っていった。さらに永久《えいきゅう》元年（一一一三）には、鳥羽天皇を呪詛《じゅそ》したという疑惑により輔仁親王が籠居《ろうきょ》、白河の血統に対抗する勢力が一掃された。ついに白河は、自分を脅かす要素から自由になったのである。

院政の構造

院権力の源泉

譲位した天皇である太上天皇《だいじょう》（上皇。その居所を「院」と呼び、しだいに「院」が上皇自身を指す語として用いられるようになった）は、律令制《りつりょう》下においても天皇に準ずる地位を与えられており、潜在的には天皇と同等の権力をもっていたと見なされる。このため貴族社会において、上皇の執政はそれほど不自然なものと受け止められなかった――あるいは拡大した上皇権力に、あえて異をとなえないための理由づけは与えられていた。

前代と異なるのは、院政の根拠が前天皇の権威ではなく、現天皇の直系尊属という父権に存していた点である。女系に基づく外戚《がいせき》関係は個々の天皇によって異動しうるが、院政は男系継承の論理で行なわれるから、天皇の血統が維持されるかぎりゆるぎないものとなる。また早いうちに譲位することで、みずか

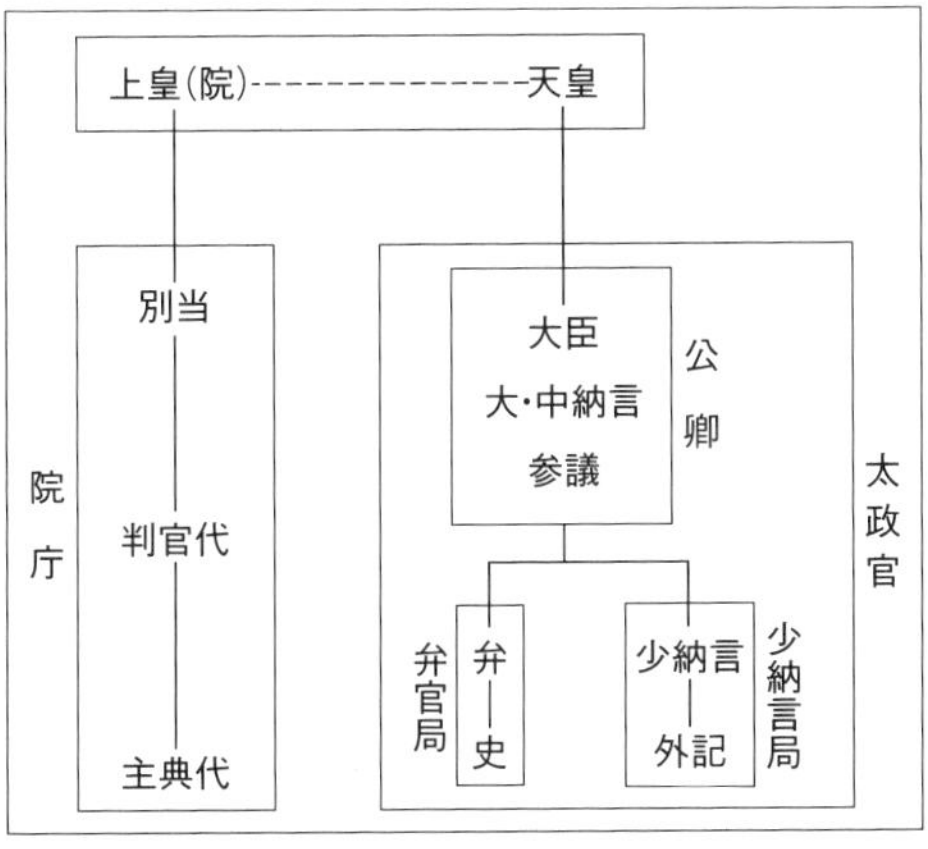

●太政官と院庁の政務構造
中世には、文書の発給や儀礼の実務などは、それぞれ担当の上卿《しょうけい》（公卿から出る）―弁―史《し》のラインで処理されるようになる。院別当は四位以上、判官代《はんがんだい》は五～六位、主典代《しゅてんだい》は下級官人。

らの望む後継者が天皇の地位に就くのを見届けられるようになったのである。院政は、天皇家が望ましい将来を選び取ることを可能にする方式だったといえる。ただし、有力貴族をミウチとして取り込んで後見につけるのではなく、貴族集団に対する優越性をつねに確保しなければならなくなるので、実質的な力を身につける必要がある。逆にいえば、幼い天皇を「幽玄の境」にとどまらせるために、院が強力な後見人となることが望まれたのであった。

一方、政治の方法はどのように変化しただろうか。先に触れたように、朝廷の政務は、太政官の議政官（大臣・大中納言・参議）が構成する公卿《くぎょう》会議によって運営されていた。これに参加できるのは現任者のみで、前官や非参議は対象ではない。したがって政務の中核に参与しようとするかぎり、現任公卿の地位を退くわけにはいかず、当然新しいメンバーの参入は容易でない。ところが院政のもとでは、より柔軟な体制が実現する。内裏《だいり》で行なわれていた議定《ぎじょう》が形式化し、それにかわった院《いんの》御所《ごしょ》での議定は、院の指名する出席者で構成され、前官の公卿や、非参議・蔵人頭《くろうどのとう》など、身分の低い者も加わるようになった。さらに、これとは別に院が側近の貴族を招いて意見を求め、最終決定を下すこともふつうになった。院の政治的判断の重みが増すとともに、太政官の公式の地位とは別に、院との個人的関係が政治参加の重要な要素となったのである。また、院は家政機関として院庁《いんのちょう》を組織したので、院司《いんし》としてその一員になることも大きな意味をもった。

院政の出現は、太政官制度のなかの個々の役職に職務・職権が伴うという原則を崩すものであった。そもそも院の権力そのものが、公式の役職に裏付けられたものではない。院のもとで政務を主導する近臣たちも同様で、これによって太政官制度上の役職にしがみつく必要はなくなり、逆に役職の流動性が高まった。要するに役職の延べ実数が増加したのである。より多くの貴族に高位の役職がまわってくるようになり、安定的に家格を維持できるという効果をもたらした。一方で、個々の役職は空洞化し、家格の指標という役割に転化していくのである。

院近臣層の出現

院の決定を左右した近臣としては、鳥羽《とば》天皇即位時の摂政について意見した院別当《いんのべっとう》の源俊明《みなもとのとしあき》や、学者として名高い大江匡房《おおえのまさふさ》、「夜の関白」と呼ばれた藤原顕隆《ふじわらのあきたか》などがいる。顕隆は夜の間に院御所に参上して意見を述べ、大きな影響力をもった。彼の血統は、父為房《ためふさ》の代から白河院の側近として仕え、息子の顕頼《あきより》も鳥羽院に近侍《きんじ》し、まさに院近臣の家系といえるものとなった。伝統的な上流貴族である俊明や、優れた学者として名をなした匡房に比べ、為房の一流は院政のおかげで表舞台に出てきたのである。

勧修寺流《かじゅうじりゅう》藤原氏と呼ばれる彼らは、蔵人《くろうど》や弁《べん》などの実務的な役割をつとめあげ、老境に入ってからようやく参議に任じられるほどの立場であった。為房は六三歳、顕隆は四九歳で、やっと公卿《くぎょう》の仲間入りを果たし

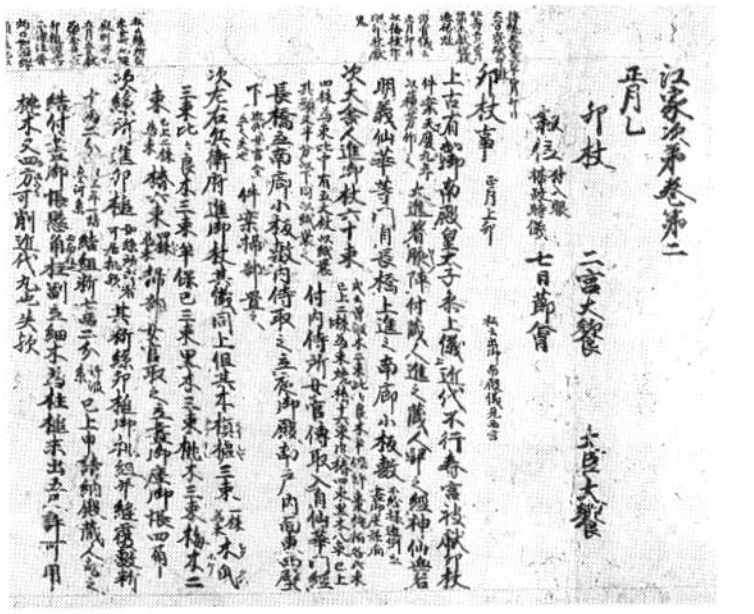

12

●『江家次第《ごうけしだい》』
大江匡房が編纂した朝廷の公事《くじ》・儀式の次第書で、この分野の代表的な書物。匡房の興味は多岐にわたり、多くの著作を残した。

ている。旧来の政務の方式では、彼らは働き盛りの時代に公式の発言をすることができない。だが院政のもとでは、政務の手続きや文書の作成などに通じた彼らの力が、院の判断を助け、政策を実現させるために必要とされた。院政は、たんに院の独裁志向のためにあったわけではなく、迅速な決定を必要とする事態がつぎつぎと起こる社会状況に対応するための、新しいシステムという一面をもっていた。為房流は、このあと朝廷を支える実務官僚系の家柄——名家《めいか》と呼ばれる——として発展する。もともとは摂関家《せっかんけ》に仕える家柄だったために格下にみられがちで、実際に手にしている権力と家格とのアンバランスはのちのちまで問題となったが、彼らの力なくしては政務が動かないという事実は、誰もが認めざるをえなくなっていた。

　院政の本格化により、年齢や家柄にとらわれない登用が行なわれ、有能な人材をいわば旬の時期に活用できるようになったことは評価すべき点であろう。もちろん、それが院の独断で行なわれるためにさまざまな不都合は生じたが、広い範囲の人々に、院の目にとまれば自分にもチャンスがあるという希望をもたせたことは、社会の活性化を促すうえで大きな意義があったに違いない。

　保安《ほうあん》元年（一一二〇）、白河院が熊野《くまの》詣《もう》でで不在の間に、関白藤原忠実《ただざね》は鳥羽天皇と娘勲子《くんし》の入内《じゅだい》についてはかった。白河院は激怒し、忠実を事実上の罷免に追い込んだ。また、自立の気配を見せ

勧修寺流藤原氏系図

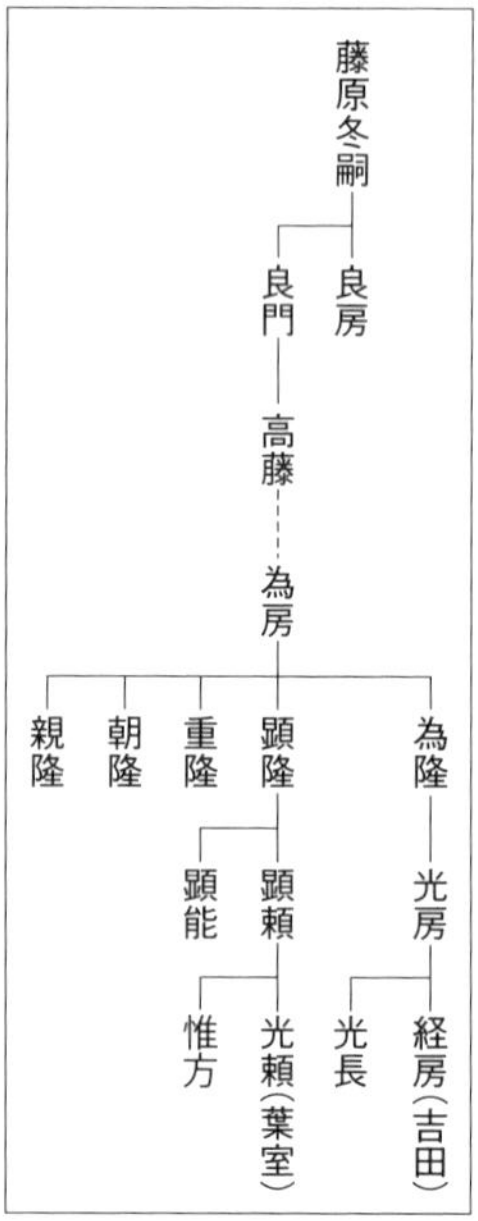

た二〇歳の鳥羽天皇に対しては、保安四年に五歳の崇徳《すとく》天皇に譲位させた。院の人事権は近臣のみならず、摂関そして天皇にも及び、その威光は絶対だったのである。

白河治世の終わりと院政の常態化

白河《しらかわ》院は長期にわたる治世を謳歌《おうか》したが、それにも終わりはくる。大治《だいじ》四年（一一二九）七月七日、まさにそのときが訪れた。前日、院は待賢門院璋子《たいけんもんいんしょうし》の御所での法事に出かけたが、帰ってからにわかに霍乱《かくらん》（下痢《げり》・嘔吐《おうと》などの急性の胃腸疾患の症状）を起こしたという。食あたりの類かと思われるが、翌日になってもおさまらず、ついに崩御。七七歳であった。当時権大納言《ごんだいなごん》で、『中右記《ちゅうゆうき》』という大部の日記を残した藤原宗忠《ふじわらのむねただ》は、つぎのように記した。

「後三条《ごさんじょう》院崩じてのち、天下の政《まつりごと》をとること五十七年――在位十四年、位を避《さ》りてのち四十三年――意にまかせ、法にかかわらずして叙位《じょい》・除目《じもく》を行い給う。威四海に満ち、天下帰服す」

白河院の院政は、五七年にわたる長期の執政期間と、それを可能にした彼の旺盛な生命力の賜物《たまもの》である。父後三条や異母弟の実仁《さねひと》親王、関白師通《もろみち》、堀河《ほりかわ》天皇など、重要な登場人物がつぎつぎと倒れるなか、ライバルの退場に乗じ、危機を乗り越えてきたエネルギーは傑出しており、院政の常態化を築いた第一の要因といえる。映画や小説には「主人公は死なず」のルールがつきものだが、現実世界では死ななかった者が主人公になるのだ。

白河院の死後は、鳥羽《とば》院が院政を実施し、この政治方式はすっかり定着することになった。鳥羽院もまた「天下を政するは上皇御一人なり」（『長秋記《ちょうしゅうき》』）といわれるほどの専制をふるったのである。宇治《うじ》に隠棲《いんせい》していた藤原忠実《ただざね》を、長承《ちょうしょう》元年（一一三二）に内覧《ないらん》（太政官《だいじょうかん》から天皇へ奏聞《そうもん》する文書を内見する役）に復帰させ、さらに忠実失脚の原因となった娘の泰子《たいし》（勲子《くんし》を改名）を后《きさき》として迎えた。彼女はのちに高陽院《かやのいん》として院と忠実を結ぶ重要な絆《きずな》となった。忠実は息子で現任の関白である忠通《ただみち》とともに、院近臣とも折り合いながら政務を進めた。摂関家《せっかんけ》は、もはや外戚《がいせき》という条件に左右されず、貴族社会のもっとも高位の地位を確保したが、それは院の専制に甘んじることと引き換えであった。

「幽玄の境」を脱した政治は、院自身の生命力というきわめて生理的な条件によって支えられていた。院は人材の登用によって貴族社会を活性化させたが、その柔軟な人間関係は、既成のルールに支えられていないだけに危うい一面もあった。強力に展開する院政を生み出した社会がどのようなものであったのか、次章以降でみていくことにしよう。

13

◉**鳥羽院**
似絵《にせえ》（写実的な肖像画）は、院政期以降、藤原隆信《たかのぶ》・信実《のぶざね》によって発達した絵画の形式である。天皇家の肖像は、鳥羽院に始まる。（『天子《てんし》摂関御影《せっかんみえい》』）

第二章

過剰と蕩尽

1

院権力を支えるもの

院の強権と恣意

白河《しらかわ》院崩御の折の『中右記《ちゅうゆうき》』の記事をもう一度みてみよう。『中右記』を記した（記主と呼ぶ）藤原宗忠《ふじわらのむねただ》は、藤原道長《みちなが》の次男堀河《ほりかわ》右大臣頼宗《よりむね》の家系に生まれた。保延《ほうえん》四年（一一三八）七七歳で右大臣を退くまで、良識派の政治家として朝政に参加し、なかんずく現在まで伝わる大部の日記を残した人物である。その内容は白河院政期のほぼ全体をカバーしており、この段階の政治史を語るために不可欠の史料となっている。

伝統的で堅実な貴族政治家だった宗忠の目には、白河院は理解を超えたところのある人物と映ったらしい。強大な権力をほしいままにし、慣行を無視して叙位《じょい》・除目《じもく》（位階・官職の叙任などの朝廷の人事のこと）を行なう。物事に対する判断、人に対する好悪がはっきりしていて、それらの評価を直截《ちょくせつ》に賞罰に反映させる——みずからの権力に絶対の自信があるからこそ、迷うことなく即断し、私的な感情を公式の人事に反映させることができるのだろうが、宗忠はこれを「天下の秩序を乱す」と批判的に記している。公卿《くぎょう》の座に座りつづける老人たちにとって、宮中で院の目にとまるためのルール不明のサバイバル・ゲームが行なわれるさまは、脅威でしかなかっただろう。

◉戦う悪僧
頭を袈裟《けさ》で包む（裹頭《かとう》）ほかは、武士と変わらない姿。教学に専念する学侶に対し、寺院の武力を担う構成員で「僧兵《そうへい》」とも呼ばれる。（『春日権現験記絵巻《かすがごんげんけんきえまき》』）
前ページ図版

それでは何をもってすれば、院の寵《ちょう》を得ることができるのだろうか。亡き院のための盛大な仏事について書きとどめたうえに、宗忠は「法皇御時初出来事」（白河院の御治世にはじめて行なわれたこと）として、つぎのような内容を列挙している。

莫大な受領《ずりょう》の功《こう》が進上されるようになったこと。
一〇歳余の幼児を受領に任じたこと。
三〇国あまりを定任としたこと。
本人のほか三〜四人の子弟を同時に受領に任じたこと。
神社・仏寺への諸国からの納入分を、国司《こくし》がまったく進済《しんさい》しなかったこと。
天下の人々のぜいたくがひどくなり、分不相応に金銀錦繡《きんしゅう》をまとう者が現われたこと。
法皇が出家はされたが受戒されなかったこと。

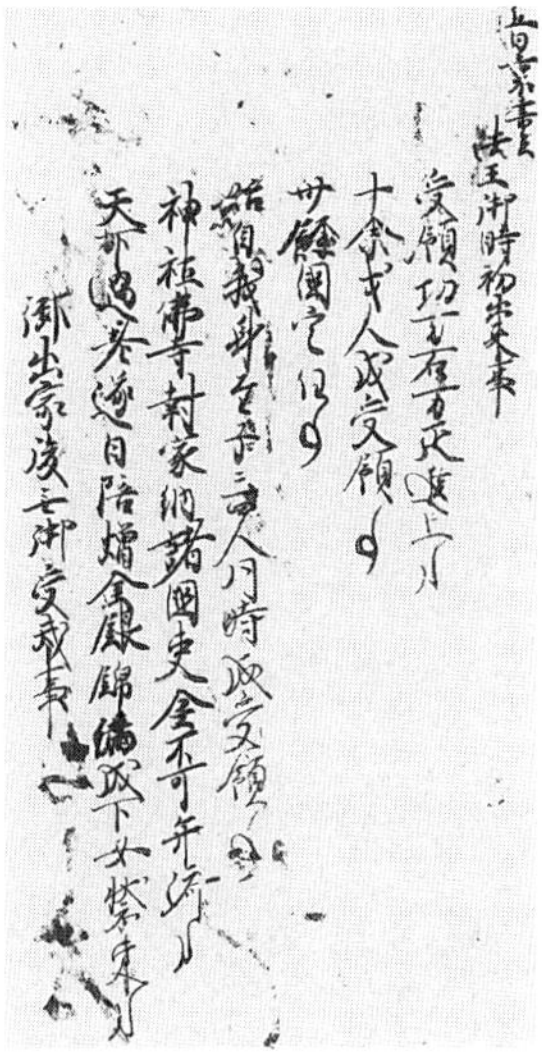

2 ◉『中右記』（古写本）
藤原宗忠の日記。白河〜鳥羽院政期について研究するための基本史料。宗忠が「中御門《なかみかどの》右大臣《うだいじん》」と呼ばれたので、「中」「右」の二字をとって『中右記《ちゅうゆうき》』と称する。

諸国支配の利権化

これらはほとんどが「受領《ずりょう》」に関する事柄である。受領とは国司《こくし》として諸国を支配経営する者の称である。もともとは平安《へいあん》時代以来、任国に赴任せず在京を続けることが多くなった国司（遙任《ようにん》国司）にかわって、在国して国務を執る者を指したのだが、平安時代後期以降は、在地の執政機関として留守所《るすどころ》が置かれ、受領も必ずしも在国する必要はなくなった。しかしいずれにしても、任国の富を搾《しぼ》り取って、在任中に上げられるだけの利益を上げようとする受領像は一貫していた。『今昔物語集《こんじゃくものがたりしゅう》』は、信濃守藤原《しなののかみふじわらの》陳忠《のぶただ》が、崖《がけ》から転げ落ちながらも、周囲に自生する茸《きのこ》を採ることを怠らなかったと語る。「受領は倒るるところに土をもつかめ」と言い習わされる、ほとんど命がけの強欲さである。彼らは本来地方支配のための官吏であったが、それよりも、地方に眠る富を収奪して中央にもたらす役割が期待されたのだった。

受領の富は多く摂関家《せっかんけ》に献上されて、その栄華を支えていた。院政期以降は、受領の人事権を院が握ったために、彼らから上納される富が院権力の経済基盤となった。『中右記《ちゅうゆうき》』が記したのは、院の恣意《しい》的な人事により、諸国の経営権が院近臣《いんのきんしん》の手に集中する体制である。多くの国を特定の近臣の指定席としたり、本人だけでなく（幼い子供も含む）子弟たちをも受領に任命して、実質的にひとりに多数の国を握らせたりしたのである。彼らは受領としての収入（功）をせっせと上納するから、

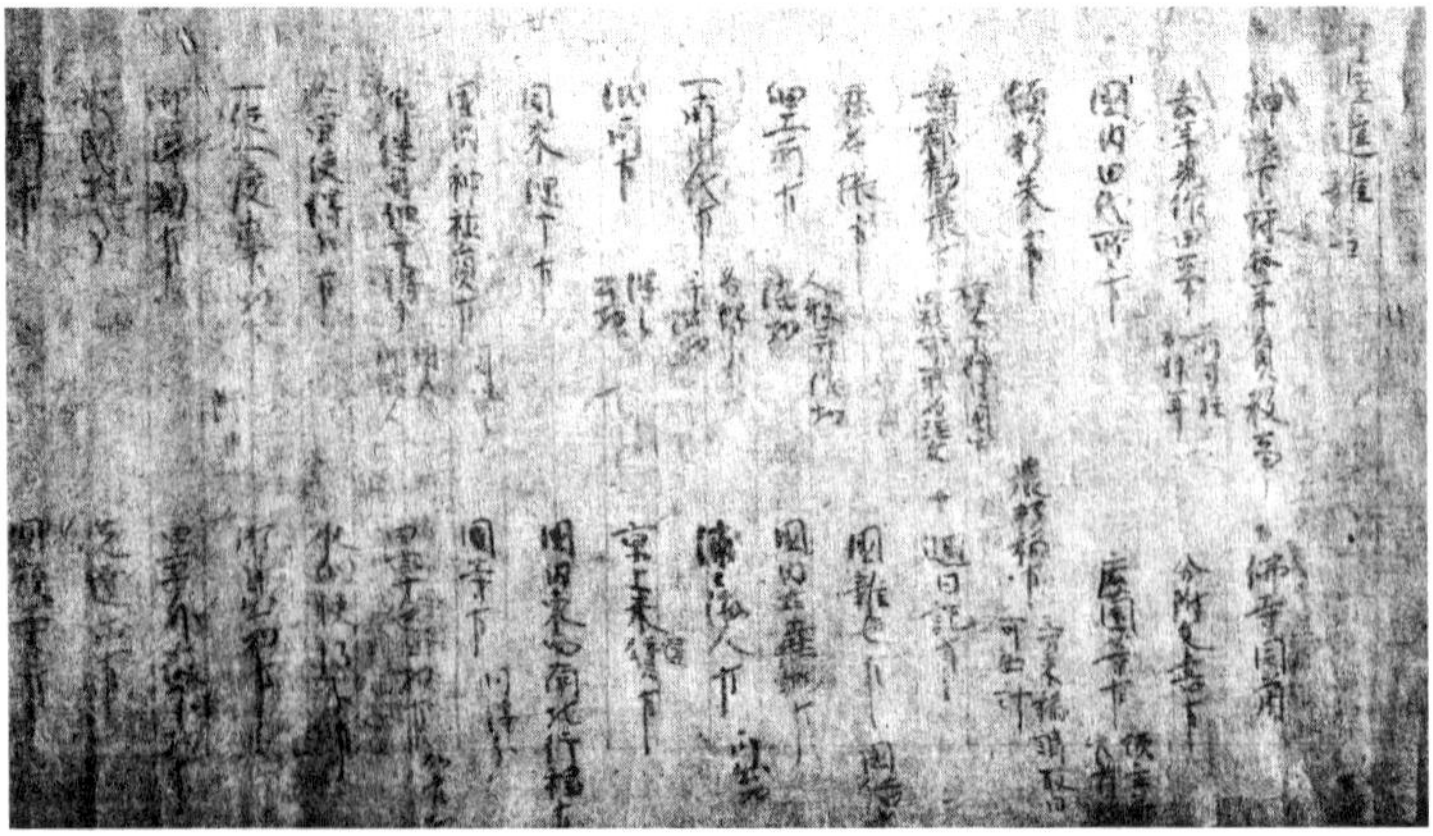

3

院のもとに集まる富は増大し、京の都にはいわばバブル景気が訪れた。

　地方に目を転じれば、受領が院ばかりを見ている以上、国の施政者として果たすべき職務はお留守になる。そのもっとも明らかな結果は、公領から寺社に納められるべき封禄《ほうろく》の滞納という形で現われた。この問題をめぐって受領と寺社は対立し、また国からの給付が期待できなくなったために寺社は荘園《しょうえん》取得への意欲を高め、ますます混乱が増したのである。

　律令制《りつりょうせい》によって緻密《ちみつ》に構成された朝廷の官司《かんし》制度はしだいに机上のものと化し、役職から得られる利益のみが自立して利権化するという、中世社会の原則のひとつが形成される。この利権は「職《しき》」と呼ばれ、それ自体が独立した資産として、譲渡・相続の対象になっていくのである。

荘園公領制の誕生

中世社会の基層となるのは荘園《しょうえん》公領制と呼ばれる体制である。諸国の行政組織である国衙《こくが》の支配する公領と、そこから分立する荘園からなる土地制度である。ただし、公領と荘園との間に、いわゆる公私の対立を想定するのはあたらない。公領もまた、自律分散的な利権＝職《しき》と化していたのである。

　平安《へいあん》時代の政務について、儀式の場を離れて政治というものを別に考えようとするのは間違いで

◉雑事注文
受領のもとでの諸国経営業務八九か条を書き上げた、一二世紀前半の文書。寺社・農業・人事・徴税のほか、「国内富人《こくないふじん》」「双六別当《すごろくべっとう》」などの項目があげられている。（『医心方《いしんぽう》』紙背文書）

あると看破したのは古代史家土田《つちだ》直鎮《なおしげ》だが、この原則が崩れていくのが院政期の特徴といえる。厳密な儀式的手続きによって政策を決定したり、申請を処理したりする「政《まつりごと》」「定《さだめ》」などの政務が空洞化していくのである。地方行政、あるいは経済政策に関していえば、「受領功過定《ずりょうこうかさだめ》」の形骸《けいがい》化がある。これは受領の任期満了に伴って、四年間の任期中の官物弁済《かんもつべんさい》の書類を提出させ、業績を検討・評価する手続きである。官吏的業務に対する業績評価システムの形骸化は、社会が中世的展開を遂げる原動力のひとつだったといえる。

ただし、中世という時代を考えるにあたって、政治機構のあるべき姿が退廃した結果として生まれた時代——衰え、放恣《ほうし》になった世界という見方をとるべきではない。社会の活性化が進み、儀式としての政務ではカバーしきれなくなったと考えるべきであろう。制度的な完成は、むしろ物事の活力が頂点を超えたところで現われる。院政期の社会は、定型的なシステムを固めることができないほどのエネルギーをはらんでいたのである。この状況から、武力の導入・内乱の展開という流れが導か

4

れる。院政期の人々は、いまだわれとわが身を振り返り、客観視する段階には至っていなかった。躍動する日々を生き抜き、ひたすら前進していたのである。

ただ、ついでに述べておけば、政務としての儀式は形骸化したが、儀式そのもの、あるいは儀式に対する情熱は依然として健在であった。これは中世を通じて続き、さらに近世には国学によって継承されたと考えられる。儀礼という、あらかじめ定まった順序や作法によって実施される営為は、中世の人々に変わることのない秩序と安定の感覚をもたらした。「はじめに」で見た、民衆の喧噪《けんそう》の向こうに内裏《だいり》内部の静謐《せいひつ》な空間が必要であったように、雑駁《ざっぱく》な世界にあって、儀礼が滞りなく実施されることは、時間や空間の座標を確定する意味をもったのである。

儀式・儀礼は「公事《くじ》」と総称され、中世社会の構造を支える重要な要素となる。また、儀礼の細目は「有職故実《ゆうそくこじつ》」として継承され、超時代的な知的テーマとなった。従来あまり注目されてこなかったことだが、前近代の人々の知性の継承の核となる要素のひとつと思われる。様式というのは一見つまらないもののようだが、これをゼロから生み出すのはなまなかなことではない。文書様式も同じことである。この点についての葛藤《かっとう》は、鎌倉幕府という中世に独自に成立した政権にとっての重い課題となる。

●受領の生活
受領の館の室内の様子。青磁の酒壺が置かれ、画面左手の棚には、伊勢海老・鮑《あわび》・雉《きじ》などが並ぶ。輸入品や各種の特産物が集まってくる地位であることがわかる。(『松崎天神縁起絵巻《まつざきてんじんえんぎえまき》』)

芋粥のユートピア

律令《りつりよう》国家財政では、徴収した租税が中央政府のもとに蓄積され、それが公的支出に応じて分配された。中世朝廷財政においては、個々の〝公的〟あるいは〝国家的〟と判断される事業（儀礼とともに「公事《くじ》」と呼ばれる）が立案されると、そのつど必要な経費が調達される。しかし院政期には、〝必要に応じて経費を調達する〟のではなく、財貨が進上されるから事業が立案される構造になっていたようにみえる。因果関係が逆で、つまり院政の一面は、地方から中央へと流れ込んでくる富を蕩《とう》尽《じん》するための装置とみることができるのである。

芥川龍之介《あくたがわりゆうのすけ》の『芋粥《いもがゆ》』という短編をご存じだろうか。『今昔物語集《こんじやくものがたりしゆう》』や『宇治拾遺物語《うじしゆういものがたり》』に見える説話から題材を取ったもので、平安時代の伝説的武人である利仁《りじん》将軍と、摂関家《せつかんけ》に仕える五位の侍《さむらい》を主要な登場人物とする。摂関家で行なわれた正月の宴会で、お下がりを食べる侍たちのなかに、芋粥をすすりながら「ああ、これを飽きるほど食べてみたい」と言う者がいた。これを聞きつけた利仁は「飽きさせてさしあげましょう」と、侍を越前《えちぜん》の敦賀《つるが》まで連れていった。彼は越前国の豪族の婿《むこ》となっていたので、ふだんはそちらに住んでいたのである。侍は訳もわからず僻遠《へきえん》の地に降りたったのだが、そこでは大勢の仕人《しじん》にかしずかれ、衣食住いずれもたいへん豊かな生活が繰り広げられていた。夜が明けると、近在の下人《げにん》が見事な芋をつぎつぎと持ち寄り、山のように積み上げた。庭では大釜《おおがま》をいくつも据え、十数人がかりで芋粥の調理が始められる。侍はできあがった芋粥を大きな器で供されたが、すでに胸がいっぱいで、一椀《わん》を食べきることもできなかった。その後、彼はひと月ばかりこの地に逗留《とうりゅう》し、晴れ着や絹・綿、鞍《くら》をつけた馬など、たくさんの引き出物をもらって京都に帰ったという。

芋粥とは、山芋を薄く切って、甘葛《あまずら》の茎を煎《せん》じた甘味料で煮た、お汁粉のようなものである。甘味の乏しい時代としてはたいへんなご馳走《ちそう》で、なかなか食べられないぜいたくな料理でもあった。摂関家に長年仕えた五位の侍といえば、最上級の貴人の暮らしに接する、そこそこの身分のはずである。だが彼の様子は、主人の家の一部屋に住み込みで、みすぼらしい服装で鼻水などすすっている――と記されており、都の生活がむしろ不如意だったことを示している。彼の目から見た地方の豊かさは、あたかもユートピアのように描かれる。未開の沃野《よくや》、あるいは狩猟採集生活が十分成り立つ魔法の庭というべきか。

『芋粥』の説話が語るのは、都と地方との豊かさのギャップである。利仁将軍の命令がなければ、山芋は地下で朽ちていくだけだろう。一方、都ではそれが珍重され、欲求されている。すなわち、都という人為的な場と、地方の自然の恵みとが効果的に結びついていない状況である。これを掘り起こし、つかみ取って、せっせと都に運んでいったのが、強欲といわれた受領《ずりょう》たちであった。院の強権に応じて、地方の富は院のもとに集中し、それらはなんらかの形で消費されなければならなかったのである。

5

◉周防国府跡
周防国《すおうのくに》は鎌倉時代に東大寺の造営領国となり、国府（国衙《こくが》）内の政庁は国庁寺として明治初年まで存続した。写真は周防国庁の碑。

受領と御願寺

国王の氏寺の造営

大治《だいじ》四年（一一二九）七月一五日、白河《しらかわ》院の葬礼が盛大に営まれた。この日の『中右記《ちゅうゆうき》』には白河院の生前の善根として、つぎのような一覧が記されている。

絵像五千四百七十余体、
生丈仏《しょうじょうぶつ》五体、丈六《じょうろく》百廿七体、
半丈六《はんじょうろく》六体、
等身三千百五十体、
三尺以下二千九百卅余体、
堂七宇《う》、塔二十一基、小塔四十四万六千六百卅余基、
金泥一切経《こんでいいっさいきょう》書写、

丈六仏は立って一六尺（約四・八メートル）、座って八尺の大

●白河中心部
承保二年（一〇七五）、白河天皇の御願による法勝寺の造営開始以来、院政の拠点として開発が進められた。京都と東国を結ぶ経路の要衝に位置する。保元《ほうげん》の乱で白河北殿《きたどの》が焼亡し、しだいに衰退した。

きさの仏像、生丈六《しょうじょうろく》はその倍、半丈六は半分、等身は人と同じ大きさである。過剰といえるまでに精力的な造寺・造仏も、また院政期の大きな特徴である。白河の地には、天皇の発願《ほつがん》によってつぎつぎに五つの御願寺《ごがんじ》が創建された。これに待賢門院《たいけんもんいん》（鳥羽《とば》天皇の中宮）が発願した寺をあわせて、いずれも寺名に〝勝〟の字がつくために、六勝寺《ろくしょうじ》と総称する。その嚆矢《こうし》となるのが、天皇時代の白河による法勝寺《ほっしょうじ》で、承保《じょうほう》二年（一〇七五）に造営が開始された。白河は平安京《へいあんきょう》の東の郊外、もとは摂関《せっかん》家《け》の別邸があった風光明媚《めいび》な地で、藤原頼通《ふじわらのよりみち》の死後、息子の師実《もろざね》から院に献上された。『愚管抄《ぐかんしょう》』は「白河ニ法勝寺タテラレテ、国王ノウヂデラニコレヲモテナサレケル」と伝えている。

「国王の氏寺」という表現は、父権によって主導される院政の特質をよく反映している。さらに〝天皇〟ではなく、〝国王〟という語が用いられていることにも注目しよう。天皇という地位をもって権力の所在を語れなくなっていることは、この言葉からも明らかである。地位と職務・権力・利益などが、額面どおりに連動しなくなってくるのは、まさに中世的な現象である。

成功と国充

さて、法勝寺《ほっしょうじ》は承保《じょうほう》二年（一〇七五）に発願《ほつがん》され、播磨守高階為家《はりまのかみたかしなのためいえ》が受領成功《ずりょうじょうごう》によって金堂《こんどう》・廻《かい》廊《ろう》・大門《おおもん》・鐘楼《しょうろう》・経蔵《きょうぞう》の造営を担当し、同四年の落慶《らっけい》供養に際して、正四位下に叙され、重任宣旨《ちょうにんせんじ》（特定の官職への再任を認める命令。この場合は播磨守への再任）を賜わった。この供養には堀河《ほりかわ》天皇の行幸もあり、大規模な財源が設定されるなど、盛大に祝われたのである。

受領の富を造営にあてる受領成功は、六勝寺《ろくしょうじ》をはじめとする御願寺《ごがんじ》造営の主要な方式で、これ以来、大口の経費調達の必要がある場合に多用されるようになった。また、豪奢《ごうしゃ》な堂舎の造営や造仏、荘厳《しょうごん》と呼ばれる堂内のしつらえなどは、当時の最高の技術と美意識を結集してはじめて可能なもので、朝廷の官司《かんし》や大寺社に所属する職人をはじめ、多くの技術者が動員された。

造営の主要な負担を富める受領に担わせるとともに、建物の基壇《きだん》部分や礎石《そせき》調達などを小区画に分けて各国の国司《こくし》にあてる、国充《くにあて》と称する方式も採用された。多くの国を事業に参加させることによって、広く全国の力と共感を集める意味をもたせたのである。国充の経費は、一国平均役《いっこくへいきんやく》として国内の田地から均等に徴収される場合もあり、各国の住人も事業の末端に連なり、院の権威に触れることになった。さらに御願寺には、その権威を頼んで、維持費用の一部を負担することを条件に、多くの荘園《しょうえん》が寄進された。経済力・技術力など、あらゆるエネルギーが注ぎ込まれたのである。

富の集中と蕩尽

黄金《こがね》の中山に鶴《つる》と亀《かめ》とはもの語り、仙人童《わらわ》の密《みそ》かに立ち聞けば、殿は受領《ずりょう》になりたまふ

（黄金輝く山で鶴と亀の会話を仙人の侍童が立ち聞きしたら、殿が受領になるそうだ）（『梁塵秘抄《りょうじんひしょう》』）

かくして、『芋粥《いもがゆ》』にみた地方に眠る富は、続々と中央に集まってくることになった。富の喚起という意味では、もはや公領も荘園《しょうえん》も区別がなかった。都に集中し横溢《おういつ》する富と活力を解放する方策

が、御願寺《ごがんじ》造営という蕩尽《とうじん》であった。蕩尽の形はもっとも先鋭化すると、武力衝突＝戦争となる。

蕩尽が、まず宗教の分野で行なわれた意味について述べておこう。社会や民衆から差し出された富は、彼らの潜在的な要望に形を与えるために用いられるのが望ましい。宗教的事業は、それにもっともふさわしいものであった。さらに個々の造寺・造仏には完成があるにせよ、信仰の表明に到達点を設定することはできない。したがって、無限に拡大していくことが可能で、きわめて便利な手段だったのである。白河《しらかわ》院以来、たびたび繰り返された聖地熊野《くまの》への御幸《ごこう》も、遠隔地への大規模かつぜいたくな往復によって、経路の人々を院の権威に服させる効果があっただろう。ただし、このような宗教の利用は、寺社勢力の膨張を招き、政権を脅かすことになるのだが。

もうひとつ、蕩尽の主役となる院の自由な（あるいは放恣《ほうし》な）行動を、どのように理解したらよいだろうか。従来これは、天皇というタブーに縛られた立場を離れて、院は〝人間的〟になりえたのだと説明される。しかし人間的というより、むしろ〝生理的〟というべきではないだろうか。個人においても社会においても、生命力や身体感覚が肯定的に語られるようになっていったのである。

6

◉熊野本宮
熊野《くまの》本宮大社《ほんぐうたいしゃ》・速玉《はやたま》大社（新宮）・那智《なち》大社の三社を総称して熊野三山という。険しい山道をたどって霊場に至る過程は、浄土に至る修行と見なされた。

寺社強訴と武士の進出

強訴の発生

院政期には社会にさまざまな新しい要素が持ち込まれたが、なかでも大きかったのは武力・暴力の進出である。これらが中央政界に導入されることにより、政治・社会はいっそうダイナミックな展開を見せることになる。

従来、国家仏教として統制されていた宗教勢力は、荘園《しょうえん》の獲得や末寺の組織化を通じて独自の成長を始める。朝廷の貴族をはじめとする当時の社会関係は、直系継承のイエ成立の気配を見せてはいたが、いまだに個人的関係を中核とする不安定なものであった。それに比べて寺社における活動は、個人を超えた組織的・永続的な営為だったといえる。のちに永代《えいたい》・遷替《せんたい》、あるいは仏物《ぶつもつ》・人物《じんもつ》という概念が現われるが、神仏の所有が永続的（永代）なのに対して、個人の所有は、代替わりごとに変動する不安定なもの（遷替）と認識されていた。遷替のものが永代に転化することはあるが、逆は許されないのが原則だったのである。

寺社勢力の拡大は各地で衝突や対立を生んだ。その際に寺社が行なったのが、武力を伴う朝廷への示威行動である強訴《ごうそ》で、白河《しらかわ》院政期以降、急増する。寺院内部には、修行や教義の研究

◉強訴
嘉保《かほう》元年（一〇九四）、伯耆大山寺《ほうきだいせんじ》の悪僧らが、白河院の御所に押し寄せ、天台座主《てんだいざす》を訴える事件が起こった。武装した僧と、神輿を守って進む神人《じにん》が描かれる。（『大山寺《だいせんじ》縁起絵巻《えんぎえまき》』模本）

に励む学侶《がくりょ》・学生《がくしょう》のほかに、組織運営や所領経営、寺院の資産を運用しての金融などに活躍する者があり、彼らが武装して「悪僧」となり、強訴を主導したのである。彼らは宗教的シンボルを前面に押し出して抗争に臨んだ。比叡山延暦寺《ひえいざんえんりゃくじ》は鎮守社である日吉《ひえ》社の神輿《しんよ》、大和興福寺《やまとこうふくじ》は春日《かすが》社の神木《しんぼく》を振り立てて進撃したのである。

はじめて春日社の神木が入京したのは寛治《かんじ》七年（一〇九三）で、同社領の近江国市荘《おうみのくにいちのしょう》に対して、白河《しらかわ》院近臣で近江国司《こくし》の高階為家《たかしなのためいえ》が臨時の賦課をかけたことに反発したものであった。強訴の原因の多くは、荘園をめぐる紛争や、寺院の人事についての不満である。さらに、地方で発生した事件が本寺末寺関係を通じて朝廷への出訴となったり、天台宗《てんだいしゅう》内部の延暦寺・園城《おんじょう》寺《じ》の対立、あるいは南都・北嶺《ほくれい》と並び称される興福寺《こうふくじ》・延暦寺の抗争なども絡み、複雑な展開を遂げて朝廷を悩ませた。強訴に対処するためには、何段階もの手続きを踏んで、公正かつ遺漏のない結論を出すことを求める太政官《だいじょうかん》政治の体制は煩雑すぎ、院の強権のもとでの迅速な判断が有効だったのである。

7

だが、強訴を生み出したのもまた院の強権であって、院政という専制的権力の出現が抗争を惹起《じゃっき》し、それを鎮めるためにふたたび専制的権力が発動されるという事態が生まれていたのである。このような循環論法的な状況に陥る理由は、寺社強訴が朝廷に対して武力行動をしかけながらも、けっして朝廷を倒そうと意図しているわけではなく、朝廷によって承認されることを求めていたからである。貴族たちは、悪僧らが持ち込んだ神輿や神木に、真実の畏怖《いふ》を感じたが、武力行使という点では、強訴のそれは示威行動の範囲を出るものではなく、王権と、その一部を担うと自負する者とのなれあい的な関係に裏付けられていた。

8

◉春日社寺曼荼羅図
仏が人々の救済のため、神となって顕現したとする本地垂迹《ほんじすいじゃく》説を背景に、藤原氏の氏神を祀る春日社と、氏寺の興福寺を一幅に描いたもの。細密な景観描写と、超現実的な要素が複合する。

武士の成長と都への進出

強訴に対抗するために導入されたのが武士である。白河《しらかわ》院政開始とともに、院庁《いんのちょう》の付属機関として院北面《いんのほくめん》が設置され、武的要素をもつ者が集められて、院配下の武力組織となった。のちに武士政権の最上首が征夷大将軍《せいいたいしょうぐん》の官職を帯びたように、前代までの武士は辺境の守りにあたり、地方の反乱を鎮める役割を負っていた。しかし、前九年《ぜんくねん》合戦・後三年《ごさんねん》合戦を経て蝦夷《えぞ》征討が一応の終結をみるのと前後して、武士は中央政界に本格的に進出したのである。

院政期の武士のひとつの類型は、平正盛《たいらのまさもり》率いる伊勢平氏《いせへいし》である。同氏は伊勢・伊賀《いが》を拠点として成長し、永長《えいちょう》二年（一〇九七）、白河《しらかわ》院の娘媞子《ていし》内親王の菩提所《ぼだいしょ》である六条院御堂《ろくじょういんみどう》に伊賀国鞆田《ともだ》村・山田《やまだ》村を寄進し、鞆田荘《ともだのしょう》として立荘したことを契機に院権力と結びついた。正盛は院近臣の受領《ずりょう》のもとで、各国の検非違所《けびいしょ》や厩別当《うまやべっとう》などの武力にかかわる役割を果たし、みずからも各国の受領を歴任するに至った。伊勢平氏は北面の武士として、院のもっとも頼りになる武力となったのである。

もう一方に、前九年合戦・後三年合戦を戦い抜いた清和源氏《せいわげんじ》がいる。彼らは摂関家《せっかんけ》の従者として発展してきたが、後三年合戦が私戦とされ、さらに源義家《みなもとのよしいえ》の嫡男義親《よしちか》が対馬守《つしまのかみ》在任中に任地で人民を殺し、公物《くもつ》を押し取ったとして糾弾されるなど、中央政権とは折り合いがよくなかった。結局、義親は平正盛に追討されたのである。貴族らは、義家を「年来の武士の長者」と認める一方で、それゆえに多くの人を殺し、積悪を重ねた累が子孫に及んだという見方をしている（『中右記《ちゅうゆうき》』）。

白河院は異母弟の輔仁《すけひと》親王との間に皇位をめぐって不穏な空気が流れる状況で、検非違使であった義家の息子為義《ためよし》らに鳥羽《とば》天皇の警護を命じたという。朝廷内の政争が、武士の警護を必要とするほど切迫したのも、いままでにないことといえる。ただし、政争が高じて武力の導入に至ったのか、武士を近づけたために、ますます危機的な状況が生まれたのかは難しいところである。

いずれにしても源為義とその家人《けにん》らは、貴族社会にあって粗暴・逸脱とみられる行為が多く、低迷を余儀なくされた。平正盛が、受領としての諸国経営・荘園《しょうえん》の寄進など、武力の行使だけでなく、院政を支える条件をバランスよくこなしていたのとは対照的である。ただし、正盛も但馬国《たじまのくに》を与えられた際に、「最下品《さいげぼん》」の者に手厚すぎる措置だと批判されている（『中右記』）。武士は、保守的な貴族層の冷たい視線のなかで、勢力を伸ばしていったのである。

9

◉源義家

源氏は奥州（東北地方）の平定に活躍した。義家は武勇の誉れ高く、俘囚長《ふしゅう》（帰順した蝦夷《えぞ》集団の統率者）一族と戦い抜き、東国での源氏の声望を高めた。（『後三年合戦絵巻《ごさんねんかっせんえまき》』）

第三章

内乱と改革

1

保元の乱──日本国乱逆の始め

鳥羽院政と荘園・知行国

大治《だいじ》四年から保元《ほうげん》元年（一一二九〜五六）に至る鳥羽《とば》院の治世は、白河《しらかわ》院に比べると三〇年たらずと短い。受領《ずりょう》として活躍した院近臣《いんのきんしん》たちは、上層貴族に転化し、諸国の経営を請け負う受領よりも、諸国の知行権を分け合う知行国の制度が前面に出てきた。皇族や有力近臣などが、諸国の支配・経営権を院から与えられて知行国主となり、自分の近親者や配下の貴族を国司《こくし》に任ずる仕組みである。荘園《しょうえん》化の趨勢《すうせい》により、膨大な荘園が院の最高権力に吸い寄せられるように集積されつつあった。一方で諸国の支配権は、院の人事権のもとで利権化し、周辺の人々に分け与えられたのである。

鳥羽院政期には、荘園整理政策は後退し、むしろ新規荘園の立券が盛んとなる。立券とは、中央政府や国衙《こくが》から現地に使いを派遣し、荘園の四至《しいし》（境界）を定め、目印となる牓示《ぼうじ》を打つ作業である。立券に根拠を与えるために、院庁牒《いんのちょうちょう》・院庁下文《くだしぶみ》が発給されるようになり、院の高権による荘園承認の図式が明確化する。院の一元的支配権のもとで全国の土地は分節され、荘園・公領として院《いん》宮王臣《ぐうおうしん》・有力寺社の支配下に編成されていったのである。

◉赤糸威鎧（竹虎雀飾）
戦場は武士の晴れ舞台、鎧《よろい》は自己表現の一部である。騎射戦に対応して、矢に対する防禦《ぼうぎょ》を考慮した重厚なつくりで、華麗な装飾の鎧が用いられた。前ページ図版

鳥羽院と崇徳院

永治《えいじ》元年（一一四一）、鳥羽《とば》院は崇徳《すとく》天皇を譲位させ、寵愛《ちょうあい》する藤原長《ふじわらのなが》実《ざね》の娘得子《とくし》（美福門院《びふくもんいん》）の産んだ皇子を即位させた。近衛《このえ》天皇である。近衛は生母が身分の劣る院近臣家の出身ということから、崇徳の中宮聖《せい》子《し》（藤原忠通《ただみち》の娘、のちの皇嘉門院《こうかもんいん》）の養子として親王宣下《せんげ》・立太子され、忠通も外戚《がいせき》として補佐するつもりであった。ところが、譲位の際の宣命《せんみょう》には「皇太子」でなく「皇太弟」と記され、崇徳は新天皇の兄とされていた。これでは将来、父権に基づく院政をしくことができない。崇徳は院政への道を閉ざされ、保元《ほうげん》の乱《らん》の遠因をつくることになった。

　また鳥羽が崇徳を「叔父子《おじご》」と呼んだというエピソードは、よく知られている。崇徳の母である待賢門院璋子《たいけんもんいんしょうし》は、幼いころより白河《しらかわ》院の手もとに置かれ、溺愛《できあい》されて育った。彼女は永久《えいきゅう》五年（一一一七）に、白河院の猶子《ゆうし》として鳥羽天皇のもとに入内《じゅだい》するが、その後も白河院と「密通」しており、公然の秘密になっていたという。崇徳はじつは白河院の子だとうわさされており、そのため鳥羽も崇徳を「叔父子」（祖父の胤《たね》なので、自分には叔父にあたる子だという意味）と呼んだわけである。これは鎌倉時代前期成立の説話集『古事談《こじだん》』に見える話で、続けて鳥羽が崇徳に一貫して悪感情を抱いていたことが語られる。保元元年（一一五六）の崩御の際、鳥羽院は「閉眼のあと、

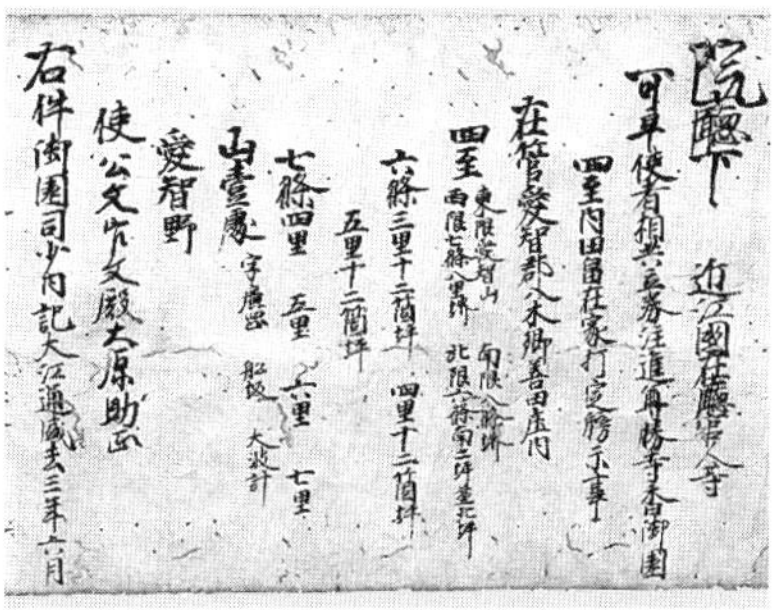

2

◉鳥羽院庁下文（部分）
保延《ほうえん》四年（一一三八）に、尊勝寺《そんしょうじ》領近江国香荘《りょうおうみのくにこうのしょう》の境界を明らかにし、牓示《ぼうじ》を打つことを命じたもの。末尾に多数の院司が署名する。（『早稲田大学所蔵文書』）

新院（崇徳院）に見すな」とわざわざ臨終の床で言い残し、駆け付けた崇徳は父（?）の遺体に対面を許されなかったという。また、藤原忠実《ただざね》の日記『殿暦《でんりやく》』は、璋子に複数の男性との密通のうわさがあると記す。ただ、それでも鳥羽院は彼女を寵愛したようで、男子五人・女子二人の子をなしている。璋子は多情多産というか、あらゆる意味で女性的資質に恵まれていたのだろう。

だが、鳥羽と崇徳との血縁上の問題を、過大に評価してはならない。後宮の女性たちは、ひとりの男性に強固に囲い込まれていたわけではなく、かなり流動的な立場に置かれていた。江戸《えど》時代の大奥のような管理された空間や、近代以降の単婚小家族を単位とする小市民社会からの類推でとらえてはならないのである。後宮の女性が、親子・兄弟などの二代の天皇に仕えたり、複数の男性と関係をもつことは、中世を通じてとくにめずらしいことではない。性や血統にかかわる問題が政治的な文脈であからさまに語られるという、この時期特有の風潮にこそ注目すべきだろう。母系による外戚《がいせき》政治から、父系を基盤とする院政に移行するにあたって、これまで母―子の間のものとして社会的に隠蔽《いんぺい》されていた生理的関係が、父―子関係として可視化したことから、男色《なんしょく》も含めて、男性の肉体にかかわる関心が前面に出てきたとみることができる。

鳥羽院にとっては、政治の実権を得たのちに、みずから選んだ妃《きさき》である得子と、その息子がより

3

●崇徳院
保元の乱で敗北して讃岐国《さぬきのくに》に配流され、その地で崩御。折からの天候不順や内乱状況は、崇徳院怨霊によるものかと畏《おそ》れられた。（『天《てん》子《し》摂関御影《せつかんみえい》』）

大事と感じられたのであろう。近衛の即位に伴い、得子は皇后《こうごう》に立てられ、従兄弟《いとこ》にあたる藤原家《いえ》成《なり》らの院近臣と結んで、一大勢力をなすに至った。

摂関家の確立と葛藤

摂政は前代に引き続き藤原忠通《ふじわらのただみち》がつとめ、外戚《がいせき》関係から自立した摂関家の位置はゆるぎないものにみえたが、その内部には亀裂《きれつ》が生じていた。忠通とは二〇歳以上も年の離れた弟である頼長《よりなが》は、『愚管抄《ぐかんしょう》』に「日本第一大学生《だいがくしょう》、和漢の才に富みて、腹悪《あ》しくよろづにきわどき人なりけるが、父の殿に最愛なりけり」と評されている。学問に優れ、すばらしい才能の持ち主だが、そのような人物にありがちなこととして、物事に寛容でなく、万事に極端な対応をしがちな性格だったのである。父の忠実にしてみれば、才気にあふれ、時に羽目をはずしすぎる末っ子が、かわいくてしかたなかったのだろう。頼長の日記『台《たい》記《き》』は、数多く残されている貴族の日記のなかでも、生彩に富んでいるというか、富みすぎているために異彩を放っている。学問・政治・文化などについて率直で鋭い意見が述べられるとともに、露悪的な傾向があり、男色関係や政治的陰謀についても詳細に記す。彼のような人物が、個性派の脇役《わきやく》でなく主役としてふるまえたのも、この時代だったからこ

4

◉藤原頼長
頼長と兄忠通との確執は摂関家を二分し、保元の乱の一因となった。非常に優秀だが、周囲との軋《あつ》轢《れき》も多く、興味の尽きない人物ではある。(『天子摂関御影』)

そかもしれない。

忠通は長年後継者に恵まれず、弟の頼長を養子として、破格の昇進を遂げさせていた。ところが康治《こうじ》二年（一一四三）、四七歳にして男子（のちの基実《もとざね》）が生まれたために、いささか微妙な成り行きとなった。院の後宮では、美福門院《びふくもんいん》と待賢門院《たいけんもんいん》それぞれの周囲を縁者や近臣が取り巻き、両陣営に対抗関係が生まれていた。近衛《このえ》天皇への入内《じゅだい》問題をめぐって、忠実・頼長は待賢門院、忠通は美福門院に接近する。

頼長への摂関委譲を再三にわたって促したにもかかわらず、忠通が拒否したため、久安《きゅうあん》六年（一一五〇）九月、忠実は忠通を義絶し、氏長者《うじのちょうじゃ》の地位や家産を強引に取り上げて、頼長に与えた。摂政・関白の地位は天皇が授けるものだが、藤原氏全体を束ねる氏長者は家父長権に属し、忠実の一存で左右できるという理屈である。忠通のもとでは、一二月に息子の基実が八歳で元服、正五位下左少将に叙任された。

一方で、翌年正月、鳥羽院は頼長に内覧《ないらん》の宣旨《せんじ》を与えた。忠通の関白、頼長の内覧と、朝廷の意思決定機構は二分されたことになる。鳥羽は「関白は帝《みかど》に不孝の手本を見せている」と忠通を批判し、頼長を援護する姿勢をとった。父権によって成り立っている院政にとって、〝不孝〟は最大のタブーに違いない。しかし〝血縁〟〝血統〟の論理に依拠するかぎり、予測不可能な事態はつねに起こりうる。骨肉の争いは再生産されつづけたのである。

武者の世の幕開き

久寿《きゅうじゅ》二年（一一五五）、近衛《このえ》天皇が一七歳で急死、崇徳《すとく》院皇子の重仁《しげひと》親王は採用されず、皇位は待賢門院《たいけんもんいん》所生の雅仁《まさひと》親王に転がり込んだ。彼の息子の守仁《もりひと》親王が美福門院の養子となっており、守仁が即位するまでの中継ぎとして父が践祚《せんそ》するという筋書きで、後白河《ごしらかわ》天皇が誕生した。「学生《がくしょう》抜群」とうたわれ、鳥羽院の信頼を得て有力政治家として売り出していた藤原信《ふじわらのしん》西《ぜい》の妻を乳母にしていたことも、後白河擁立の要因のひとつといわれている。もともと後白河は、自他ともに認める即位の望みのない皇子で、気楽な立場で今様《いまよう》に明け暮れていた。今様とは遊女などが歌う俗謡で、流行《はや》りのサブカルチャーとでもいったところだったろう。のちに彼のもとで今様を集成した『梁塵《りょうじん》秘抄《ひしょう》』が編纂《へんさん》されるが、その序文には、彼の常軌を逸した熱中ぶりが記されている。

　後白河の即位に際しては、頼長《よりなが》に内覧の宣旨《せんじ》が下されず、彼の政界からの排除は決定的となった。頼長の妥協を許さない処断は、院近臣《いんのきんしん》や寺社との間に軋轢《あつれき》を招いていたのである。忠《ただ》

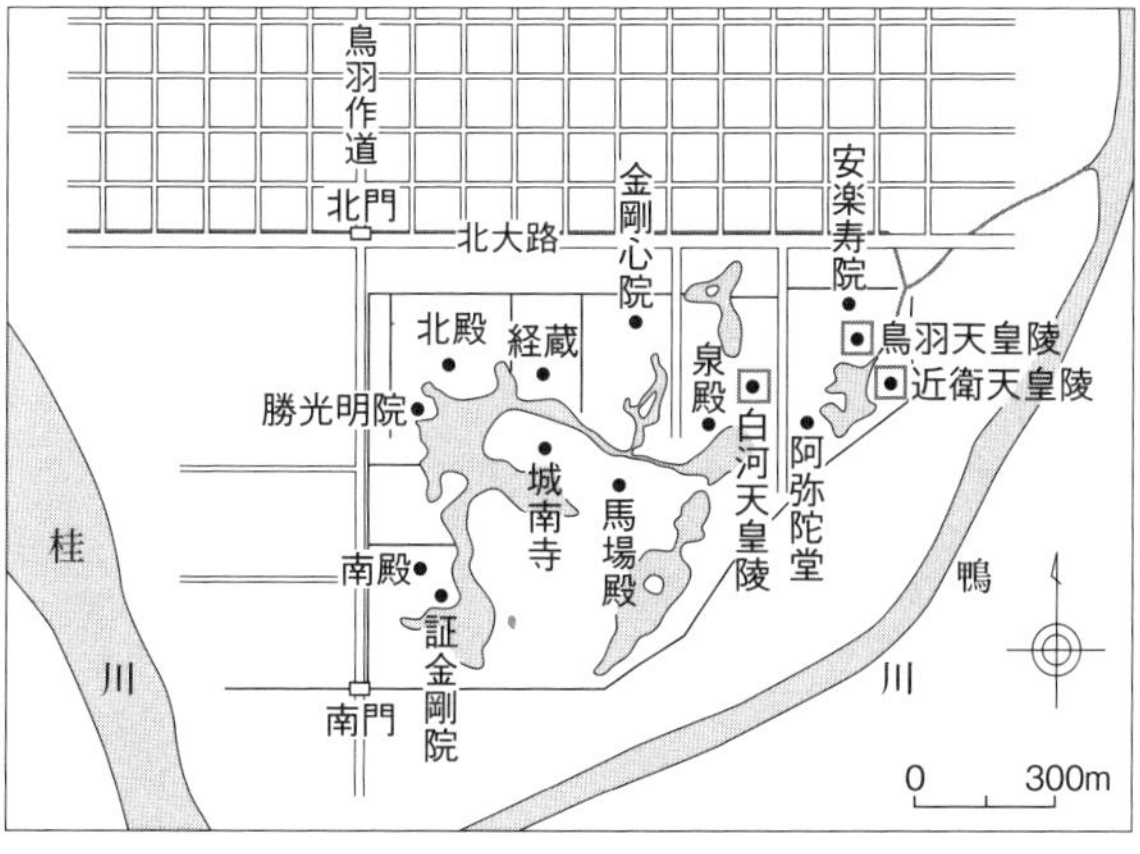

●鳥羽殿概略図
平安京を南下し、鴨川《かもがわ》と桂川《かつらがわ》が合流して淀川《よどがわ》になる鳥羽の地には、広壮な鳥羽殿が建設され、院政の拠点として中世を通じて重要な意味をもった。鳥羽は水運の要衝であり、西国経営の出発点となる地であった。

実《ざね》・頼長父子が近衛天皇を呪詛《じゅそ》したといううわさを、鳥羽院が信用してこの措置に及んだという説もあり、中央政界は一触即発の雰囲気となった。

保元《ほうげん》元年（一一五六）、鳥羽院が重病にかかり、事態は一気に加速した。鳥羽の周辺では、側近の藤原信西・美福門院・関白藤原忠通《ただみち》らが、有力な京武者《きょうむしゃ》（京都近郊に拠点をもち、有力貴族らに仕えた武士たち）を動員して、その病床の置かれた鳥羽離宮や内裏《だいり》の警固にあたらせた。そして七月二日に鳥羽が崩御すると、いよいよ「鳥羽院ウセサセ給テ後、日本国ノ乱逆ト云《いう》コトハヲコリテ後ムサ（武者）ノ世ニナリニケルナリ」（『愚管抄《ぐかんしょう》』）といわれる展開になるのである。先に『古事談《こじだん》』の説話に触れたが、崇徳は鳥羽の遺体への対面もかなわず、また忠実・頼長父子に対しては、軍兵召集の禁止が命ぜられ、さらに摂関家《せっかんけ》本邸の東三条殿《ひがしさんじょうどの》が没収された。彼らは急激に追いつめられ、もはやなんらかの反撃に出るしか道は残されていなかった。

鳥羽・後白河両院関係図

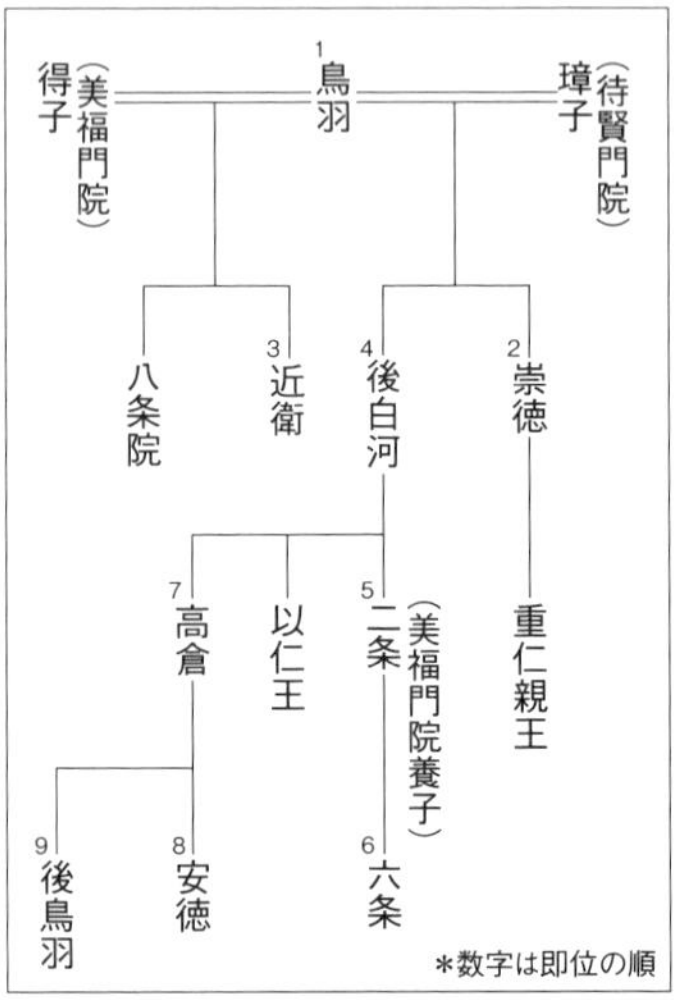

保元の乱

後白河《ごしらかわ》天皇方は源義朝《みなもとのよしとも》・足利義康《あしかがよしやす》・平清盛《たいらのきよもり》らの有力京武者をはじめとして、検非違使《けびいし》や衛府《えふ》、諸国司《こくし》に動員をかけ、最大限の態勢を敷いた。鳥羽《とば》院の崩御前から準備を進めていた後白河方に比べ、崇徳院《すとくいん》・頼長《よりなが》方はだいぶ出遅れており、軍勢を召集したものの、源為義《ためよし》とその子頼賢《よりかた》・為朝《ためとも》、源頼《より》憲《のり》・平忠正《ただまさ》ら、崇徳や摂関家《せっかんけ》に仕えていた武士ばかりで、明らかに見劣りする陣容であった。

保元《ほうげん》元年（一一五六）七月一一日早朝、平清盛・源義朝らの率いる六〇〇余騎が、崇徳院方の拠点白河殿《しらかわどの》を急襲した。崇徳側も善戦したが、国政上の命令系統にそって動員をかけた前者と、私兵を集めただけの後者とでは、そもそも戦力が違う。まもなく崇徳方の敗北が決し、武士の世の興《おこ》りとなった合戦はわずか数時間で幕を下ろした。重症を負った頼長は奈良まで落ちのびたが、まもなく死亡、崇徳院は捕らえられ、讃岐国《さぬきのくに》に配流された。彼は八年後にその地で崩御するが、社会全体が彼に対して抱いた負い目の感情は、のちに崇徳院怨霊《おんりょう》出現の風評となって京都の人々を悩ませる。

摂関家では、忠通《ただみち》が氏長者《うじのちょうじゃ》に復帰した。ただし、これは天皇から宣旨《せんじ》で任命されたものである。氏長者は各氏の内部における地位であり、本来外部から任命されるものではない。したがって、宣旨の発給は明らかな干渉で、摂関家の地位を相対的に貶《おとし》める意味をもった。しかし忠通には、忠実・頼長の握っていた摂関家領継承の問題が残されており、ここで天皇側と事を構えるわけにはいかなかったのである。彼はすみやかに忠実と和解し、一〇〇以上の荘園《しょうえん》を相続した。頼長分となっていた二九か所の荘園は、朝廷に没収された。また源為義以下の崇徳側の武士たちは処刑されることになり、為義を子の義朝が、平忠正を甥《おい》の清盛がなどと、それぞれ一族の者に斬首《ざんしゅ》を行なわせる厳しい措置がとられた。

保元《ほうげん》の乱《らん》は戦闘としてはたいした規模ではなかったが、中央政界に導入された武士が、はじめて政争の具として用いられ、武力による問題解決という新しい方法が示された点で大きな意義をもつ。宮廷内の対立や確執などは、武士の存在によって大がかりな武力闘争に発展しうることになった。しかも負けた側の武士が一族の手で処刑されるところを目のあたりにしては、人々も新しい扉を開けてしまったことに、改めて慄然《りつぜん》としたのではないだろうか。

父権の強化と直系継承の趨勢《すうせい》は、一族のなかで兄弟が並び立っていた、いまや牧歌的ともみえる体制を否定し去った。地方ではつぎつぎと成立する荘園をめぐる紛争が多発しており、社会が包含するエネルギーは確実に増大し、相互に葛《かっ》藤《とう》が生じていた。これが京都政界に集約され、武力による清算がなされたのである。武士・武力は王権を護持するためになくてはならないものとなり、以来、武士の政権樹立に向かう動きが始まることになる。中央政権は、その内部に武力を組織することを常態とするに至ったが、戦闘を重ねるごとに肥大する武士の力を、どこまで制御できるかが、切実な課題として現われたのである。

院政期の武士のいでたち

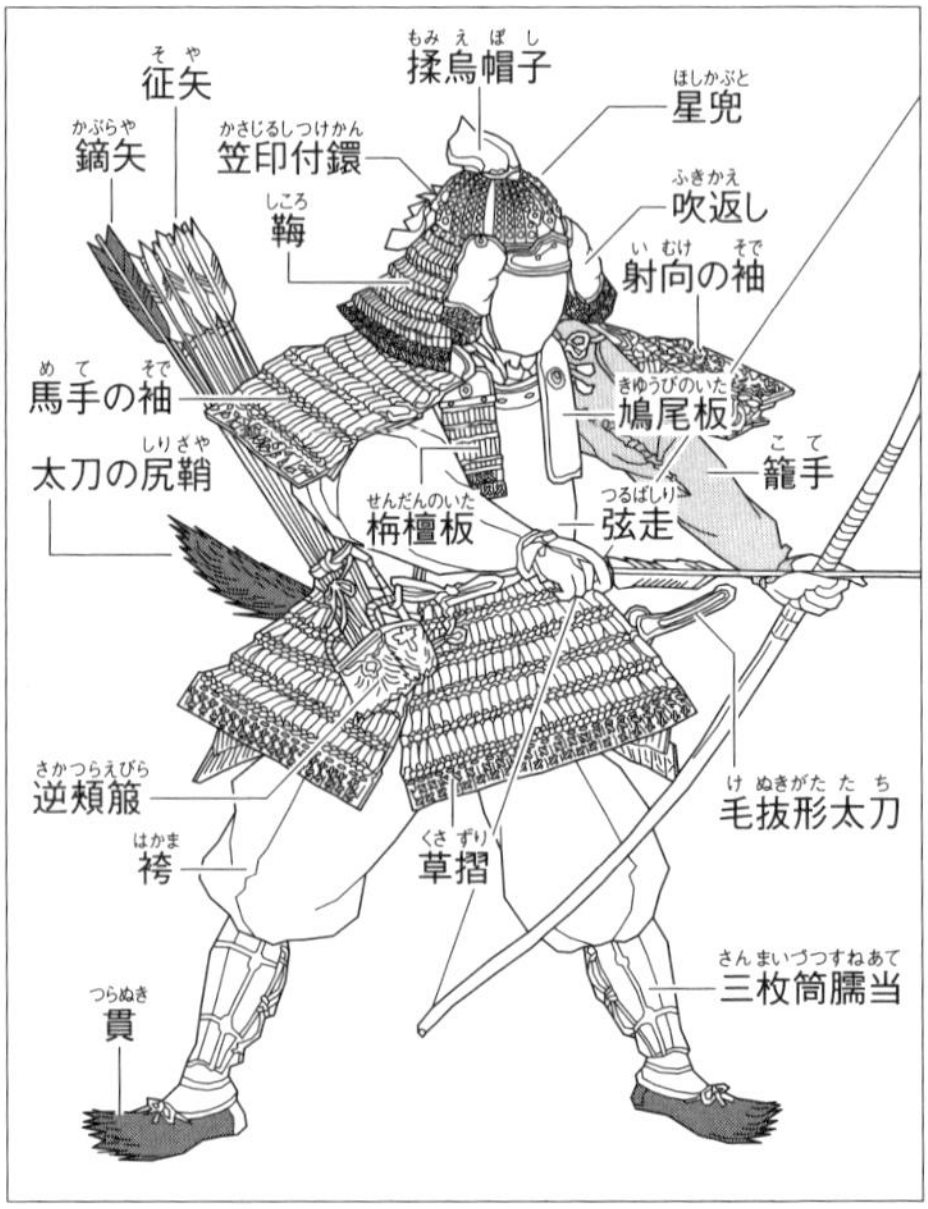

信西政権の夢

九州は一人の有なり

保元《ほうげん》の乱《らん》に勝利した後白河《ごしらかわ》天皇は保元元年（一一五六）閏《うるう》九月、七か条の新制を公布する。第一条では「諸国司《こくし》に下知《げち》して新立荘園《しょうえん》の由緒《ゆいしょ》をただし、不明なものは停止《ちょうじ》せよ」として荘園整理を規定しているが、そのなかに「そもそも九州の地は一人の有なり。王命のほか、いずくんぞ私威をほどこさん」という、王土思想を示す有名な文言《もんごん》が含まれる。全土の支配権が天皇に帰することを宣言したうえで、みずからの即位の日である久寿《きゅうじゅ》二年（一一五五）七月二四日を荘園整理の基準年次に据えており、後白河体制の強力な自負をみることができよう。第二条は、加納《かのう》・出作《しゅつさく》などと称して荘園の領域を拡大していくことの禁止、三〜七条は寺社統制で、神人《じにん》・悪僧の濫行《らんぎょう》停止や、諸社寺の所領や予算の注進を命じたものである。天皇高権のもとに全国を再編成することが高らかに宣言されたのであり、この政策を主導したのが藤原信西《ふじわらのしんぜい》である。

信西は藤原南家《なんけ》の学者の一族に生まれた。俗名は通憲《みちのり》だが、早い段階で正攻法の立身をあきらめて出家し、信西という法名を名のった。非常

藤原信西関係図

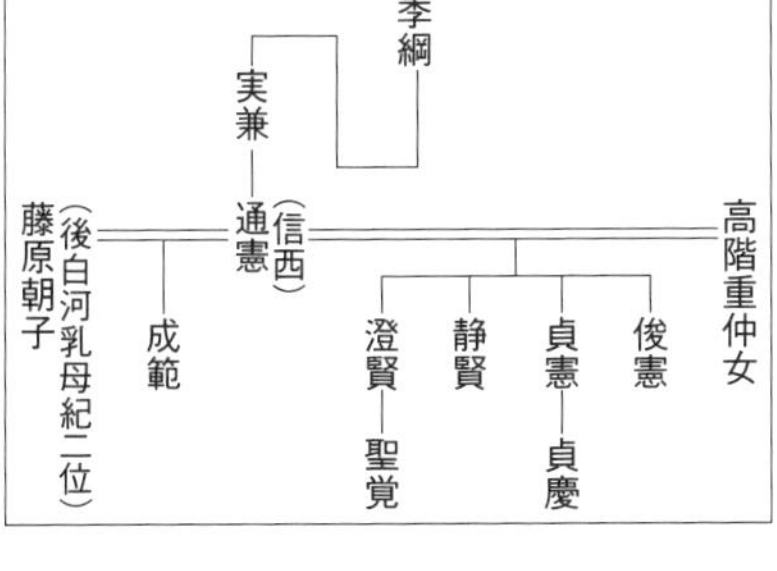

に優秀かつ有能な人物で、鳥羽《とば》院政期から頭角を現わし、妻の紀二位《きのにい》朝子《ちょうし》が後白河の乳母だったこともあって、後白河を支えて活躍するに至ったのである。優れた学者政治家という型には、後三条《ごさんじょう》・白河・堀河《ほりかわ》の三天皇に仕えた大江匡房《おおえのまさふさ》の先例があるが、信西は優れた学才に加えて、合理的な実務能力と傑出した構想力に恵まれていた。今後展開していく中世社会のグランドデザインを描いた人物と位置づけられるであろう。

荘園整理と内裏造営

藤原信西《ふじわらのしんぜい》の打ち出した政策は、保元《ほうげん》新制を受けての記録所興隆・大内裏《だいだいり》造営・公事《くじ》の再興・京中整備の四点にまとめられる。天皇の権威をあまねく示すための道具立てを整えようとしたのである。

記録所は荘園《しょうえん》整理および訴訟の審理を担当する機関で、信西は息子の俊憲《としのり》を送り込んで運営させた。また、たびたびの火災などで荒廃していた大内裏（宮城）の復興を「国家の大事」として重要視し、諸国に造内裏役として、資材の調達・経費の負担・造営の分割請け負いなどを課した。この事業を遂行するための組織として、造内裏行事所《ぞうだいりぎょうじしょ》が設定された。行事所とは、上卿《しょうけい》―弁《べん》―史《し》という太政官《だいじょうかん》の命令系統のワンセットを特定の業務に専従化させたもので、中世を通じて、特別な事業が行なわれる場合の常套《じょうとう》的な方式となる。行事所からは、造内裏役の進済《しんさい》を荘園領主に命ずる文書が発給され、応じない場合には荘号停止などの厳しい措置がとられることが示された。記録所の仕事と造内裏役の賦課とは互いに表裏の関係にあり、並行して行なわれることによって、全国の荘園・公領の秩序の確定、天皇高権の容《い》れ物である大内裏造営とが効果的に進行した。

〝政治の効率化〟をはじめて実践したのが信西だったのではなかろうか。大内裏造営にあたっては、彼が手ずから計算して必要な負担をはじきだし、全国に無理のないように配分したので、まったく滞ることなく進済が進んだといわれる。各地域の事情に応じた賦課を指定し、物流の条件を整えてやれば、諸国に蔵される富はスムーズに都に送られたのである。逆にいえば、この配慮を欠いた賦課・収奪によって、多くの抗争や民衆の疲弊を招いていたのがこれまでの現実だったのだろう。また、近年の発掘の成果によれば、このときの大極殿《だいごくでん》の瓦《かわら》の多くは、それ以前の建物のものが再利用

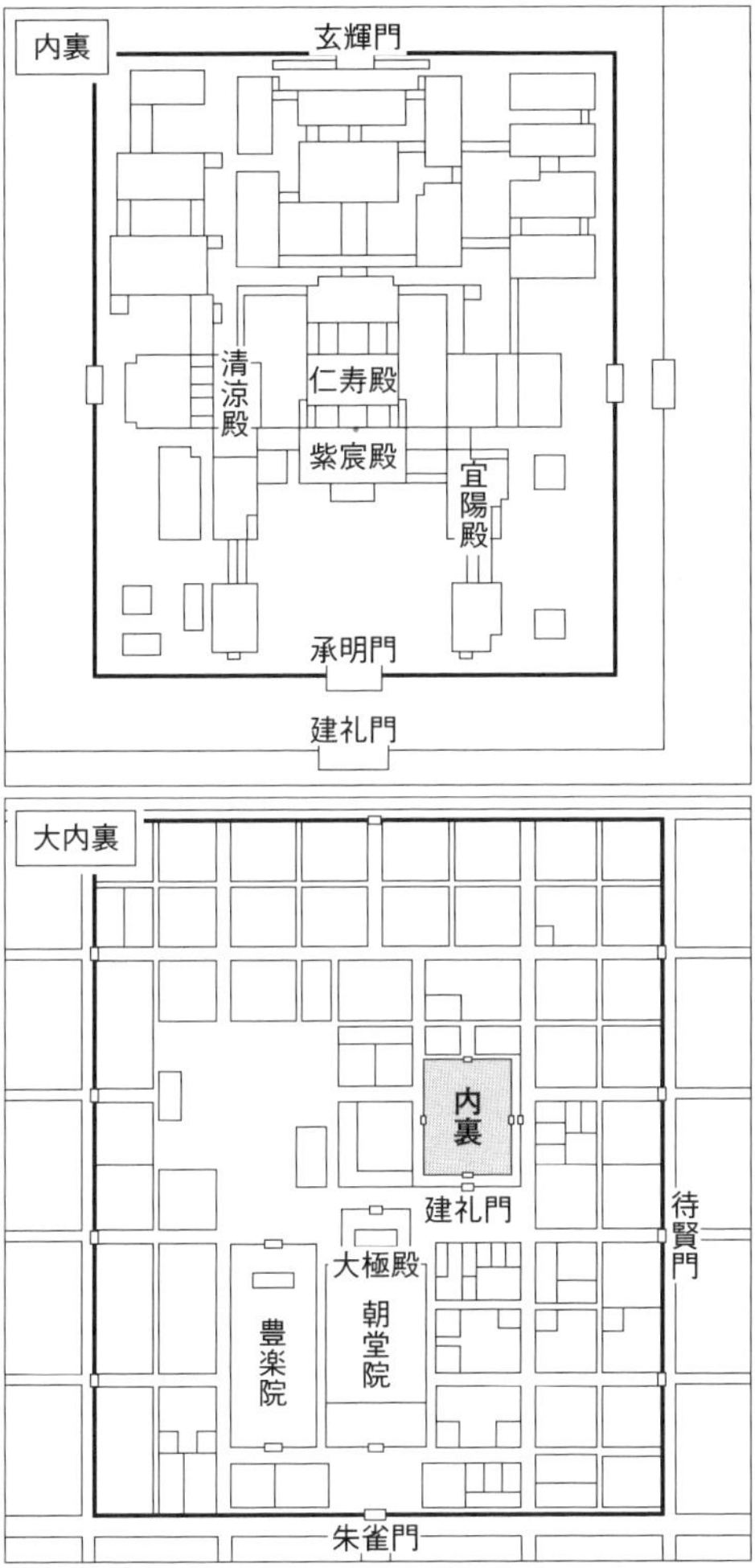

●大内裏図
天皇が生活し、執務する場が内裏で、その周囲に役所が配置されて大内裏（宮城）が構成される。内裏は安貞《あんてい》元年（一二二七）の火災以降再建されず、里内裏《さとだいり》へと移行した。

されていた。大棟《おおむね》の両側には光り輝く金銅の鴟尾《しび》が配され、門外から見たときの正面性を重視した造りだったという。大内裏はいわば芝居の書き割りであり、壮麗なイメージを提供するだけで十分であることを、信西は見切っていたに違いない。

信西一族の躍進

藤原信西《ふじわらのしんぜい》は多くの子孫に恵まれたが、たいへん優秀な家系で、のちのちまで貴族社会にユニークな人材を供給することになった。俊憲《としのり》をはじめとする息子たちは、出家して公式の役職に就けない父にかわり、各所で活躍して一家を盛り立てていった。信西一家は、三か国の知行国を確保し、さらに後院《ごいん》領の管理にもかかわって、経済的基盤の確保も万全であった。後院は、天皇の譲位後の御所を指すが、これに付属するのが後院領で、保元《ほうげん》の乱《らん》後に、頼長《よりなが》ら敗者から没収した多くの所領が編入されて飛躍的に拡大した。なかでも注目されるのは、信西が後院領肥前国神《ひぜんのくにかん》崎荘《ざきのしょう》を知行していたことで、彼が日宋《にっそう》貿易に関与したことを示唆している。彼の蔵書や学識も、日宋貿易に多くを負っていたと考えることができよう。対外貿易への関与、全国の効率的編成の発想は、のちに平《たいらの》清盛《きよもり》に受け継がれ、中世の物流ルートが形成される基礎を築いたと評価

5

●宋船（復元模型）
大陸からの輸入品は、貿易に携わる者に特権的な富をもたらした。なかでも中国銭は、日本の通貨として用いられ、経済に大きな影響を与えた。

できる。

院政という超越的高権の出現に由来する富の集積と蕩尽《とうじん》、はては武力衝突という統制を欠いた流れを、文人政治の実践によって整序する理想を信西は抱いていたのであろう。しかし、時代はもっと即物的で殺伐とした道を志向していたのである。

平氏政権の成立

平治の乱

藤原信西《ふじわらのしんぜい》の運営に支えられた、久しぶりの正攻法の天皇親政も長くは続かなかった。保元《ほうげん》三年（一一五八）八月、もともと中継ぎであった後白河《ごしらかわ》天皇は守仁《もりひと》親王に譲位、二条《にじょう》天皇が誕生する。この交代は、守仁を養子にしていた美福門院《びふくもんいん》が信西に強く要請し、「仏と仏の評定《ひょうじょう》」（出家者どうしの相談）で決まったといわれる。院政の主宰者としては基盤の弱い後白河上皇と、権威ある後援者を欠く二条天皇を戴《いただ》いて朝政は不安定であり、近臣《きんしん》層は院政派・親政派に分裂した。

後白河のもとには、信西のほかに新たな近臣が生まれていた。藤原信頼《のぶより》である。藤原道長《みちなが》の兄で、一条《いちじょう》天皇の中宮定子《ていし》（『枕草子《まくらのそうし》』の作者清少納言《せいしょうなごん》が仕えた女性）の父道隆《みちたか》から出た一族の出身である。父忠隆《ただたか》の妻栄子《えいし》は崇徳《すとく》天皇の、妹は後白河天皇の乳母になっており、この縁故で後白河に親しく侍《はべ》ることになったと考えられる。彼は後白河と男色《なんしょく》関係にあり、こちらの方面での親密さも、立身の大きな要因だった。信頼は権中納言《ごんちゅうなごん》にまで昇ったが、なお右大将《うだいしょう》の地位を望んだ。後白河は乗り気だったが、信西はこれを驕《おご》りとして否定し、強く諫《いさ》めたという。しかし当の信西も、一家をあげての台頭が朝廷内の批判を呼んでいたのである。信西の一族は、むやみに昇進を願うことの愚かさは十分承知していた。だが、政治力と経済力という両面展開の周到な戦略は、周囲に脅威の念を抱かせたのだろう。信頼・信西の対立は、平治《へいじ》元年（一一五九）一二月に、とうとう武力衝突に発展した。

信頼は、日ごろから信西への対抗心を深め、みずから武芸に励むほどだったといわれている。彼は保元《ほうげん》の乱《らん》で戦功を上げたものの、その後の処世がうまくいっていない源義朝《みなもとのよしとも》を抱き込み、信西に不満をもつ勢力を集めて武力蜂起《ほうき》の機会をうかがった。保元の乱以来ますます力を増した平清盛《たいらのきよもり》が一族を引き連れて熊野《くまの》詣《もう》でに出発した留守をねらい、信頼一派は一二月九日夜、クーデターに踏み

藤原信頼関係図

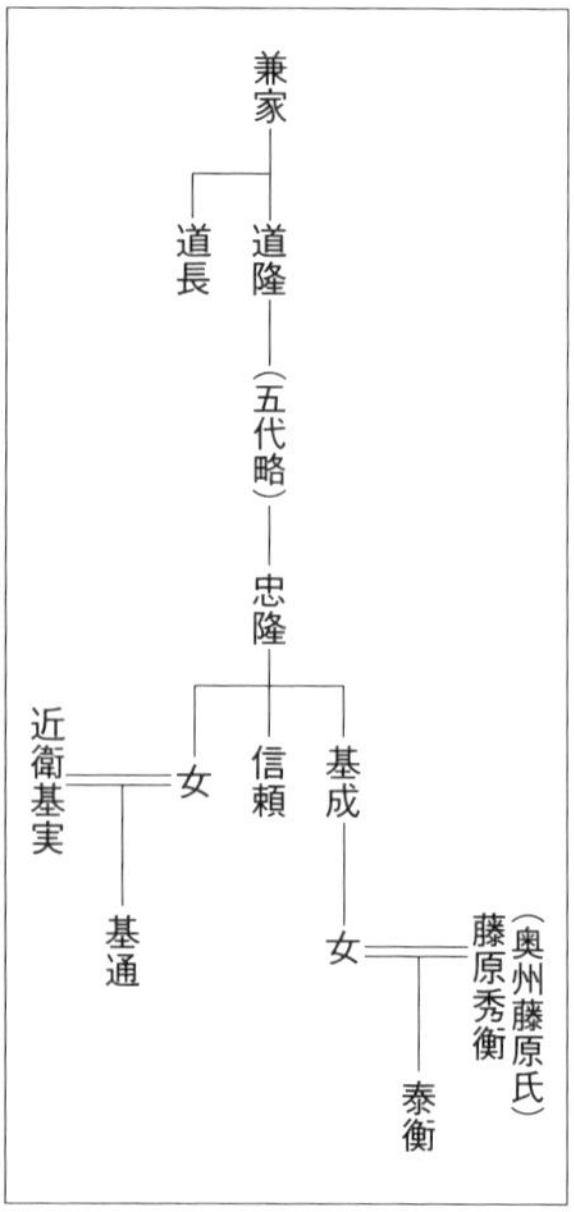

切った。後白河の御所に夜襲をかけたのである。信西は危険を察知して脱出したが、逃げ切れずに南山城《みなみやましろ》で自害。その首は、都大路《みやこおおじ》を渡されたうえ、西獄《さいごく》の門に梟《さら》された。

信頼・義朝は、院・天皇を幽閉し、信西の子息らを流罪にして、いったんは天下を掌握したかにみえた。しかし、急報を受けた清盛らが急ぎ帰洛、二五日には天皇を脱出させて、信頼勢を追討したのである。

平治の乱は、伝統的院近臣《いんのきんしん》の家柄の者が、信西らの新興勢力に反発したもので、信頼が義朝という自由になる武力を手に入れたことが、直接の引き金になったと考えられる。保元の乱は摂関家《せっかんけ》の権威を後退させたが、それ以外に持ち越されたさまざまな問題——後白河擁立の基盤の脆《ぜい》弱《じゃく》性、院近臣間および武士相互の対立など——が武力衝突の形をとった事件として、複合的にとらえるべきであろう。なかでも、明確な指針をもった信西の政策および勢力を拡大する彼の一家の存在が、曖昧《あいまい》な離合集散を繰り返す貴族社会のなかでは、先鋭的にすぎたことが大きかったと思われる。いずれにしても、従来なら疑獄事件程度ですんでいた政争が、武士の存在によって内乱となることが一般化したのである。

6

◉炎上する後白河院御所
藤原信頼・源義朝勢が後白河院御所に夜襲をかける「三条殿夜討《さんじょうどのようち》」の場面。噴き上がる黒煙と、戦う武士たちが、血なまぐさい躍動美を呈す。（『平治物語絵巻《へいじものがたりえまき》』）

平清盛の台頭

平治《へいじ》の乱《らん》で、もっとも利を得たのは平清盛《たいらのきよもり》であった。彼は熊野《くまの》への参《さん》詣《けい》の途次で内乱の報を聞き、紀伊国《きいのくに》の武士湯浅宗重《ゆあさむねしげ》らの後援を受けて軍勢を整え、平治元年（一一五九）一二月一七日には帰京した。天皇を脱出させて六波羅《ろくはら》の自邸に引き取れば、清盛は官軍、藤原信頼《ふじわらののぶより》・源義朝《みなもとのよしとも》側は謀叛《むほん》人・賊軍である。仁和寺《にんなじ》に隠れた信頼は捕らえられて斬首《ざんしゅ》された。東国に落ちのびて再起を図ろうとした義朝も、途中の尾張《おわり》国で殺害された。義朝の一行にはぐれた初陣の嫡子頼朝《よりとも》も捕らえられたが、清盛の父忠盛《ただもり》の室《しつ》である池禅尼《いけのぜんに》のとりなしによって処刑をまぬがれ、伊豆《いず》国に配流された。二〇年余ののちに兵を挙げ、鎌倉幕府を開くことになるのだが、それはまだ先の話である。かくして清盛の対抗勢力は京都から一掃された。

情勢は、清盛を味方につけた者が政界を制すという様相を呈してきた。永暦《えいりゃく》元年（一一六〇）六月、清盛は正三位の位階を与えられ、公卿《くぎょう》に列する。さらに八月には参議《さんぎ》に昇進、翌年には検非違使別当《けびいしべっとう》を兼ね、権中納言《ごんちゅうなごん》に任じられた。もはや武士は政権抗争の道具ではなく、公卿として政治を主導しうる立場にのしあがったのである。清盛は、政治的な

7

●平清盛坐像
平氏の栄華は短命に終わった。だが平氏の活動は、中央政治に武力を持ち込み、全国を有機的に結んで、社会の規模を飛躍的に広げる役割を果たした。

●三十三間堂（蓮華王院本堂）
南北一二〇mにわたる長大な建物の中に、一〇〇〇体の仏像が並ぶ様子は壮観である。建長《けんちょう》元年（一二四九）に焼失したが、文永《ぶんえい》三年（一二六六）に再建。

帰趨《きすう》を曖昧《あいまい》にしておいたおかげで平治の乱で利を得たわけだが、その後の政局においても、後白河《ごしらかわ》院と二条《にじょう》天皇いずれに対しても、「ヨクヨクツツシミテ、イミジクハカラヒテ、アナタコナタシケルニコソ」（『愚管抄《ぐかんしょう》』）と、気配りを欠かさなかった。天皇を呪詛《じゅそ》する者が出るなどの事件はあったが、肝心の武力の保持者である清盛が動かなければ、大きく問題化することはなかったのである。ただし政治の主導権は天皇のもとにあり、それを清盛が援護しつつ、後白河院にも配慮するという構図だったとみられる。

このころ、後白河の御願《ごがん》を受け、備前《びぜん》国から造営費用を調達して清盛が造進したのが、千手観音《せんじゅかんのん》千体の御堂――京都七条に現在も残る蓮華王院《れんげおういん》本堂（三十三間堂）である。

8

平氏の経済基盤

前記の体制は永万《えいまん》元年（一一六五）に二条《にじょう》天皇が二三歳の若さで崩御したことで崩れ、わずか二歳の六条《ろくじょう》天皇が践祚《せんそ》する。後白河《ごしらかわ》院が前面に出る機会が訪れ、院と清盛《きよもり》との力関係が政局を動かす主要な動機となった。翌仁安《にんあん》元年（一一六六）には、清盛の妻の妹平滋子《たいらのしげこ》（のちの建春門院《けんしゅんもんいん》）が院の子を産み、皇太子とされた（憲仁《のりひと》親王）。この間、清盛は永万元年に権大納言《ごんだいなごん》、仁安元年に内大臣、同二年には太政《だいじょう》大臣と、異例の昇進を重ねた。

平氏の栄華の基礎となったのは、その武力もさることながら、何よりも経済力であった。清盛の祖父正盛《まさもり》の代から院北面《いんのほくめん》として仕えるとともに、受領《ずりょう》を歴任して諸国を経営してきたのである。父忠盛《ただもり》は山《さん》陽《よう》・南海《なんかい》両道の海賊《かいぞく》追討を通じて西海に進出し、さらに後院領肥前国神崎荘《ひぜんのくにかんざきのしょう》の預所《あずかりどころ》の地位を利用して、日宋《にっそう》貿易に関与した。長承《ちょうしょう》二年（一一三三）には大宰府《だざいふ》の官人《かんじん》を排除して、鎮西《ちんぜい》に来着した唐船《からふね》との交易を行なおうとしたという。神崎荘—日宋貿易の利権は、前述したように、忠盛の死後には藤原信《ふじわらのしん》西《ぜい》に受け継がれた。大陸との貿易は、有力院近臣《いんのきんしん》を支える重要な財源となっていったのである。

忠盛は仁平《にんぺい》三年（一一五三）に亡くなったが、それについて藤原頼長《よりなが》は『台記《たいき》』につぎのように記した。「数国の吏を経て、富は巨万を累《かさ》ね、奴僕《ぬぼく》は国に満ち、武威は人に軼《すぐれ》る。しかるに人となり恭倹《きょうけん》にして、

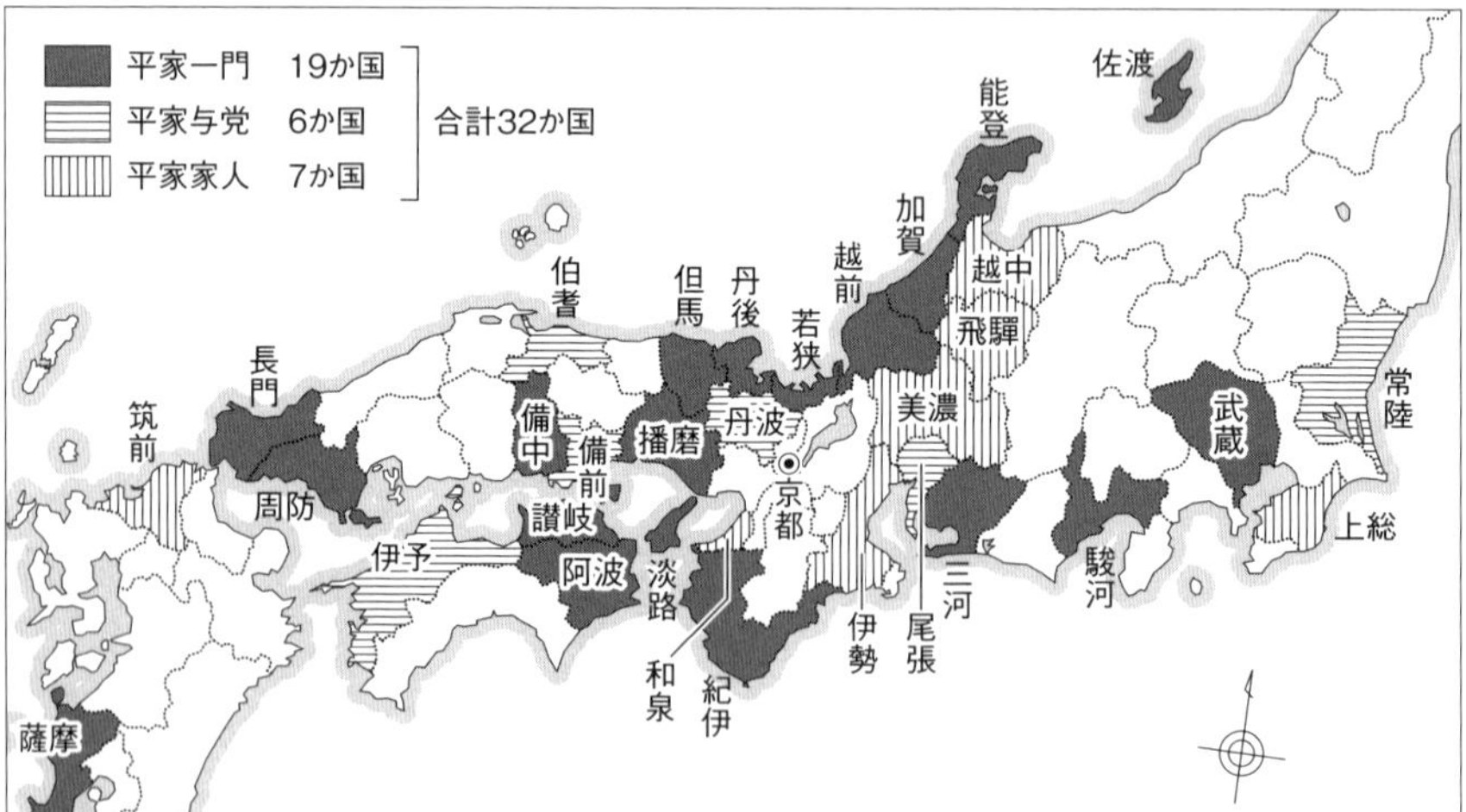

いまだ嘗《かつ》て奢侈《しゃし》の行あらず。時の人これを惜しむ」他人に厳しい頼長にしては、たいへんな褒め言葉である。富と武威を兼ね備え、各国に人脈を広げ、けっして驕《おご》ることなく、周囲の反感を買わないように心がけていたのだろう。このような処世術は、清盛が複雑な政治情勢のなかで「アナタコナタシ」て配慮を欠かさなかった姿勢に受け継がれた。

清盛は、一門のなかで知行国を持ち合いながら、その数を増やしていった。保元《ほうげん》三年（一一五八）には大宰大弐《だざいのだいに》にも任じられ、日宋貿易を公式に管轄する地位を手に入れた。宇佐《うさ》神宮の大宮司《だいぐうじ》とも緊密な関係を築いたという。また安芸《あき》国も重要な拠点で、厳島《いつくしま》神社が一門の信仰の対象として重んじられたのはよく知られている。清盛は娘の盛子《せいし》を摂関家《せっかんけ》の近衛基実《このえもとざね》に嫁がせ、姻戚《いんせき》関係の強化を図ったが、基実が永万二年に急死すると、摂関家領の一部を未亡人となった盛子に継承させるよう画策した。

さらに仁安二年、清盛の太政大臣《だいじょう》辞任と前後して、嫡男の重盛《しげもり》に、東山・東海・山陽・南海諸道の賊徒《ぞくと》追討を命じる宣旨《せんじ》が下された。これは特定の反乱などを対象としたものではなく、平氏に国家的な軍事・警察権を与える意味をもち、清盛が後白河院に要請して出させたものと考えられる。強大な権勢と経済力を背景に、最高峰の武門として、平氏の地位は固められたといえよう。

◉治承三年の政変後の平氏の知行国と荘園
平氏は知行国や荘園の獲得を通じて、京都―瀬戸内海―九州―大陸というルートをつくりあげた。治承《じしょう》三年（一一七九）以後は、東国方面にも勢力を伸ばし、最大の勢力圏を築いた。

清盛皇胤説

平清盛《たいらのきよもり》は、仁安《にんあん》二年（一一六七）二月に従一位太政大臣《だいじょうだいじん》に昇りつめた。だが、彼はわずか三か月余でこの職を辞す。実権はすでに手中にあり、高位高官に任じられた経歴のみが、将来的に一族が発展していくために必要だったのであろう。外戚《がいせき》の立場は、運さえよければ手に入るが、高い官位を得るには、一定の家格に達していることが求められたからである。

それにしても平氏一門の躍進ぶりはほとんど異常である。ここに清盛が白河《しらかわ》院の落胤《らくいん》であったという説が出てくる。『平家《へいけ》物語《ものがたり》』は、「又ある人の申しけるは、清盛は忠盛《ただもり》が子にはあらず、まことには白河院の皇子なり」と語る。白河院寵愛《ちょうあい》の祇園《ぎおん》女御《にょうご》が、平忠盛に下げ渡され、そのとき彼女が身ごもっていた子が清盛だったというのである。忠盛・清盛父子が、白河院周辺の女性とかかわりをもっていたのは確からしいが、平氏の進出を清盛皇胤説によって説明するのはあまり生産的ではないだろう。夫婦・家族関係が非常に流動的であった当時の状況からして、親子関係の有無がそれほど決定的な影響力をもつとは考えられないのである。

平氏系図

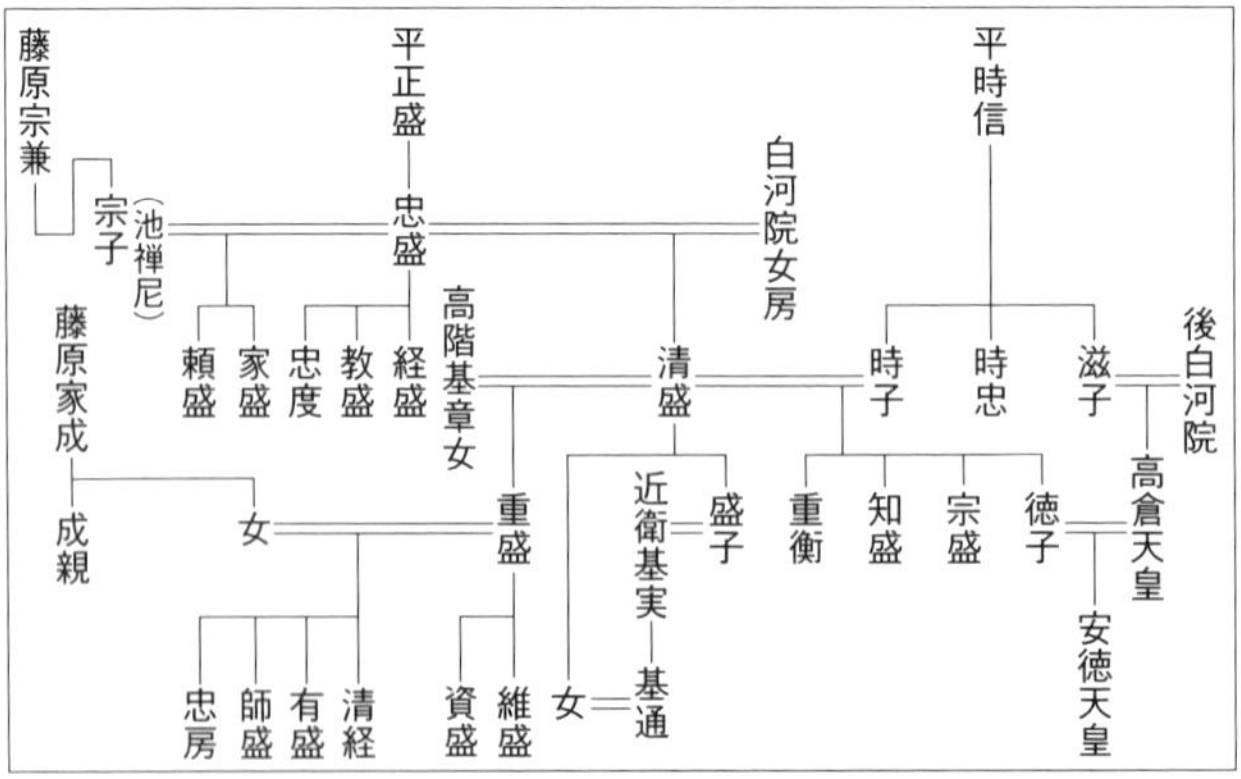

白河院の艶福《えんぷく》ぶりからみて、清盛と同程度に〝皇胤〟であった者は、少なからずいたに違いない。当時の朝廷秩序は保元《ほうげん》・平治《へいじ》の二つの内乱を経て大きく動揺しており、そのなかで武力を掌握する平氏が、独自の家格をつくりだそうとしていたとみるべきではないだろうか。

松薗斉《まつぞのひとし》によれば、清盛をはじめとする平氏一門の公卿《くぎょう》は、宮中の政務・儀式の上首《じょうしゅ》である上卿《しょうけい》をほとんどつとめていなかったという。伝統的な貴族の家柄であれば、先祖の日記などによって、政務・儀式の手順を研究し、父親や先輩格の公卿の指導を受けながら、幹事役である奉行や上卿をつとめて、経験を積んでいくのがふつうである。逆にいえば、このような階梯《かいてい》は、父祖からの日記の継承や、何代にもわたる貴族どうしの交際・通婚関係などの結果として可能になるもので、平氏のような、いわば成り上がりの一族が一朝一夕にできることではなかったのである。清盛は、正統的な貴族になろうとしたわけではなく、天皇の外戚となるに足る新しい家格を創出しようとしたのだと考えられる。そして当時の状況では、それは不可能なことではなかった。のちに、鎌倉幕府の将軍が、鎌倉の地にいながらにして、実務を伴わない公卿の地位を手にしたことの先駆と位置づけることもできよう。

うがった見方をすれば、平氏一門の昇進を認めざるをえない伝統的貴族らの苦々しい思いを補償するために、いつからともなく皇胤説がささやかれるようになったのかもしれない。みずからの後退を正当化するために、詭弁《きべん》ともいえる理屈を編み出すことを、今後の公家《くげ》政権はたびたび行なっていくことになる。清盛皇胤説は、その初期のひとつだったのではないだろうか。

福原・厳島・『平家納経』

仁安《にんあん》三年（一一六八）、病を得た清盛《きよもり》は出家を決意した。その直後、六条《ろくじょう》天皇が譲位し、清盛の義妹滋子《しげこ》所生の高倉《たかくら》天皇が誕生した。幸いに病気は快方に向かい、出家後の清盛は摂津《せっつ》の福原《ふくはら》に造営した別荘で過ごすことが多くなった。京都政界の制圧を達成し、彼の関心はさらに広い世界へと向かっていった。

福原は現在の兵庫県神戸市兵庫区の北半分から中央区の西端付近にあたる地域で、その南方の和田《わだ》（輪田）の地には、大輪《おおわ》田泊《だのとまり》という良港があった。これは、京都から淀川《よどがわ》を下って瀬戸内海に出るためのターミナルになる。清盛は福原の地に、後白《ごしら》河《かわ》院、また譲位後の高倉院をたびたび招いて接待した。

福原から海に出て、向かう先は安芸《あき》の厳島《いつくしま》神社である。平氏が主導して厳島神社および京都から厳島に至る経路を整備し、こちらにも後白河・高倉の御幸《ごこう》を得たのである。熊野《くまの》・福原・厳島と、院政期の上皇は頻繁に遠方への御幸を行なっている。その目的は、院政開始期には、天皇位を降りた自由な身分を謳歌《おうか》し、みずからの富と権威を誇示することであった。しかし、福原や厳島への御幸は、平氏の権勢を天下に示すための手段であり、後

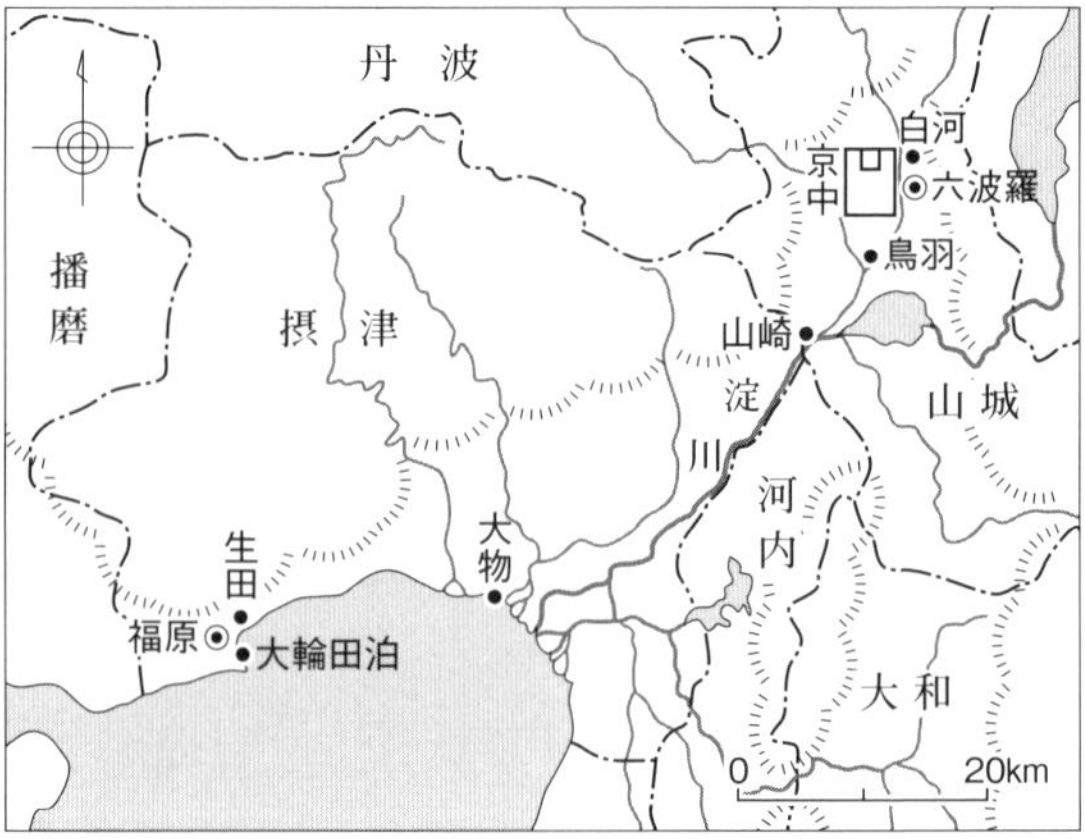

●京都・福原関係図
清盛は福原の地に別業《べつぎょう》を営み、物流の拠点として大輪田泊《おおわだのとまり》を整備した。福原には宋人《そうじん》が来着し、平氏も宋船で航海を行なうなど、国際的な活況を呈していた。

白河や高倉は、もはやそのための道具にすぎない。そして遠からず、院をはじめとする宮廷社会の人々は、全国的な内乱のなかで、敗走する勢力に同行を強要されるのではないかと、怯《おび》えなければならなくなるのである。

厳島神社と平氏のかかわりを考えるうえで、『平家納経《へいけのうきょう》』をはずすことはできない。長寛《ちょうかん》二年（一一六四）、清盛が一門の繁栄を祈念して、法《ほ》華経《けきょう》二八品《ぽん》をはじめとする三三巻の装飾経を作成・奉納したのである。うち一巻は清盛自筆の願文《がんもん》で、一門をあげて結縁《けちえん》のために経典を荘厳《しょうごん》する旨が記されている。それらの意匠は、まさに善美を尽くしたというほかはなく、平氏の栄華の結集、王朝文化の清華と評される。すべての巻が、とりどりの趣向を凝らし、華麗な表紙絵や見返しを競うのみならず、料紙にも金銀箔《はく》を散らし、文様を刷り、下絵を施し、複雑・精緻《せいち》を極めたものである。装飾金具、金銅製の題簽《だいせん》、軸は水晶でつくったうえに金銀透《すか》し彫りの唐草文《からくさもん》を加えるなど、同時代の最高の感性と技術を惜しみなく注ぎ込んだ傑作といえよう。

長寛二年といえば、平治《へいじ》の乱《らん》を勝ち抜いて、平氏が武士として政界に不動の地位を築いた時期である。この時点での平氏の実力のほどを、『平家納経』は直截《ちょくせつ》に反映していると思われる。しかし彼らのエネルギ

9

◉厳島神社
仁安三年（一一六八）、平氏の協力を得て、現在のような海上に浮かぶ社殿が造営された。海に向かって開く華やかな景観は、平氏一門の精神的支柱となった。

ーの表現型が、このあまりにも豪奢《ごうしゃ》な世界のミニチュアだという事実は、かえって息苦しさを感じさせる。海に向かって開かれた厳島神社の姿と『平家納経』との対比は、新しい時代の扉を開けた清新さと、絢爛《けんらん》たる内向を示す院政期文化の限界を物語る。平氏政権は迷走し、恐怖政治・クーデター・福原遷都、そして内乱へと押し出されていったのである。

内乱の始動

鹿ヶ谷事件

福原《ふくはら》に引退したはずの平清盛《たいらのきよもり》は、山門強訴《さんもんごうそ》などの大きな事件が発生するたびに京都に呼び戻され、采配《さいはい》をふるうという生活を続けていた。彼の存在は貴族社会に必須のものとなっていたが、一門のなかには、その無双の権勢を濫用《らんよう》する傾向も現われた。安元《あんげん》二年（一一七六）には、高倉《たかくら》天皇生母として大きな発言権をもった建春門院《けんしゅんもんいん》が死去。彼女は後白河《ごしらかわ》院と平氏をつなぐ役割を果たしており、その死は反平氏勢力を活発化させることになった。翌年、鹿《しし》ヶ谷《がたに》の陰謀事件が発覚した。

事件は多田蔵人行綱《ただのくろうどゆきつな》の密告に始まる。東山山麓《ひがしやまさんろく》の鹿ヶ谷の山荘で、藤原成親《ふじわらのなりちか》・西光《さいこう》・俊寛《しゅんかん》らの院《いんの》近臣《きんしん》が集まって、平氏打倒の謀議を行なったというのである。西光は院の第一の近臣、成親は男色《なんしょく》の相手として寵愛《ちょうあい》されていたといわれ、ほかにも院の近習《きんじゅう》らが加わっていた。清盛は彼らを厳しく処断し、西光は処刑され、成親は備前国《びぜんのくに》、俊寛と検非違使《けびいし》の平康頼《たいらのやすより》は鬼界ヶ島《きかいがしま》（硫黄島《いおうじま》）に配流された。俊寛が京都に帰ることなく、失意のうちにかの地で落命した次第は、能や歌舞伎などに取り上げられ、よく知られているところである。

鹿ヶ谷事件と前後して、西光の息子である加賀守《かがのかみ》藤原師高《もろたか》を訴えて、山門（比叡山延暦寺《ひえいざんえんりゃくじ》）の強訴

六波羅と法住寺殿

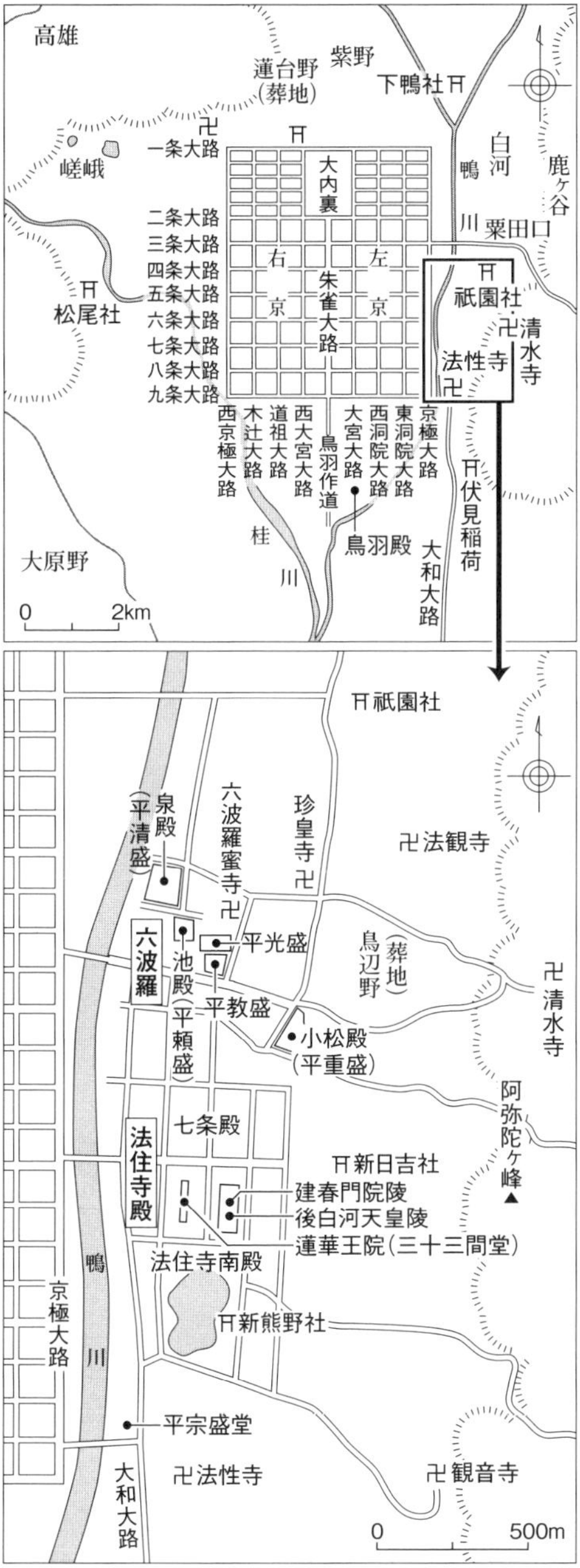

が起こっている。朝廷側はこれに抗しきれず、師高の配流を決定した。一方で後白河院は、山門を統括する天台座主《てんだいざす》明雲《みょううん》を謀叛《むほん》の罪で配流するという強攻策に出たが、配流地に連行する途中で明雲の身柄が悪僧らに奪回されるという失態に終わる。明雲の一件は西光の讒言《ざんげん》によるともいわれるが、山門攻撃を命ずる後白河に対して、清盛が難色を示しているところに起こったのが、鹿ヶ谷事件であった。院の背後でさまざまな画策を行なう西光を軸に、山門強訴と鹿ヶ谷とは表裏の関係をなしていたらしい。そのうえ市中では「太郎焼亡《たろうしょうぼう》」と呼ばれる大火が発生し、内裏《だいり》をはじめ、広い範囲にわたって被害をもたらした。都はまことに騒然とした雰囲気に包まれていたのである。

悪い事件ばかりが続くなかで、治承《じしょう》二年（一一七八）、高倉《たかくら》天皇の中宮となった清盛の娘徳子《とくこ》が皇子を出産した。生後まもない段階で、清盛はこの皇子を皇太子に立てた。言仁《ときひと》親王、のちの安徳《あんとく》天皇で、清盛は将来の外戚《がいせき》の地位を約束されたのである。

治承三年の政変

治承《じしょう》三年（一一七九）八月、平清盛《たいらのきよもり》の嫡男、重盛《しげもり》が亡くなった。彼は「いみじく心うるわし」「心操はなはだ穏やか」などと評され、平氏一門の良識派とみられていた。しかし、後白河《ごしらかわ》院への対立姿勢を明らかにする父の方針に、もはやついていけぬと感じたのか、「とく死なばや」（早く死んでしまいたい）と自棄的になっていたという。失意の清盛に対し、後白河院は露骨に政治的圧力をかける策に出た。

一一月一四日、清盛は武士数千騎を率いて福原《ふくはら》から上洛した。彼をついに踏み切らせた原因として『玉葉《ぎょくよう》』は、後白河が、重盛・維盛《これもり》が父子二代にわたって知行していた越前国《えちぜんのくに》を取り上げたこと、重盛に先立って没した娘盛子《せいし》（近衛基実《このえもとざね》の未亡人）が管領《かんれい》していた摂関家《せっかんけ》領を奪ったことをあげ、『百練抄《ひゃくれんしょう》』（鎌倉後期成立の歴史書）は後白河と関白松殿基房《まつどのもとふさ》（近衛基実の弟、『玉葉』を著わした九条兼実《くじょうかねざね》の兄）が結託して平氏を滅ぼそうとしたためと記している。

清盛は、松殿基房とその息子権中納言師家《ごんちゅうなごんもろいえ》を解官《げかん》したのを皮切りに、多数の院近臣《いんのきんしん》を解官した。院近習《きんじゅう》の侍らも処刑され、後白河院の意向で盛子遺領の倉預《くらあずかり》（管理者）に任じられた藤原兼盛《かねもり》は手首を切られた。二〇日には後白河を鳥羽殿《とばどの》に移して幽閉、その翌日には院庁預《いんのちょうあずかり》（院庁の実務担当者）の中原宗家《なかはらむねいえ》を捕らえ、院領の目録を注進させたという。また松殿家からも文書を提出させ、同家の「文書沙汰《もんじょさた》の侍」（文書管理の担当者）を召し寄せて、内裏《だいり》において調査を行なった。

さらに一二月に入って、後院庁始《ごいんのちょうはじめ》が行なわれた。後院とは、前にも触れたとおり、もともとは天皇の退位後の御所のことで、後院庁は、上皇不在の際に院御所《いんのごしょ》や院領の管理のために置かれる役所である。したがって後院庁開設は、後白河院の存在を全面的に否定する意味をもつ。また所領目録や家の文書を、その管理者とともに確保することは、そこに記

10

◉平重盛
清盛の長子として、平氏一門の総帥の地位を受け継ぐ。重盛と息子たちは、院近臣の藤原家成《いえなり》・成親《なりちか》父子と姻戚関係で結ばれていた。（『天子摂関御影《てんしせっかんみえい》』）

された資産を接収するための第一歩となる。とくに、貴族の家において、文書の継承は家の存続と一体のものであったから、それらを取り上げられたら家は断絶してしまう。基房は失脚直後に自筆日記などを焼き捨てたといわれており、この事態を見込んで、不都合な資料の隠蔽《いんぺい》を図ったらしい。こうして、清盛に反した後白河院と松殿家は丸裸にされてしまった。ここから、高倉《たかくら》天皇を傀儡《かいらい》とする清盛の独裁体制が始まる。

平氏政権の成立——崩壊の始まり

クーデターから約三か月後の治承《じしょう》四年(一一八〇)二月二一日、高倉《たかくら》天皇が譲位し、その皇子で三歳の言仁《ときひと》親王が践祚《せんそ》した。安徳《あんとく》天皇である。平清盛《たいらのきよもり》はついに天皇の外戚《がいせき》となり、高倉上皇に院政をとらせて、最高の権威を自由にする立場を手に入れた。

前年一二月に言仁親王を自邸に迎えた清盛は、この幼子に宋《そう》から将来《しょうらい》した『太平御覧《たいへいぎょらん》』を贈った。同書は宋代初期の九八三年(太平興国八年《たいへいこうこく》)頃に成立した、「類書《るいしょ》」と呼ばれる百科全書である。森羅万象を分類配列して、古典からの引用や解説を付したもので、世界を知るための手がかりであり、同時に、世界を書物の中に集約したものであった。藤原頼長《ふじわらのよりなが》・信西《しんぜい》など歴代の知識人が手もとに置いた、当時の最先端の知的成果である(頼長は、これを端から順番に読破していったという)。学問の成就を願って、子供に書物や手本を贈るのはめず

●**前太政大臣平清盛家政所下文**
平氏の家政機関である政所《まんどころ》から出された文書。紙面に朱印が四つ捺《お》してあり、古い様式を模すことによって、権威を増そうとする意図がうかがえる。(『厳島神社文書御判物帖《いつくしまじんじゃもんじょごはんもつちょう》』)

らしくないが、それが『太平御覧』だったことは、清盛の政権が対外交易を足場とし、積極的に世界を切り開いていく進取的な性格をもっていたことを表わしている。清盛の夢は大きく広がっていたのだが、社会はこのあと、彼の拠《よ》っていた枠組みそのものが覆る方向に進んでいく。

クーデターによって清盛はようやく平氏政権というべき体裁を獲得したのだが、それは反対勢力の実力行使を招く契機ともなった。平氏政権は誕生とともに、崩壊へのスタートを切ったのである。

最初のつまずきは、譲位直後の高倉《たかくら》上皇を厳島《いつくしま》神社に参詣《さんけい》させようとして、権門寺院の大反発をかったことだった。悪僧らが、幽閉されている後白河《ごしらかわ》院や、高倉院の身柄の奪取を図る緊迫した状況となったが、何よりも、これまで互いに抗争し、牽《けん》制《せい》しあってきた園城寺《おんじょうじ》・延暦寺《えんりゃくじ》・興福寺《こうふくじ》などの宗教勢力が、反平氏を叫んで結束したことが大きい。〝反平氏〟の旗印のもとに、多くの勢力が蜂起《ほうき》し、全国を舞台とする内乱が幕を開ける。

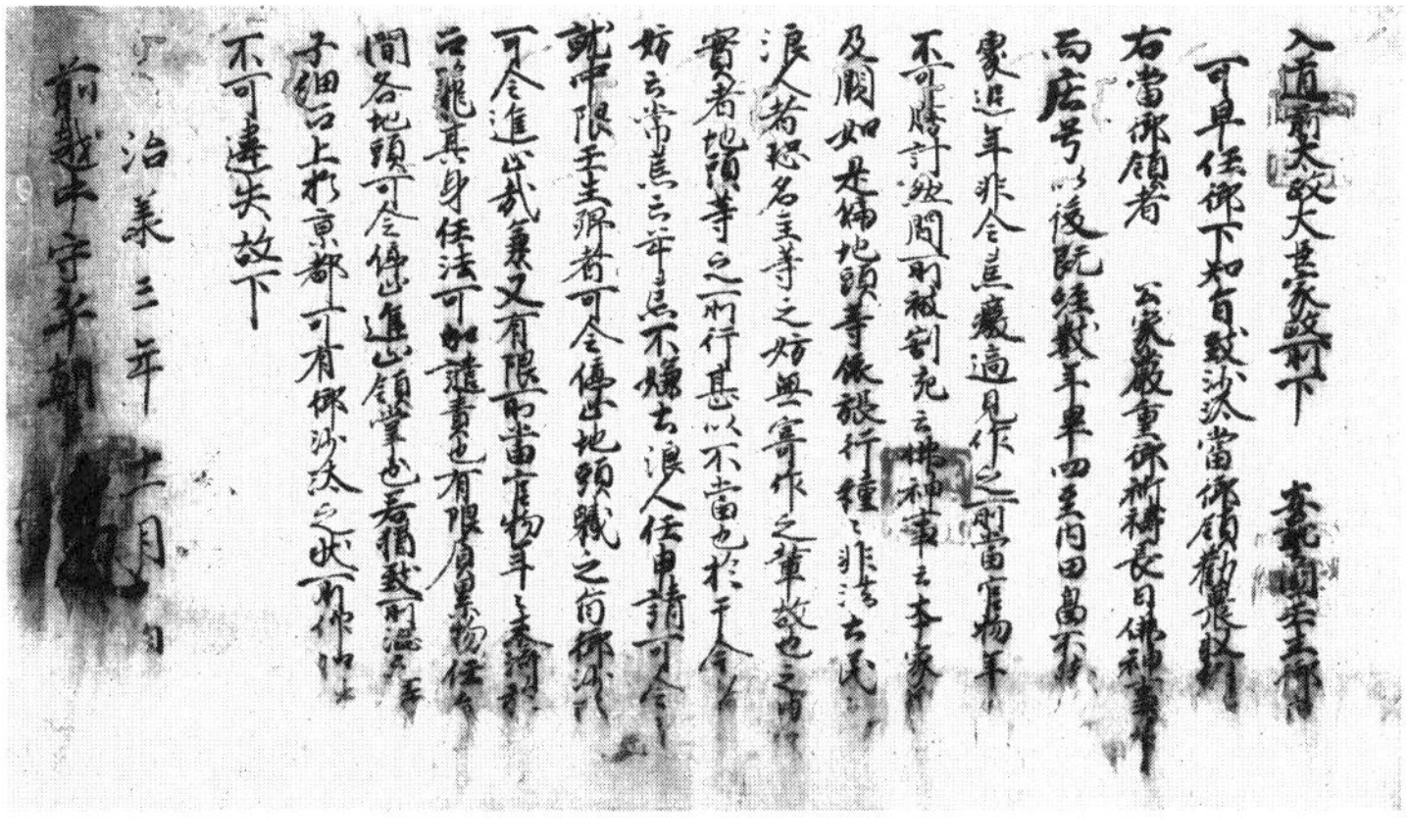

11

以仁王の令旨

治承《じしょう》四年（一一八〇）五月になって、後白河《ごしらかわ》院の第二皇子以《もち》仁王《ひとおう》による、反平氏の挙兵運動が発覚した。平氏はただちに以仁王の三条高倉御所《さんじょうたかくらごしょ》に兵を差し向けたが、王はなんとかこれを逃れて、園城寺《おんじょうじ》にかくまわれた。平氏の総攻撃が始まる前に、以仁王は彼に味方する源 頼 政《みなもとのよりまさ》一族とともに奈良の興福寺《こうふくじ》をめざして脱出したが、途中の宇治《うじ》で、平重衡《たいらのしげひら》・維盛《これもり》の軍勢に攻められて討死《うちじ》にした。

以仁王は後白河院と権大納言藤原季成《ごんだいなごんふじわらのすえなり》の娘成子《せいし》との間に生まれ、高倉院の兄にあたる。平氏全盛の世では居場所がなく、親王宣下《せんげ》を受けられぬまま、後白河の妹の八条院《はちじょういん》の猶子《ゆうし》となっていた。八条院は鳥羽《とば》院と美福門院《びふくもんいん》の間の最愛の娘として、多くの荘園《しょうえん》を相続していた。彼女の所領八条院領は、のちに皇室資産の柱として争奪の対象となるものである。院の強権や恣意《しい》の背後では、彼女のような非婚の皇女が女院宣下を受けてその立場を保証され、独自の地位を築いていた。莫大な資産を守るとともに、近臣《きんしん》団を組織し、院・天皇・貴族らの力関係から離れたところに、独自の勢力圏をつくっていたのである。以仁王はそのな

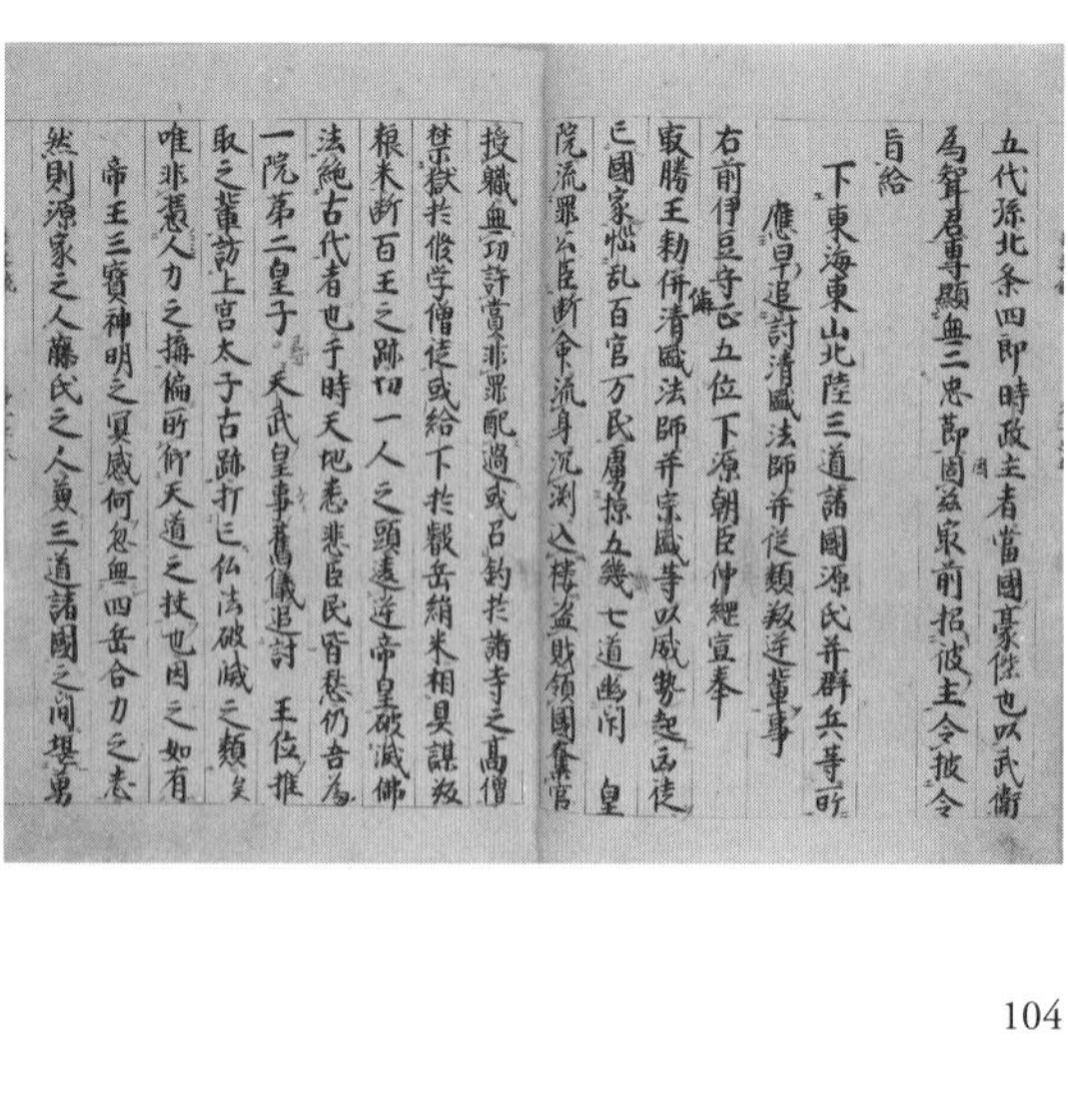

12

◉『吾妻鏡』（北条本）
鎌倉幕府の歴史書。一四世紀初頭成立。編纂の経緯などに未解明の部分が多いが、幕府に関する基本史料である。右に掲げたのは、以仁王令旨が収録されている部分。

かで庇護《ひご》を受けていたわけだが、不遇のうちにもなんとか元服を遂げて、出家の道を選ばない意志を示したのは、皇位に望みをつないでいるとともに、周囲が何ほどか彼に期待するところがあったのだと思われる。

以仁王の令旨《りょうじ》（親王や皇后などの命令を伝える文書）は、治承《じしょう》四年四月九日付で、王の意向を源頼政の息子仲綱《なかつな》が奉《うけたまわ》った体裁をとり、源為義《ためよし》の末子の八条院蔵人行家《くろうどゆきいえ》によって、各地に伝えられたという。鎌倉幕府の歴史を記した『吾妻鏡《あずまかがみ》』は、この令旨の作成・伝達の記事から始められており、源氏による政権樹立の起点と見なされていたことがわかる。

さてその令旨は、様式的に異例、内容も過激で、真偽を疑問とする説もある。以仁王はみずからを「最勝王《さいしょうおう》」と称し、皇位を簒奪《さんだつ》した平氏を非難し、東山・東海・北陸の源氏に対して、ただちに追討の兵を挙げることを求めた。以仁王自身は、各地の武士がこれに応じる間もなく滅ぼされたが、彼の令旨はその後も諸方に流布し、反平氏勢力に正当性を与えることになった。思えば院政開始以来の道のりは、旧来の秩序が組み替えられる、異例尽くしのものであった。これが全国的内乱という滝に流れ込む起点として、以仁王令旨もまた破格でなければならず、少なくとも、受容する側が求めた姿が『吾妻鏡』に残されていると解釈すべきであろう。

以仁王の死も、遺体に首がなかったと伝えられるなど謎《なぞ》の残るものだった。生存説がささやかれ、彼の真筆とされる文書が出まわるなど、社会不安を増大させる要素のひとつとなったのである。

コラム1

饒舌な男色家

時代の潮流に乗った平氏に比べ、低迷気味の源為義《みなもとのためよし》の一族は、摂関家《せっかんけ》の藤原《ふじわらの》忠実《ただざね》、その息子頼長《よりなが》のラインに接近する。頼長の日記『台記《たいき》』には、為義の息子の義賢《よしかた》（木曾義仲《よしなか》の父）と男色関係を結んだという記事が見える。「今夜、義賢を臥内に入る。無礼に及ぶも景味あり」という具合で、彼らは心身ともに親しんでいたらしい。

院政期において、院や摂関をめぐる男色関係が、政治上の人材起用に大きな影響を与えていたことは、五味文彦《ごみふみひこ》によって指摘されている。なかなか微妙な問題だが、当時の史料にこの種の記事が多いことは事実である。とくに『台記』は、記主の藤原頼長が世間的な規範にとらわれない人柄で、少々露悪的なところがあったことから、多彩な関係を詳述している。

彼の相手は、上級貴族から武士、随身《ずいじん》・雑色《ぞうしき》まで、身分を問わず広範にわたった。なかでも政治的に重要な意味をもつのが、鳥羽院《とばいん》の寵臣《ちょうしん》である藤原家成《いえなり》に連なる人々との関係であろう。頼長は家成やその従姉妹《いとこ》にあたる得子《とくし》（美福門院《びふくもんいん》）を「諸大夫《しょだいぶ》」の家柄と呼び、日記にもたびたびさげすんだ調子で記したが、一方で彼らの権勢に魅《ひ》かれる気持ちも抑えがたかった。この複雑な感情に駆り立てられ、彼は家成の息子や娘婿《むすめむこ》たちと、つぎつぎと愛憎なかばする関係を結んだのである。家成一門のほうでも、摂関家の御曹司《おんぞうし》と親しむことによって、官位の獲得や、一門内での優位の確立など、さまざまな思惑《おもわく》を抱いていた。

彼らは互いに関係を結ぶだけでなく、第三の人物との関係を仲介するなど、放埒《ほうらつ》というか、自由というか、親密なネットワークを張り巡らしており、要するに、宮廷内の交際や派閥に、もれなく男色関係がついてくるというものだったようにみえる。その源泉となるのは、宮廷社会の頂点にいる院にほかならず、政治のある側面は、きわめて肉体的な次元の判断によって動かされていたといえよう。

このような錯綜《さくそう》した関係は男女の間にも張り巡らされており、女性たちとの交流や交渉にも心を砕かねば、政治的な達成はありえなかった。ただし頼長に限っていえば、女性への執着はそれほど明らかではない。神田龍身《かんだたつみ》によれば、頼長の男色は、寺院の稚児《ちご》のような女性の代用品を求めているのではなく、きわめて男性的なもので、彼はいささか強迫的な男性原理にとらわれていたのではないかという。彼の学問が漢学に篤《あつ》く、和歌などには熱心でなかったことも、この性向の現われとみることができる。彼が寵愛した随身（貴族を警護する近衛府《このえふ》の官人《かんじん》）秦《はたの》兼任《かねとう》の姿が『随身庭騎絵巻《ずいじんていきえまき》』に描かれているが、しもぶくれの偉丈夫で、こういうのが当時の男性美かと、感じ入るほかない。

また、少しのちの良識派政治家の九条兼実《くじようかねざね》も、その日記『玉葉《ぎよくよう》』に、後白河院《ごしらかわ》と近衛基通《このえもとみち》の特別な関係を記している。兼実は、まじめで論理的な人物で、あまり羽目をはずしたことは書かないのだが、院と基通の男色関係については「秘事たるといえども、希異の珍事、子孫に知らしめんがため」に書き置くとしている。「君臣合体の儀、これをもって至極となすべきか」と揶揄《やゆ》しているのは、彼にしては上出来である。

男色そのものは、前近代にはとくにめずらしいものではなく、これをタブー視する感覚もなかったようだが、それにしても摂関を経歴するほどの貴族の日記に、このようなあからさまな記述が現われるのは、院政期に特徴的な現象である。一般に貴族の日記は、子孫に儀式や政務の先例を伝えるために書かれるもので、記主の個性によって重点の置きどころに差があるものの、あまり個人的なことは書かない。ましてや女性関係・男性関係（?）などについては、記さないのが一般的である。朝廷の政治構造や、貴族社会の人間関係が大きな変化を見せる時期に、男色というきわめて生理的な紐帯《ちゆうたい》がクローズアップされたと理解すべきであろう。

第四章

天下草創——武家政権の成立

1

治承・寿永の内乱

頼朝挙兵

治承《じしょう》四年（一一八〇）六月二日、右大臣九条兼実《くじょうかねざね》は、「卯《う》の刻、入道相国《しょうこく》（平清盛《たいらのきよもり》）の福原《ふくはら》の別業《べつぎょう》に行幸す」とその日の日記を書きはじめた。安徳《あんとく》天皇、後白河《ごしらかわ》・高倉《たかくら》両上皇が平氏の拠点である福原に移されたのである。すなわち福原遷都で、延暦《えんりゃく》一三年（七九四）の平安京《へいあんきょう》遷都以来、まったく異例の事態であった。貴族たちは驚愕《きょうがく》し、兼実は「ただ天魔《てんま》朝家《ちょうか》を滅さんと謀るか」と、思考停止の場合の常套《じょうとう》的な概念〝天魔〟を持ち出している。清盛の急な発案による行幸で、福原に到着した天皇・上皇らは平氏一門の邸宅に分宿し、随行した多くの人々には宿舎も用意されていなかったという。

清盛の意図は、不穏な状況のなかで、天皇・上皇を貴族・寺社勢力から切り離し、自分の自由裁量権のもとに置くことにあったと思われる。しかし、天皇の存在が伝統的儀礼をそのまま引きずってくる以上、都としての体裁を整えることのできない福原にとどまるのはあまりにも無理が多い。人々の不満と混乱のなか、一一月にはふたたび京都に戻ることを余儀なくされた。

一方、関東ではついに戦乱の火蓋《ひぶた》が切られた。八月一七日、源義朝《みなもとのよしとも》の息子で伊豆国《いずのくに》に配流されて

◉源頼朝坐像
鎌倉にはじめての武家政権を築き、武士を時代の前面に押し出した人物。しっかりと見据える両眼や、豊かな頬などの表現は、成熟した意志力を感じさせる。
前ページ図版

いた源頼朝《よりとも》が、同国目代《もくだい》の山木兼隆《やまきかねたか》を攻めたのである。伊豆は源頼政《よりまさ》の知行国であったが、彼の敗死後に平時忠《ときただ》（清盛の妻時子《ときこ》の兄）の手に渡っており、その現地代官が兼隆だった。頼朝は、新たに力を伸ばそうとする平氏勢力に不満を抱く人々を束ねて、初戦に勝利を上げた。ただし、関東の平氏家人《けにん》もただちに反撃に立ち上がり、八月二三日には相模《さがみ》の大庭《おおば》景親《かげちか》の軍勢が、箱根《はこね》石橋山《いしばしやま》（神奈川県小田原《おだわら》市南西部）において頼朝軍を破った。頼朝はいったん敗北したが、これと前後して、甲斐《かい》の武田《たけだ》信義《のぶよし》、信濃《しなの》の源（木曾《きそ》）義仲《よしなか》など、東国各地に反乱の火の手があがった。とうとう全国的な動乱が始まったのである。

京都からは平維盛《これもり》（重盛《しげもり》の息子）を大将として追討軍が派遣され、安房《あわ》国に脱出して千葉《ちば》氏・上総《かずさ》氏らの後援を受けて強大化した頼朝軍と、一〇月、駿河《するが》国富士《ふじ》川《がわ》において対峙《たいじ》した。「軍《いくさ》はまた、親も討たれよ子も討たれよ、死ぬれば乗り越え乗り越え戦う」という東国武士の勇猛さを聞かされて震えあがった平氏軍は、水鳥がいっせいに飛び立った羽音に怯《おび》え、一戦に及ばず逃げ帰ったという。

清盛は追討軍のふがいなさに激怒したが、反乱はさらに勢いを増し、畿内にまで及んだ。一一月に還都、一二月には息子の重衡《しげひら》を南都（奈良）に送り、諸寺の悪僧らを襲わせた。興福《こうふく》寺《じ》・東大寺《とうだいじ》以下の寺々は多くの堂舎を焼き払われ、壊滅状態に

源氏系図

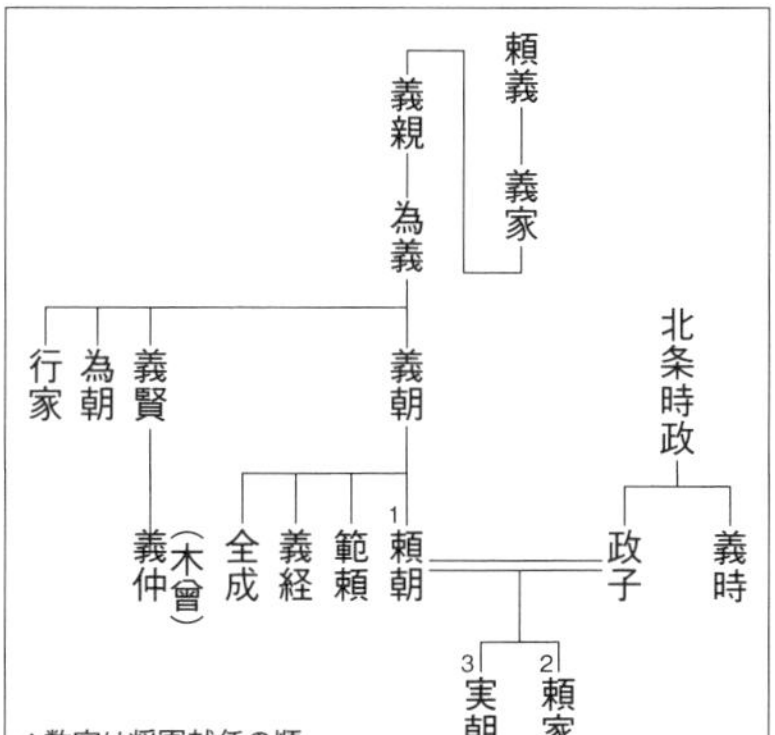

＊数字は将軍就任の順

追い込まれた。強訴の構造と通じるところだろうが、平氏に対する寺社勢力の反発は、相手を同じ価値観に立つ者と見なしてこそであった。焼き討ちという答えは、その価値観の否定を意味する。富士川において、まったく異なる種類の武士に敗退したことによって、平氏は、もはやなれあいの構図を超えた段階に入らねばならぬ覚悟を決めたといえよう。

軍事政権の模索

明けて治承《じしょう》五年（一一八一）正月、平宗盛《たいらのむねもり》が畿内および伊賀《いが》・伊勢《いせ》・近江《おうみ》・丹波《たんば》などのいわゆる畿内近国を支配する惣官職《そうかんしき》という地位に任命された。二月には平氏の有力家人《けにん》の平盛俊《もりとし》を、丹波国の諸荘園惣下司《しょしょうえんそうげし》に任命（諸荘園惣下司は、史料上丹波国のケースのみが確認できるが、ほかの国々にも同様の役職が置かれた可能性がある）。知行国主による一国単位の支配を超えて軍事動員を可能にし、また国内荘園を統括して兵粮米《ひょうろうまい》徴収などに備える意図である。この体制の延長上に、のちの鎌倉幕府の一国地頭職《じとうしき》・守護《しゅご》制度などが生まれるとみることができる。

平氏は本格的な軍事政権としての道を探りはじめたが、しかしまさにこのとき、高倉《たかくら》院と清盛《きよもり》が相次いで落命した。清盛は熱病にかかり、わずか一週間の闘病で亡くなった。六四歳であった。彼は最期まで強い意志を失わず、後白河《ごしらかわ》院に対し、息子宗盛を後継者とすることを申し入れ（ただし後白河ははっきりした返事をしなかった）、さらに頼朝に対する憤怒を表わして、「頼朝《よりとも》の首を刎《は》ねて、わが墓の前にかけよ」と遺言したという。

高倉院亡きあと、院政の主導者として後白河はふたたび必要とされるようになり、そのうえ清盛を失ったことで、平氏は京都政界において、いわば足もとをみられる状態に追い込まれた。三月には源行家《みなもとのゆきいえ》（義朝《よしとも》の弟）と頼朝の異母弟義円《ぎえん》が率いる源氏軍が尾張《おわり》国に達し、木曾《きそ》・長良《ながら》・揖斐《いび》の三つの川の合流点である墨俣《すのまた》で合戦が行なわれた。ここで平氏軍は貴重な勝利を上げ、以後しばらく戦線は膠《こう》着《ちゃく》状態となる。

さて、七月には改元されて養和《ようわ》となったが、この前後約二年間は、日照りや天候の異変のため、民衆はひどい飢饉《ききん》に悩まされた。鴨長明《かものちょうめい》の『方丈記《ほうじょうき》』は「京のならい、もとは田舎をこそ頼めるに、絶えて上るものなければ、さのみやは操《みさお》もつくりあへん」と記す。院や平氏の栄華は京都を大消費地に仕立てたが、飢饉のために地方からの物流が途絶えれば、都市民は困窮にあえぎ、節操を失ってしまうという意味である。嬰児《えいじ》や餓死者が街路に捨てられ、夜間には強盗や放火が絶えなかったという。『方丈記』の基

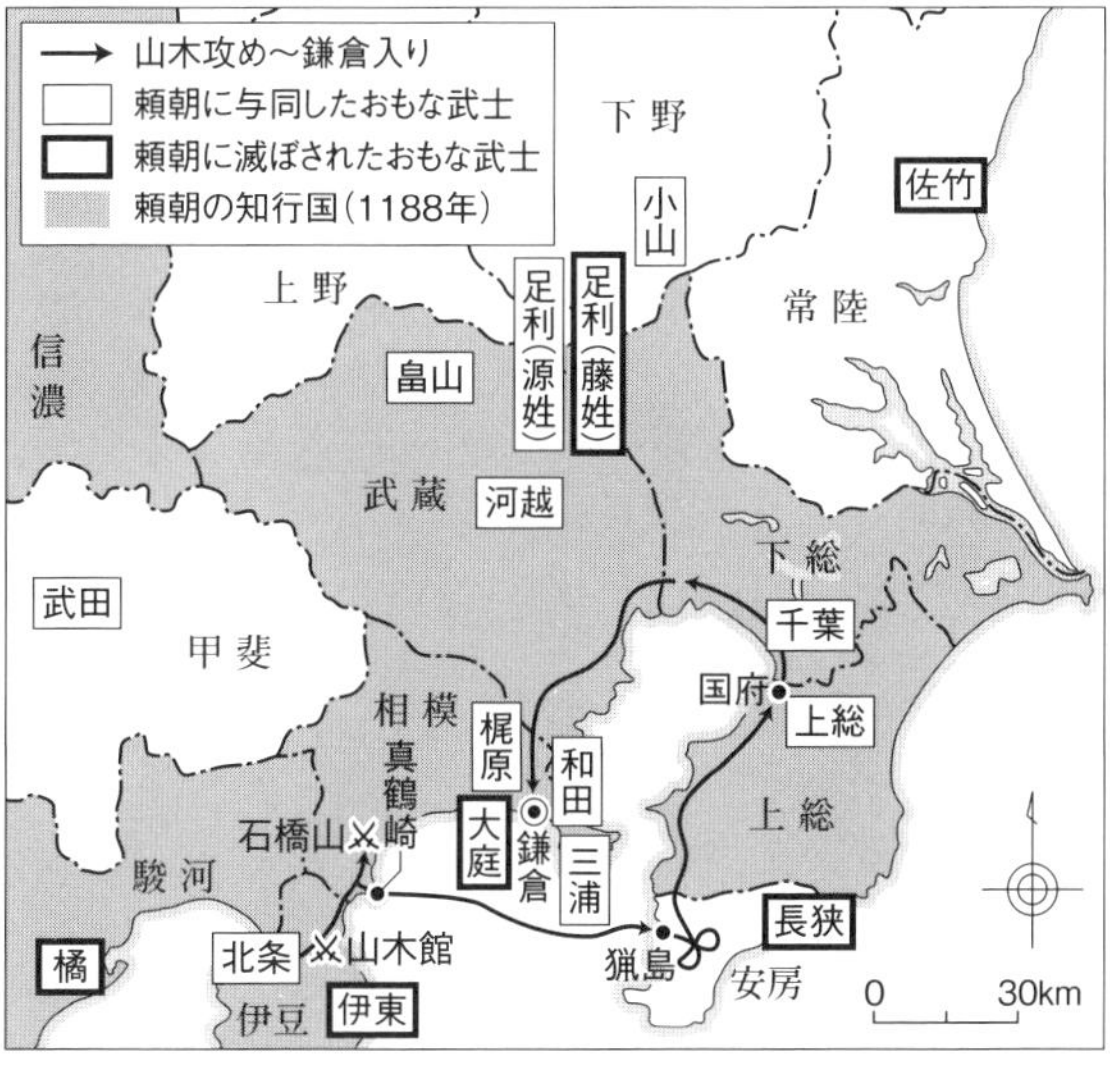

●頼朝挙兵関係地図
石橋山《いしばしやま》での敗退後、頼朝は土肥実平《どひさねひら》の尽力で、真鶴崎《まなづるざき》から海路安房国《あわのくに》に渡った。東京湾沿岸諸国の有力武士を帰服させながら陸路を引き返し、鎌倉入りを果たす。

調が「ゆく川の流れは絶えずして」という無常感であったのも、この惨状を体験したことが大きいといわれる。

都落ちの平氏、入京する源氏

源義朝《みなもとのよしとも》の弟義賢《よしかた》の息子義仲《よしなか》は、父が同族の悪源太義平《あくげんたよしひら》に討たれたあと、乳母子《めのとご》の中原兼遠《なかはらかねとお》によって木曽《きそ》の地で養育された。治承《じしょう》四年（一一八〇）に挙兵してから、信濃国横田河原《しなののくによこたがわら》（長野市篠ノ井《しののい》）の合戦で平氏方の越後《えちご》の豪族城《じょう》氏を破り、北陸一帯で勢力を固めていた。墨俣《すのまた》合戦で敗退後、頼朝《よりとも》に冷遇された行家《ゆきいえ》も、義仲と行動をともにしていた。これに対し、寿永《じゅえい》二年（一一八三）四月、平氏は維盛《これもり》を総大将として追討軍を組織し、北陸道へ向かったのである。『平家物語《へいけものがたり》』は、平氏軍が権門勢家の所領から国庫に納めるべき正税《しょうぜい》・官物《かんもつ》などを奪い取り、人家を追捕《ついぶ》（没収・徴発）しながら進軍したので、民衆は耐えられずに山野に避難したと語っている。戦闘はいまや総力戦の段階に入っていた。

平氏方は一〇万騎ともいわれる大軍だったが、越中《えつちゆう》・加賀《かが》国境の礪波山《となみやま》の倶利伽羅峠《くりからとうげ》（富山県小矢《おや》部《べ》市と石川県河北《かほく》郡津幡町《つばたまち》の境）および加賀国篠原《しのはら》（石川県加賀市篠原）の戦いで大敗し、京都に逃げ帰る。勢いに乗る義仲軍は京都に進撃し、ついに平氏は都落ちに追い込まれた。七月二五日、六波羅《ろくはら》や西八条《にしはちじょう》の屋敷を焼き払い、わずか六歳の安徳《あんとく》天

◉**平氏の都落ち**
摂政近衛基通《せっしょうこのえもとみち》を伴い、都を出ようとする平氏の行列。基通は途中で引き返し、西国に同行することはなかった。立烏帽子《たてえぼし》を着け、色白に描かれるのが平家の公達《きんだち》。（『春日権現験記絵巻《かすがごんげんけんきえまき》』）

皇と三種の神器《じんぎ》を伴って、平氏は都を捨てて西走したのである。宗盛《むねもり》らは、もちろん後《ご》白河《しらかわ》院を帯同するつもりだったが、後白河はいち早く御所を抜け出して鞍馬《くらま》寺《でら》に隠れた。以後、彼はつぎつぎと入れ替わる覇者と対峙《たいじ》しつつ、追討院宣《いんぜん》や追討宣《せん》旨《じ》を量産する。ご都合主義的なものにせよ、官軍のお墨付きを与え、賊軍の烙印《らくいん》を押すことのできる者は、彼ひとりだったのである。

さて、二八日には早くも義仲・行家が入京した。後白河院は両人を蓮華《れんげ》王院《おういん》御所に召し、さっそく平氏追討を命じた。変わり身の速さは、後白河の身上である。〝義兵〟をあげた両人に、朝廷ができるのは官位を与えることぐらいである。院は貴族を集めて議定《ぎじょう》を行ない、二人の背後にいる頼朝の面目も配慮しながら、頼朝・義仲・行家の順に勲功を賞することにした。義仲は従五位下、左《さ》馬頭《まのかみ》・越後守《えちごのかみ》、行家は同じく従五位下、備後守《びんごのかみ》に叙任された。しかし行家は義仲に劣る賞であることを怒り、辞退したという。この後、朝廷が武士に与える官位をめぐってしばしば問題が起こることになる。実力だけで生き抜いてきた

2

彼らが、公式の格付けを得ることをどのように考えていたのかは大きな問題であろう。

都において軍勢を統率し、複雑な力関係を操作することは義仲の手にあまった。安徳《あんとく》にかわる天皇の人選に際して、彼の推戴《すいたい》する北陸宮《ほくりくのみや》（以仁王《もちひとおう》の遺児）が容《い》れられなかったこと（高倉《たかくら》院の四宮で、坊門信隆《ぼうもんのぶたか》の娘を母とする四歳の幼児が践祚《せんそ》、後鳥羽《ごとば》天皇となる）、平氏を追って都を留守にしている間に、後白河が頼朝の交渉に応じて宣旨を下したことなどにより、義仲はついに院御所法住寺殿《ほうじゅうじどの》を襲撃した。いったんは覇権を握ったものの、進撃してきた義経軍に追われる立場となり、寿永三年正月、近江粟津《おうみあわづ》で最期を遂げた。

一ノ谷合戦

都をあとにした平氏一行は、福原《ふくはら》を焼き、九州大宰府《だざいふ》まで落ちのびた。しかし豊後《ぶんご》の緒方三郎惟《おがたさぶろうこれ》義《よし》の反抗にあい、やむなく九州をあとにした。平知盛《たいらのとももり》の知行国長門《ながと》に戻り、目代《もくだい》の用意した船に分乗して讃岐《さぬき》に渡り、同国屋島《やしま》に拠点を構えた。九州は日宋《にっそう》貿易へのかかわりを通じて平氏には縁故の深い地域であり、緒方惟義は重盛《しげもり》の御家人《ごけにん》といわれた人物だが、いまや多くの離反者が現われていた。また平氏一門も必ずしも一枚岩ではなく、頼盛《よりもり》や重盛の子息らは都落ちに従わず、代々従った家人《けにん》のなかにも同行しない者があるなど、清盛《きよもり》・重盛などの個人のリーダーシップを超える臣従や連帯の理念を打ち立てられなかった点が響いたといえるだろう。『平家物語《へいけものがたり》』は、敵軍の接近を恐れつつ大宰府をあとにする平氏の姿を、幼い安徳《あんとく》を輿《こし》に乗せ、女房や公卿《くぎょう》姿の宗盛《むねもり》らが、袴《はかま》や指貫《さしぬき》の裾《すそ》を持ち上げながら歩跣《かちはだし》で落ちのびると語る。軍隊というより宮廷が移動しているようなありさまで、彼らが築き上げてきたものが、もはや本格的な合戦にはそぐわないことがわかる。

平氏は屋島の地で態勢を立て直してふたたび都をめざし、寿永《じゅえい》三年（一一八四）初めには、かつての本拠地福原《ふくはら》を回復した。清盛の命日にあたる二月四日には、追善仏事が営まれたという。

都では、木曾《きそ》義仲《よしなか》と平氏が結ぼうとしているとか、平氏と通じた貴族がいるなどのうわさが乱れ飛んだ。また平氏は三種の神器《じんぎ》を擁しているため、その返還を求める道も探られ、あわただしい展開となった。源頼朝《みなもとのよりとも》の異母弟義経《よしつね》・範頼《のりより》率いる追討軍は、正月二九日に京都を発し、二月七日、一《いち》ノ《の》谷《たに》（兵庫県神戸市）に陣を構えた平氏軍と決戦になった。ここで義経が、鵯越《ひよどりごえ》の崖《がけ》を騎馬で下る奇襲を行なって平氏軍の背後を襲い、勝利したのである。平氏は多くの武将を失い、ふたたび西走した。屋島に安徳天皇の行宮《あんぐう》を設け、また長門の彦島《ひこしま》に知盛を置いて、瀬戸内海の制海権確保に努めた。

一方、頼朝は、自身は鎌倉にありながら、占領地に御《ご》家《け》人《にん》を派遣して治安維持を図った。また範頼を総大将として山陽道に派兵し、中国・九州方面の制圧をねらった。範頼からは、船や兵粮の確保が難しく、軍兵の士気が衰えていることを訴える書状が、何度も鎌倉に送られている。長期にわたる転戦が、源氏

3

◉敦盛塚
一ノ谷合戦で戦死した平敦盛《あつもり》の供養塔。神戸市須《す》磨《ま》浦《うら》公園内に所在。敦盛は、清盛の弟経盛《つねもり》の息子。弱冠一六歳で、熊谷直実《くまがいなおざね》に討たれた。その最期は、謡曲などに作品化されている。

軍をも疲弊させたことが見てとれる。逆にいえば、多くの非戦闘員を連れて二年近くも各地を転々とした平氏一門の地力を評価すべきであろう。範頼はなんとか豊後《ぶんご》への渡海を果たし、九州側から平氏を攻めることになる。この間、義経は京都にとどまったが、とりあえず身近の強者を優遇する後白河《ごしらかわ》院によって、検非違使《けびいし》・左衛門尉《さえもんのじょう》に任じられた（平氏追討後には、さらに院御厩司《いんのみまやのつかさ》にも任じられ、院を守護する武力にかかわる役職をすべて兼ねることになった）。これが頼朝の警戒を招き、のちに排除される理由に使われることになったのである。

壇ノ浦の海戦——平氏の滅亡

一ノ《いちの》谷《たに》合戦から約一年、戦線はようやく動きはじめた。源義経《みなもとのよしつね》はふたたび追討使に任じられ、西海に向かった。元暦《げんりゃく》二年（一一八五）二月、摂津《せっつ》渡辺《わたなべ》を出港し、四国に上陸して、ただちに屋島《やしま》の平氏陣営を襲ったのである。虚をつかれた平氏は、あわてて船に乗り込んで海上に逃れた。義経は熊《くま》野《の》水軍、伊予《いよ》の河野《こうの》氏などを味方につけ、一か月ほどで海戦の態勢を整えた。四国の義経と九州を押さえる範頼《のりより》に挟まれて平氏は逃げ場を失い、ついに三月二四日、壇ノ《だんの》浦《うら》（関門大橋《かんもんおおはし》付近）の決戦の日を迎えた。

決戦の経緯は史料によって違いがあるが、『吾妻鏡《あずまかがみ》』によれば、平氏は五〇〇艘《そう》の兵船を三手に分け、山鹿《やまが》秀遠《ひでとお》・松浦党《まつらとう》・平家公達《きんだち》がそれぞれを率いており、源氏は八四〇艘でこれに挑んだ。午《うま》の刻《こく》（正午頃）には平氏の敗北が明らかになり、平教盛《たいらののりもり》・知盛《とももり》など一門の多くが入水《じゅすい》、安徳《あんとく》天皇と宝剣を抱いた二位尼《にいのあま》（清盛《きよもり》の妻時子《ときこ》）も海に沈んだ。同書四月十一日条には、戦場から鎌倉に送られた公式の報告書を載せている（義経の右筆中原信康《ゆうひつなかはらのぶやす》の手によるものだという）。先帝（安徳）以下入海の人々、捕虜になった人々の名簿に加え、神器《じんぎ》のうち鏡と御璽《ぎょじ》は確保したが、宝剣は発見できなかった旨を記す。

一方、『平家物語《へいけものがたり》』は平氏の滅びの姿を叙情的に伝える。御所船《ごしょぶね》に来たり、「世のなかは、今はこうと見えて候《そうろう》」（平氏の世はもう最期と思われます）、「めづらしきあづま男をこそ御らんぜられ候《そうら》はんずらめ」（めずらしい東国の男どもをご覧になることになるでしょう）と最期を通告する知盛、「浪《なみ》のしたにも都のさぶらふぞ」と言いつつ、幼い安徳天皇を抱いて海に入る二位尼、入水したものの長い髪を熊手《くまで》にかけられ、引き上げられる建礼門院《けんれいもんいん》（安徳天皇の母）などである。平氏の敗因のひとつは多くの非戦闘員を連れていたことだが（潮流の変化が大きな要因をなしたという説があったが、現在ではそれほど影響はなかったと考えられている）、まさにそのために、稀有《けう》の文学作品が生まれたといえるだろう。

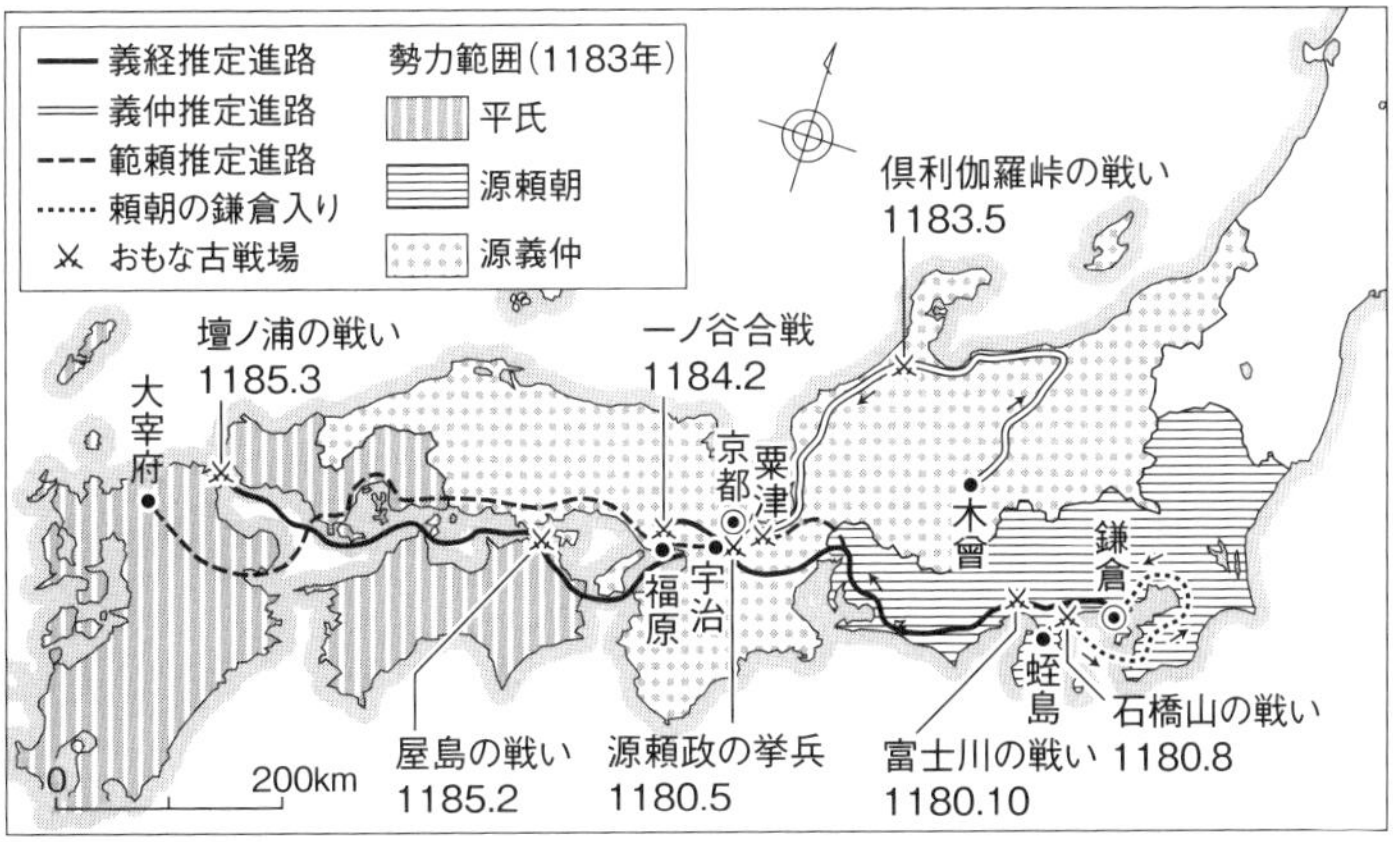

●治承・寿永の内乱関係図
源頼朝《よりとも》・木曾義仲《きそよしなか》・平氏による天下三分の体制が、源義経の進軍によって崩され、平氏はしだいに西に追いつめられ、壇ノ浦に至る。

平氏の政権構想と滅亡

なぜ源氏が勝ち、平氏が滅びたのか——治承《じしょう》・寿《じゅ》永《えい》の内乱を語る際に、各所でこの疑問が現われる。いずれも武士として中央に登場した両氏の、どこに違いがあったのだろうか。

先に藤原信西《ふじわらのしんぜい》が大内裏《だいだいり》を再興した際に、諸国に無理なく負担を配分してすみやかに達成したことを述べた。信西は、受領《ずりょう》による既存の諸国支配体制をいかに効率よく編成するかという課題に挑んだのである。これを一歩進めて、積極的に物流ルートを構築しようとしたのが平氏の西国経営構想と考えられる。すなわち、京都—福原《ふくはら》—瀬戸内海—九州—大陸という海の道であり、大輪田泊《おおわだのとまり》・厳島《いつくしま》神社・大宰《だざい》府《ふ》・神崎荘《かんざきのしょう》と、多くの知行国が拠点となった。各地の武士団や有力者にとっては、個々に京都に物資を輸送し、院や摂関家《せっかんけ》に献じて奉仕する状況に比べて、格段に効率的であったに違いない。しかも地方から中央への一方通行ではなく、平氏が手にした政治的・経済的達成がこのルートを回流することにより、さまざまな利益がもたらされただろう。平氏と彼らとの関係は、主従制というより、むしろ利益共同体の一種とみたほうがよさそうである。となると、金の切れめが縁の切れめという

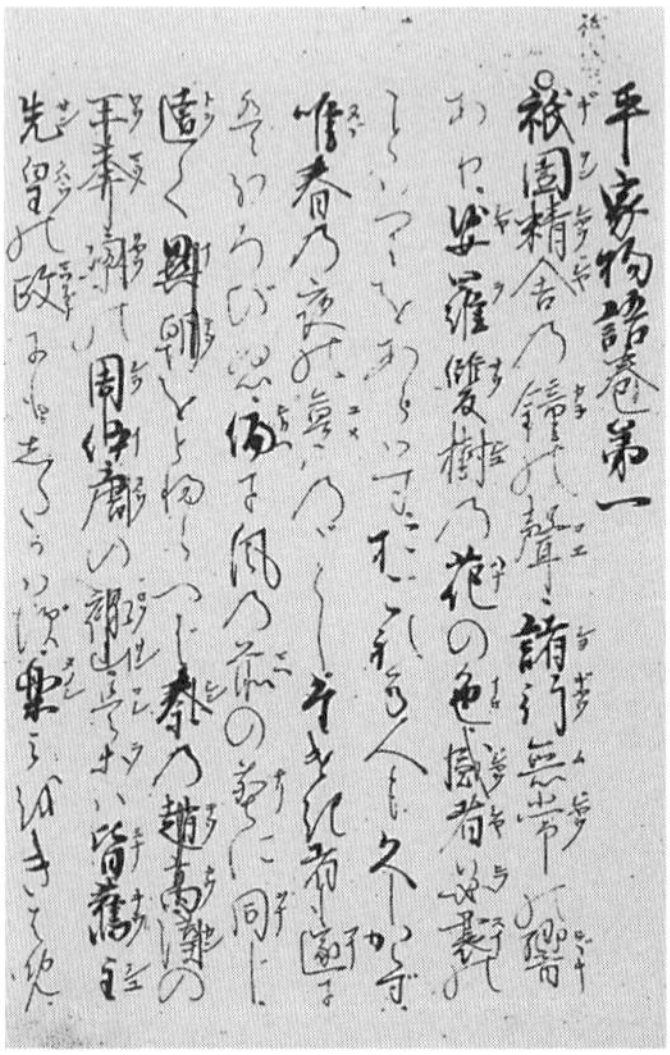

4

◉『平家物語』
平氏の栄華と滅亡を描き、琵琶《びわ》法師の語りなどによって、広く人口に膾炙《かいしゃ》した。仁治《にんじ》元年（一二四〇）までに原形が成立したと思われるが、作者については諸説あって未詳。

ことになる。この点、鎌倉幕府は御家人《ごけにん》の利益獲得手段を厳しく管理する政策をとる。平氏の築いたルートは中世の物流の基幹となり、鎌倉時代には西園寺家《さいおんじ》に受け継がれた。

院政の栄華を支えたのは受領の力だったが、諸国の富を集め、中央に運ぶという受領の働きを極めることが、平氏政権の眼目だったのではないだろうか。もちろん平氏は武門であり、受領として在地支配に臨む際にも、その武力は威力を発揮したに違いない。しかし、政権構想の本質が「武士」というアイデンティティと一致していたとはいえないのではないか。『平家物語《へいけものがたり》』に描かれる彼らの姿は「公達《きんだち》」である。彼らがどの程度貴族化していたのかは問題だが、殺し合いとしての武力闘争を旨《むね》とする関東の武士とは、まったく異なった存在だったことは確かだろう。

平氏の軍団編成が成熟した主従制に基づかず、わずかな家人《けにん》と、追討宣旨《せんじ》や国衙《こくが》を通じての動員による「駆武者《かりむしゃ》」に依存していたために敗北したという流れが、定説として語られる。しかし、院や天皇を頂点とする既存の国政組織にのっとった平氏が駆武者を動員するのは当然である。むしろ平氏による国衙支配の強化が、地方武士層の反発を招いたことが大きかったと考えられる。

また、平氏内部の問題として、独自の結束や連帯の理念が形成されていなかった事実がある。都落ち以来、多くの一族や家人が脱落・離反していった。外戚関係や朝廷の官職体系に依存して、一門としての組織化が十分でなかったといえよう。後白河院《ごしらかわ》の主導する既存の体制は、乗り越えるにはあまりにも手ごわかった。平清盛《たいらのきよもり》が福原に居場所を求め、さらに遷都までしたのは、その圏外に逃れるためだった。福原は、武家政権が鎌倉に置かれる前史の意味をもっていたのである。

鎌倉幕府の成立

幕府の開創

源頼朝《みなもとのよりとも》は源義朝《よしとも》の三男である。父が平治《へいじ》の乱《らん》で敗死したため、息子である彼も処刑されるところだったが、池禅尼《いけのぜんに》（平清盛《たいらのきよもり》の義母）のとりなしによって命を救われ、伊豆国《いずのくに》に配流《はいる》された。永暦《えいりゃく》元年（一一六〇）三月、一四歳のときであった。流人とはいえ、清和《せいわ》源氏嫡流の貴種はおろそかにはされなかった。同国の国衙《こくが》に仕える在庁官人《かんじん》北条時政《ほうじょうときまさ》の保護下で暮らしていたところに、以仁王令旨《もちひとおうりょうじ》がもたらされたのである。

挙兵を決めた頼朝は、工藤茂光《くどうしげみつ》・土肥《どひ》実平《さねひら》などの勇士を一人ひとり呼び出して協力を求め、「お前だけが頼りだと思って、こうして相談するのだ」と告げた。「家門草創の期」にあたって武士たちの忠誠を得るための行為だと、鎌倉幕府の歴史書『吾妻鏡《あずまかがみ》』は説明するが、ほんとうに大事な軍議は北条時政と二人だけで進めていたという。ここに、今後の鎌倉幕府の根幹理念となる主従制の本質をみることができる。「お前だけが」という、主人と従者の一対一の信頼関係であって、従者の側に「自分が特別に頼られている」と思わせるのが大事なのだ。

首尾よく伊豆国目代《もくだい》山木兼隆《やまきかねたか》を討ち取り、初戦に勝利した頼朝は、治承《じしょう》四年（一一八〇）八月、「関東の事施行《しぎょう》の始《はじめ》」として、つぎのような文書を作成した。

下す、蒲屋御厨《かばやのみくりや》住民等所
早く史大夫《したいふ》知親《ともちか》の奉行を停止《ちょうじ》すべきこと
右、東国に至りては、諸国一同庄公は皆御沙汰《さた》たるべきの旨、親王宣旨《せんじ》明鏡なり。者《てえれば》住民等その旨を存じ、安堵《あんど》すべきものなり。よって仰するところ、ことさらにもって下す。
治承四年八月十九日

兼隆《かねたか》の親類の史大夫知親（史は朝廷の書記官で、大夫は五位。兼隆のもとで事務官僚として働いていたのだろう）が、蒲屋御厨（静岡県下田《しもだ》市・南伊豆町の一部）で悪行を働いているというので、その停止を命令したものである。政務を始めるにあたっての吉書《きっしょ》（儀礼の一環として作成される文書）とも考えられるが、内容は重い。頼朝の所信表明であって、以仁王の令旨を根拠に、東国支配に乗り出すことを宣言したのである。このあとすぐ、石橋山《いしばしやま》の戦いで大庭《おおば》景親《かげちか》・伊東《いとう》祐親《すけちか》の軍勢に敗れ、頼朝は海路安房《あわ》に逃れる。在庁官人級の有力武士を味方につけつつ陸路を引き返し、一〇月六日に鎌倉に入ったのである。

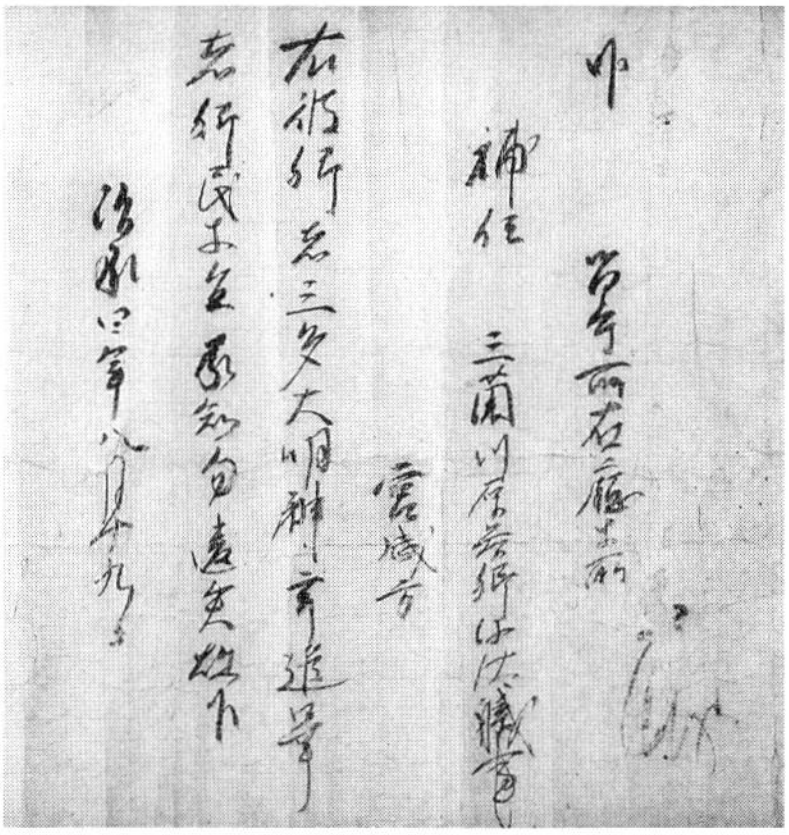
5

◉源頼朝袖判下文
上記の文書と同日に作成された、頼朝最初期の下文《くだしぶみ》。文体・内容など検討の余地はあるが、幕府の組織や文書様式が固まる以前の過渡的形態とみることもできる。（『三《み》嶋《しま》神社文書《じんじゃもんじょ》』）

幕府の確立――支配権の拡大と組織の整備

常陸《ひたち》の佐竹《さたけ》氏などの反対勢力を討ち破った源頼朝《みなもとのよりとも》は、治承《じしよう》四年（一一八〇）一二月、大倉《おおくら》（鎌倉市雪ノ下《ゆきのした》、現在清泉《せいせん》小学校のあるあたり）の地に建設した新邸に引き移った。三一一人の御家人《ごけにん》が勢ぞろいする晴れがましい儀式が行なわれ、「鎌倉主《かまくらぬし》」としての地位を固めたのである。政務運営のための組織としては、侍所《さむらいどころ》・政所《まんどころ》・問注所《もんちゆうじよ》が設置された。侍所は御家人の統制機関で、別当《べつとう》は和田義盛《わだよしもり》。政所は東国において獲得した関東知行国や関東御領、平氏の旧領が頼朝に与えられた平氏没官《もつかん》領など、幕府所領の経営を行なう。これは中原《なかはら》（大江《おおえ》）広元《ひろもと》が別当をつとめた。また問注所は裁判機関で、執事三善康信《みよしやすのぶ》が指揮した。武士たちと軍議を凝らし、京下り官人《かんじん》に支えられて、幕府は船出したのである。

　鎌倉の地にありながら、頼朝は、後白河《ごしらかわ》院に対して存在感を示すことも怠らなかった。寿永《じゆえい》二年（一一八三）一〇月には、院に奏請《そうせい》して、東海・東山両道の諸国・諸荘園《しようえん》について秩序を回復せよという宣旨《せんじ》を

6

◉鎌倉の地形
南は海に面し、残り三方を山に囲まれた鎌倉は、要害の地ではあるが、政治の中心としては狭く、閉塞的である。山を切り開いた七本の切通《きりどおし》しによって外部と連絡する。

獲得した。これには「不服の輩《ともがら》あらば、頼朝に触れて沙汰《さた》いたすべし」という一文がついており、当該地域について頼朝の支配権が認められたことになる。翌年、一ノ谷《いちのたに》合戦での勝利後には、宣旨《せんじ》によって、全国における武士の非法行為に対する検断権《けんだんけん》（刑事犯人の検察・断罪権）を認められた。

さらに、平氏滅亡後の文治《ぶんじ》元年（一一八五）一一月、頼朝は北条時政《ほうじょうときまさ》を京都に派遣し、『吾妻鏡《あずまかがみ》』によれば、諸国に守護《しゅご》・地頭《じとう》を設置し、荘園・公領を問わず段別五升《しょう》の兵粮米《ひょうろうまい》を徴収する権利を認められた。守護は一国単位で在庁官人を指揮して軍政を担当する地位、地頭は荘園・公領ごとに置かれて現地を支配する職である。このときの決定が、文治《ぶんじ》の守護・地頭勅許といわれ、鎌倉幕府成立の有力な指標とされるものである。ただし「守護・地頭の補任《ぶにん》」という文言は、後代の編纂《へんさん》物である『吾妻鏡』にしか載っておらず、確実な同時代史料である『玉葉《ぎょくよう》』は、頼朝の家人《けにん》に①五畿・山陰・山陽・南海・西海諸国（京都以西の地域、西国）を分掌させ、②荘園・公領を問わず段別五升の兵粮米を徴収する権利を与え、③田地を知行させる、という三か条が認められたと伝える。『玉葉』の記事から解釈すれば、一国単位の国地頭《くにじとう》設置の認可と理解できるという説が

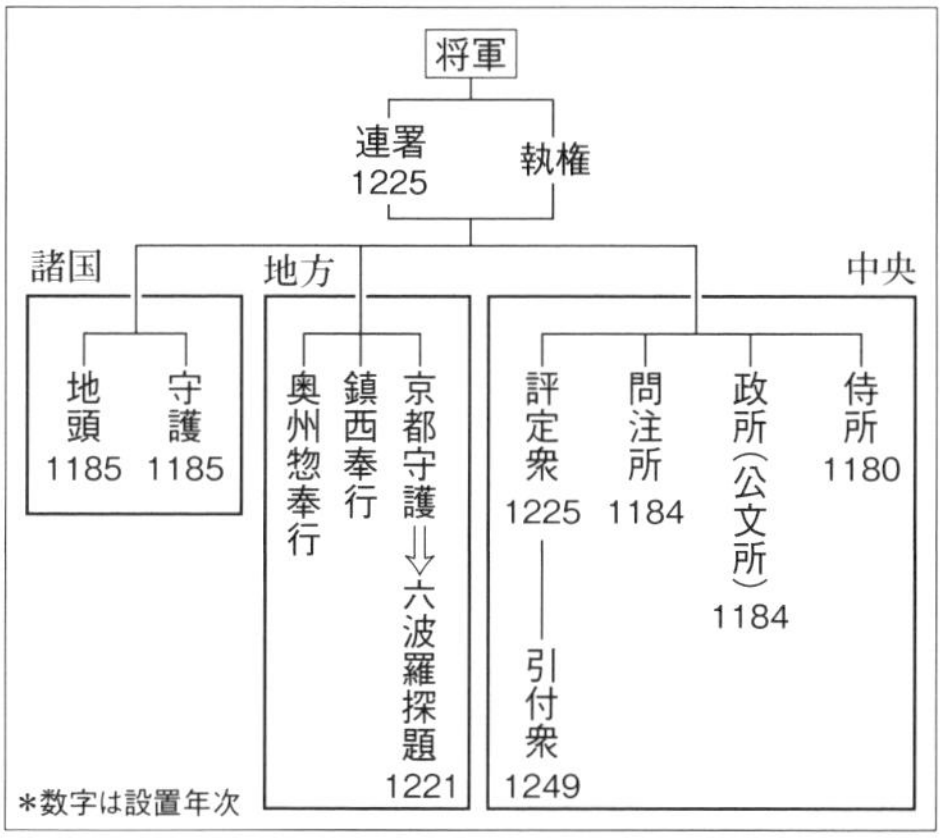

●鎌倉幕府の組織
政務の決定は、執権《しっけん》・連署《れんしょ》・評定衆《ひょうじょうしゅう》による合議で行なわれた。引付《ひきつけ》は裁判の迅速化を目的として建長《けんちょう》元年（一二四九）に設置。評定衆が兼ねる引付頭人が管掌し、訴訟の審理を担当する。

出され、議論が続いているところである。

この問題を確定することは難しいが、幕府の形成と内乱の過程で、御家人の本領安堵《あんど》とともに敵方所領の没収と給付を行なってきた実績が、東国のみならず全国に及ぶものとして、朝廷から公式に認められたと理解しておこう。北条時政入京の直前に、源義経《よしつね》・行家《ゆきいえ》が京都から脱出し、後白河院を「日本国第一の大天狗《おおてんぐ》」となじる頼朝の書状が届けられるという展開があった。義経に頼朝追討宣旨を与えてしまった朝廷側の弱みをとらえ、西国方面への権利の拡大を図ったとも考えられよう。内乱がつぎの段階に入るところを確実にとらえながら、頼朝は支配権を拡大していった。ただし、謀叛人《むほんにん》の跡（没収地）・勲功の賞と称して、荘園・公領に地頭が補任され、課役が徴収される状況は、荘園領主や国司にとっては「押領《おうりよう》」にほかならず、紛争が多発した。地頭問題は、朝廷・荘園領主側と頼朝との折衝の大きな課題となった。

いわゆる守護・地頭の宣旨を受けた直後には、頼朝から「天下の草創」にあたり、朝政刷新の提案がなされる。右大臣九条兼実《くじようかねざね》のもとに書状と、院に奏する内容を箇条書きで記した折紙《おりがみ》（料紙を横に折って使用する文書様式）が届けられた。反幕府派と思われる者を排し、親幕派の人々によって政務を行なうことを求めるもので、議奏公卿《ぎそうくぎよう》という朝務の重要事項を審議するメンバーを推薦したほか、詳細に新人事を指示した。そのなかには、幕府の朝廷側パートナーとなる人材として、九条兼実を摂政《せつしよう》に据えることも含まれていた。もちろん朝廷には了承以外の道はなく、大量の人事の入れ替えは、貴族社会全体に、武士が主導権を握ったことを実感させたのである。

義経と平泉

文治《ぶんじ》元年（一一八五）一一月、平氏と戦って見事に勝利を遂げた源義経《みなもとのよしつね》は、一転追われる身となった。摂津大物浜《せっつだいもつのはま》より船出して九州をめざすが、大風のために遭難し、天王寺《てんのうじ》から行方をくらましたのである。彼はこの年の四月に京都に凱旋《がいせん》、五月に平宗盛《たいらのむねもり》以下の捕虜を伴って関東に向かうが、鎌倉に入ることを許されず（このとき頼朝《よりとも》に宛《あ》てて二心なきことを訴えたのが、いわゆる「腰越状《こしごえじょう》」だが、後世の偽作の疑いが強い）むなしく帰洛。後白河《ごしらかわ》院には在京の武力として優遇され、一〇月には頼朝追討の宣旨《せんじ》を獲得するに至る。ただし、義経に与同《よどう》する者はなく、逆に鎌倉からの追討軍を恐れて、流浪の日々を送ることになったのである。

義経は延暦寺《えんりゃくじ》・興福寺《こうふくじ》などの寺社勢力に助けられながら逃亡を続けていたが、追及の輪はしだいにせばめられていった。文治三年、義経は平泉《ひらいずみ》（岩手県西磐井《にしいわい》郡平泉町）の奥州藤原《おうしゅうふじわら》氏のもとに身を寄せる。彼は、頼朝の挙兵に応じる前は同氏のもとで保護されていたのである。その背景には、母常盤御前《ときわごぜん》の再婚相手である藤原長成《ながしげ》と、陸奥守《むつのかみ》藤原基成《もとなり》との姻戚《いんせき》関係が考えられるという。奥州藤原氏は、なかば独立した勢力として富強を誇っており、頼朝もおいそれとは手を出せない状況であった。

源義経と奥州藤原氏関係図

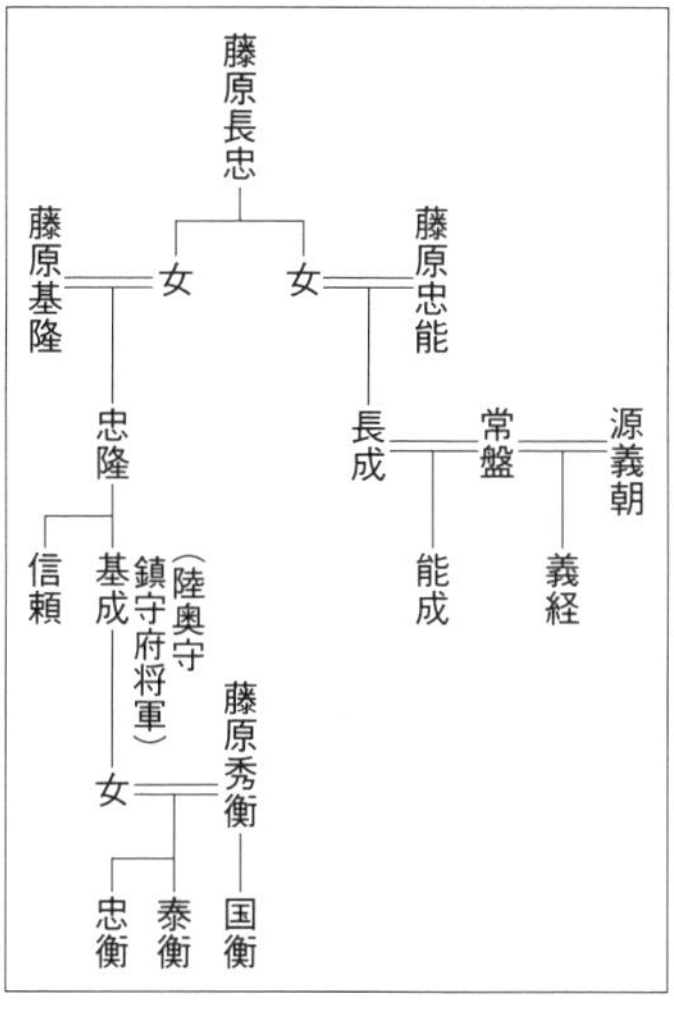

しかし義経を受け入れた奥州の雄、藤原秀衡《ひでひら》は一〇月末に亡くなってしまう。あとには嫡子泰衡《やすひら》とその異母兄国衡《くにひら》が遺《のこ》され、義経を擁して微妙なバランスを保つことになった。しかし謀叛《むほん》人とされた義経に対して頼朝からの圧迫は厳しく、文治五年閏《うるう》四月、ついに泰衡は義経を襲う。義経の首は鎌倉に届けられたが、それでは落着せず、七月に頼朝は大軍を率いて奥州征伐に向かうのである。

奥州征伐——全国制覇へ

全国の武士に動員がかけられ、九州の南端薩摩国島津荘《さつまのくにしまづのしょう》の住人までが鎌倉に馳《は》せ参じた。奥州征伐への動員令に応じるか否《いな》かが、頼朝政権に臣従する武士としての試金石になったといえよう。また、出陣に先立って朝廷に泰衡《やすひら》追討宣旨《せんじ》を申請したところ、後白河《ごしらかわ》院は言を左右にして許さなかった。そこで朝廷からの追討命令を待たず、頼朝の独自の判断で出動することとなり、武家政権としての自立的かつ包括的な軍事行動という大きな意義をもつ戦いになったのである。朝廷は、頼朝軍勝利の報告を受けたのち、あわてて日付をさかのぼらせて作成した追討宣旨を送ってきた。しかし、もはや朝廷による官軍か賊軍かの認定は無用であった。

頼朝軍は文治《ぶんじ》五年（一一八九）七月末に白河関《しらかわのせき》を越え、伊達《だて》郡と苅田《かりた》郡の境の阿津賀志山《あつかしやま》（福島《ふくしま》県伊達郡国見《くにみ》町、現在は厚樫山と表記）の戦いに臨んだ。藤原国衡《ふじわらのくにひら》を大将とする防衛軍は大規模な防塁《ぼうるい》を構えて迎え撃ったが、鎌倉側も工兵隊要員を伴っており、かねて用意の鋤《すき》や鍬《くわ》を取りだし、堀を埋めるなどして対抗、勝利をおさめた。その後、鎌倉軍は順調に北上し、九月初めには泰衡がみずからの郎従《ろうじゅう》河田次郎《かわだじろう》に殺される。彼の首は前九年《ぜんくねん》合戦（一〇五一〜六二年に陸奥国《むつのくに》で起きた反乱。源頼義《みなもとのよりよし》・義家《よしいえ》父子が鎮圧した）のときの例に倣って梟《さら》されたという。

奥州征伐は、戦後処理も含めて三か月あまりの遠征となった。馳せ参じた武士らにとっては、頼朝自身に率いられて戦う貴重な体験であっただろう。また、源氏の先祖が戦った前九年合戦の再現、大将源頼義の再来としての頼朝を演出することによって、彼の比類ない地位を印象づけるという意義をもった。東国平定を達成し、奥州を潤していた金と馬という特産物および北方交易を掌握することによって、まさに東国の武家政権の基盤が固められたのである。

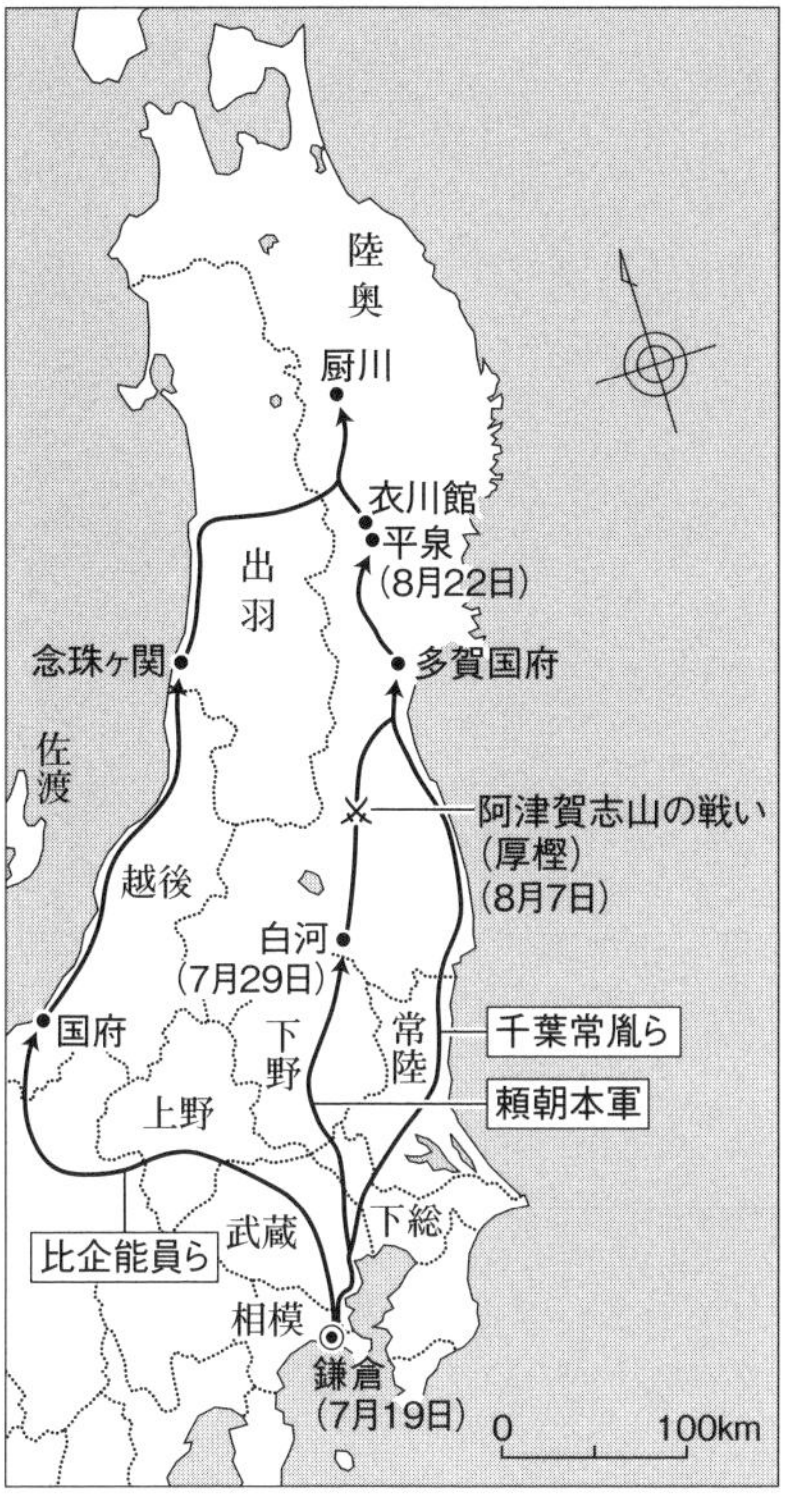

●頼朝の奥州出兵
幕府勢は頼朝の指揮する大手軍が東山道を北上、ほかに東海道軍・北陸道軍の三手に分かれて奥州をめざした。阿津賀志山《あつかしやま》は最大の戦闘地で、現在も防塁跡が残る。

東の幕府・西の後鳥羽院

頼朝上洛――後白河院崩御

いままでたびたび引用してきた日記『玉葉《ぎょくよう》』を記したのは、九条兼実《くじょうかねざね》（一一四九〜一二〇七）である。彼は摂関家《せっかんけ》の三男坊で、長兄の近衛基実《このえもとざね》・次兄の松殿基房《まつどのもとふさ》らが摂政・関白の地位を三男にまでまわすのを嫌ったため、長らく政務の中核にかかわれずにいた。彼は非常に筆まめなうえに合理的思考の持ち主で、その日記のなかで展開される論理は、現代の私たちにも比較的わかりやすい。理詰めで真面目《まじめ》という性格は後白河院《ごしらかわ》とは合わなかったようで、必要なとき以外はうまく遠ざけられていたようである。ただ、そのおかげで変転する政局におもねることなく、中立的で公正な姿勢を保つことができた。ここに目をつけたのが源頼朝《みなもとのよりとも》で、兼実を内覧《ないらん》および摂政として推薦し、以後京都政界でのパートナーとして協調していく。

武家政権の拡大を許さざるをえない事実を、公家は三種の神器《じんぎ》のうちの宝剣を失ったことになぞらえて、つぎのように理解した。兼実の同母弟で仏教界

藤原摂関家系図

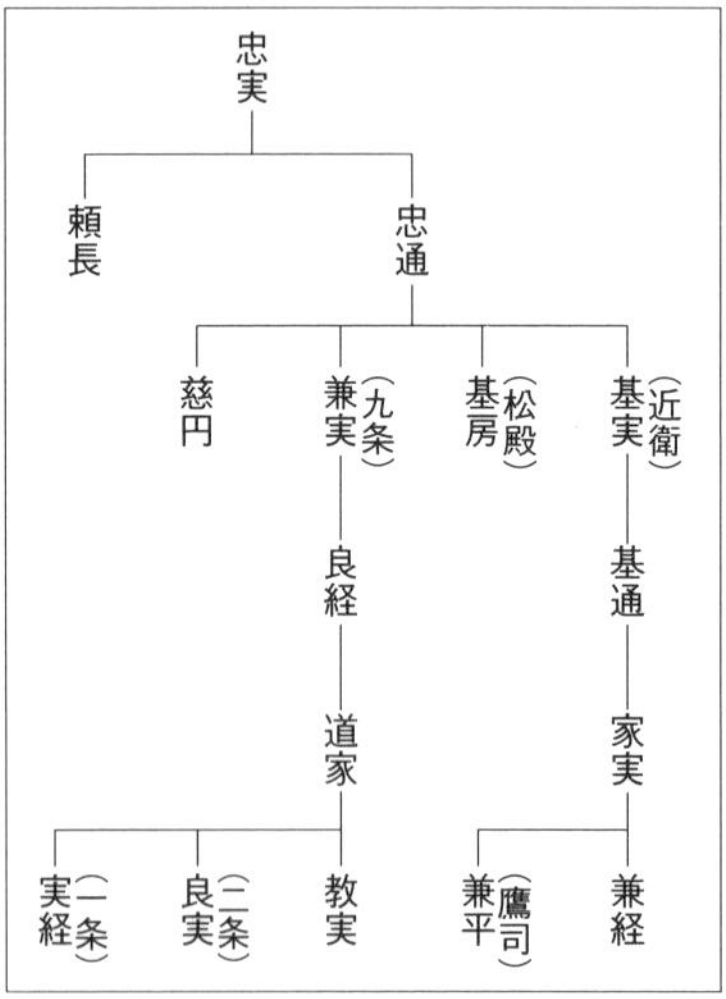

の大立て者だった慈円《じえん》は、その著書『愚管抄《ぐかんしよう》』につぎのように記す。

「今は色にあらわれて、武士の君の御まもりとなりたる世なれば、それに代えて（宝剣は）うせたるとおぼゆるなり」

武家政権がはっきりと院・天皇を護《まも》ってくれる体制となったので、象徴である宝剣は必要がなくなったというのである。貴族たちはつねにこのような理屈を生み出しながら、現実と折り合いをつけていく。まったくの負け惜しみでないのが、難しいところである。それに、心理的に折り合っておくと、いつか現実のほうが歩み寄ってくることもないとはいえない。

頼朝は、建久元年《けんきゆう》（一一九〇）一一月に上洛を遂げ、後鳥羽《ごとば》天皇・後白河院に拝謁し、また九条兼実と会談した。いままで後白河の再三の要請にも応じなかったのだが、ついに京都政界に登場したのである。奥州征伐によって手に入れた産物である砂金・鷲羽《わしのは》・馬など豪華な引き出物を用意し、三〇〇人以上の随兵《ずいひよう》を引き連れており、上洛は軍事動員に準ずる一大事業だった。彼は権大納言《ごんだいなごん》および右近衛大将《うこのえのたいしよう》に任じられたが、すぐに辞任、朝廷の官職に依存しない姿勢を示した。ただし右大《うだい》将《しよう》という武人の官職を経歴したことは最大限利用され、一二月なかばに鎌倉に帰ると、前右大将家《さきのうだいしようけ》政所《まんどころ》を開設し、政権の体制をますます整備したのである。この翌年、京都の兼実は国司《こくし》による諸国統治、荘園《しようえん》の整理、寺社整備や神人《じにん》・悪僧の濫行停止《らんぎようちようじ》などについて包括的な新制を発した。ここに、東西呼応して新しい秩序をめざす基礎が定まったといえよう。

そして建久三年三月、後白河院が崩御。動乱と混迷の時代はひとまず終息したのであった。

源氏三代と連続する内紛

建久《けんきゅう》三年（一一九二）七月、源頼朝《みなもとのよりとも》は念願の征夷大将軍《せいいたいしょうぐん》に任じられた。以来この官職は、幕府の首長のものと認識されるようになる。もともとは蝦夷《えぞ》征討のための臨時の職で、延暦《えんりゃく》一六年（七九七）に坂上田村麻呂《さかのうえのたむらまろ》が任じられたのが著名で、源（木曾《きそ》）義仲《よしなか》も任じられていたことがある。頼朝の補任《ぶにん》にずっと難色を示していた後白河《ごしらかわ》院が亡くなったことで可能になった人事である。鎌倉幕府の成立を「イイクニ（一一九二）つくろう鎌倉幕府」の時点に置くのは、頼朝の征夷大将軍就任を指標としている。わかりやすい画期ではあるが、朝廷から与えられる官職はあくまで形式で、武家政権の確立という事実の後追いにすぎない。東国を中心とする軍事政権としての幕府はもっと早い段階で成立しているとみるべきだろう。

頼朝は建久一〇年正月に急死した。落馬が原因といわれるが、詳細は不明である。第二代の将軍となったのは、糟糠《そうこう》の妻である北条時政《ほうじょうときまさ》の娘政子《まさこ》との間の長男頼家《よりいえ》である。頼朝の政治力によって形を整えた鎌倉幕府であったが、そもそも彼自身が伊豆《いず》の流人《るにん》という孤立した存在であり、将軍の地位がどのように受け継がれるのか、幕府がどのように運営されるのかについては多くの選択肢がありえた。この選択肢をめぐって暗闘が繰り返されることになる。

正治《しょうじ》二年（一二〇〇）に頼朝の「一の郎党《ろうとう》」梶原景時《かじわらかげとき》が誅《ちゅう》される。頼家に対して讒訴《ざんそ》したことを、三浦義村《みうらよしむら》・和田義盛《わだよしもり》・千葉常胤《ちばつねたね》・小山朝政《おやまともまさ》らの有力御家人《ごけにん》に弾劾された結果である。讒訴の内容は頼家の廃立だったという説もあり、そもそも頼家は将軍となってわずか三か月で訴訟の親裁を禁じられるなど、権力を大幅に制限されている。頼家の妻の実家である比企《ひき》氏（頼朝の乳母《めのと》比企《ひきの》尼《あま》の一族）や景時《かげとき》らと、先に景時を非難した御家人たちとの間に深刻な対立のあったことが推測される。中世史家の佐藤進一《さとうしんいち》は、幕府における景時ら親京都派と東国独立派との争いと解釈している。比企氏は武蔵《むさし》・上野《こうずけ》・信濃《しなの》、そして北陸道勧農使《ほくりくどうかんのうし》と、かつての木曾義仲《きそよしなか》の勢力圏を握っており、頼朝―北条氏の体制が、そのまま頼家―比企氏に取って代わられる可能性があったのである。

建仁《けんにん》三年（一二〇三）八月、重病になった頼家は、関西三八か国の地頭職《じとうしき》を弟の千幡《せんまん》（実《さね》朝《とも》）に、関東二八か国の地頭職と惣守護職《そうしゅごしき》を息子の一幡《いちまん》に譲る旨を言い置いた。その直後に北条時政は比企氏を滅ぼし、病から快復した頼家を伊豆《いず》に流し、のちに殺してしまう。九

鎌倉の幕府関連施設と有力御家人邸

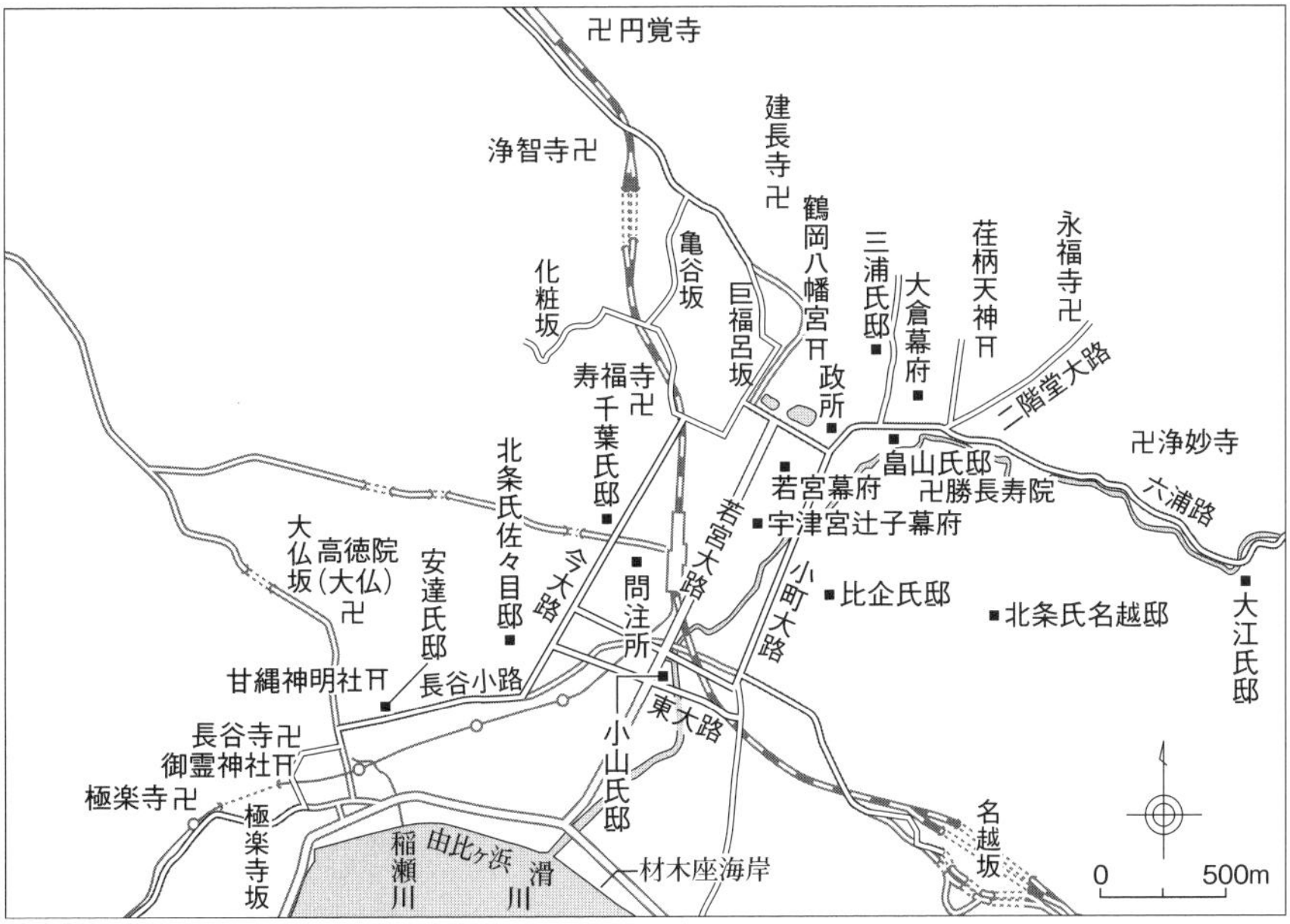

月には早くも弟の実朝が三代将軍として立つことになった。

　実朝を支えて北条氏の地位は安定するはずであったが、元久《げんきゅう》二年（一二〇五）に時政が、源氏の血を引く平賀朝雅《ひらがともまさ》を将軍に擁立しようとする事件が起こる。朝雅とは後妻牧《まき》の方《かた》の娘婿《むすめむこ》という縁だが、彼は京都守護をつとめ、後鳥羽《ごとば》院のもとにも親しく出入りしていた。伏線としては、武蔵国の守護でもあった朝雅と、同国の有力御家人畠山重忠《はたけやましげただ》との対立があり、時政は重忠父子を誅殺《ちゅうさつ》している。結局朝雅は京都で討たれ、時政は伊豆に引退させられ、息子の義時《よしとき》が「執権《しっけん》の事」を命じられて、姉の政子とともに幕府を主導する体制をつくる。三代将軍となった実朝は、京都の文化を希求すること著しく、後鳥羽《ごとば》院を手本として和歌や蹴鞠《けまり》、学問などに力を入れた。当代きっての文化人藤原定家《ふじわらのさだいえ》に和歌の指導を仰ぐなど本格的で、のちに『金槐和歌集《きんかいわかしゅう》』としてまとめられる数々の秀歌を詠んだのである。

　しかし、将軍のこのような京都文化への耽溺《たんでき》を、東国御家人《ごけにん》たちは苦々しく感じていた。この不満が、建暦《けんりゃく》三年（一二一三）に和田《わだ》合戦という形で爆発し、侍所《さむらいどころ》別当《べっとう》の和田義盛《よしもり》が滅ぼされたのである。戦闘は三日間にわたり、ここまで一連の内紛のなかではもっとも規模の大きいものとなった。信濃の武士泉親衡《いずみちかひら》が頼家の遺児を将軍に擁立しようとした陰謀に、義盛が加担していたともいわれ、

7

◉**鶴岡八幡宮**
頼朝は治承《じしょう》四年（一一八〇）の鎌倉入り以来、鶴岡八幡宮を崇敬し、その整備に努めた。社頭から由比ヶ浜《ゆいがはま》に至る若宮大路《わかみやおおじ》（段葛《だんかずら》）は、鎌倉の町づくりの基軸となった。

比企氏の勢力圏が反北条勢力の温床となっていた気配がうかがわれる。

　北条義時は、和田義盛にかわって侍所別当の地位に就き、政子・義時の姉弟が実朝を背後から支える体制は強化された。しかし、肝心の実朝が殺されてしまう。建保《けんぽう》七年（一二一九）正月、鶴岡八幡宮《つるがおかはちまんぐう》に参詣《さんけい》した実朝は、頼家の遺児公暁《くぎょう》に襲われ、殺害されたのである。頼朝の死から二〇年、陰謀のうわさは絶えず鎌倉を覆い、創業の功臣が滅ぼされ、二代・三代将軍はいずれも殺されるという陰惨な展開のなか、執行部は早くもつぎの将軍の手駒《てごま》に窮することになった。

後鳥羽院の治世

後白河《ごしらかわ》院は、力を見せつける武士たちに対して定見なくふるまい、混乱を招いた。これが政治感覚の欠如なのか、それとも老獪《ろうかい》な判断とみるべきかは難しい問題である。しかし、彼は全国の武士を蜂起《ほうき》に駆り立てたエネルギーを源頼朝《みなもとのよりとも》の配下に集中させ、頼朝に対して優位を確保することに落としどころを見いだしたといえる。結果論とはいえ、評価できる帰結であろう。

　後白河は思うままにふるまう帝王であったが、それに続いた後鳥羽《ごとば》院はどうだったろうか。彼は、和歌や詩・蹴鞠《けまり》などのほか、武芸をも好み、相撲・水泳・競馬《くらべうま》など熱心に鍛錬《たんれん》していた。公事《くじ》（朝廷で行なわれる儀礼・行事）の再興にも心を砕き、

天皇家系図

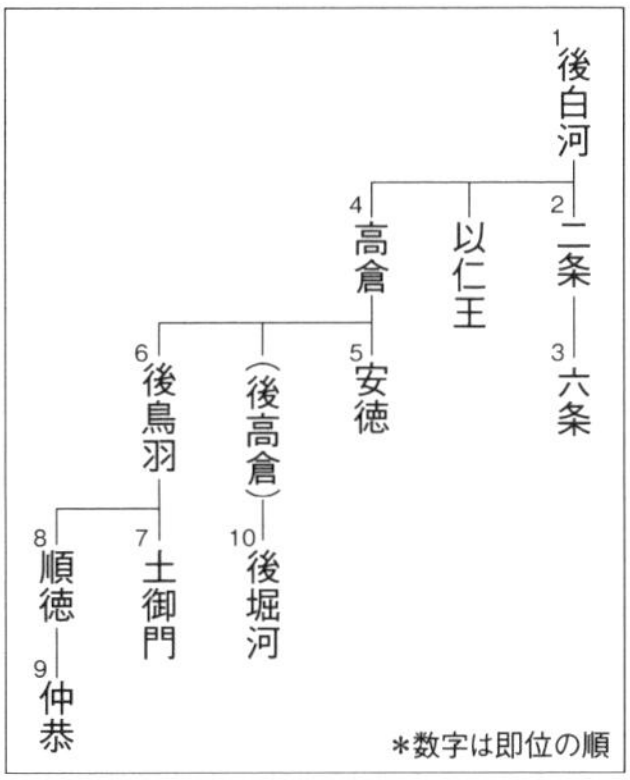

内弁《ないべん》（内裏の承明門《しょうめいもん》のうちで諸事を差配する役割）の作法を習いたいと希望して、公卿《くぎょう》らを従えて白馬節会《あおうまのせちえ》などのシミュレーションを行なったという。内弁をつとめるのは通常は大臣であり、天皇自身が行なうことはありえないのだが、興味を抱いている役割をみずから演じてみたかったのだろう。あらゆることに秀で、みずからの手で何事をも成しうるのが、彼が求める支配者像だったといえる。後白河が編纂《へんさん》したのが今様《いまよう》（当時流行した俗謡）の集成『梁塵秘抄《りょうじんひしょう》』だったのに対し、後鳥羽のそれが勅撰集の『新古今和歌集《しんこきんわかしゅう》』であったのも、両者の違いをよく表わしている。これもまた、文化の王道を極めんとする後鳥羽の意志の成果だったのである。

万能の王者として、彼は独立した存在である女院のもとに集積された皇室領を、すべて自分の手もとに集中させ、事務機構である院庁《いんのちょう》を整備して、これらを管理する体制をつくりあげた。しかし目に見える制度ができるのは、制御を超えた活力や成長の終わりを意味する。後鳥羽院時代はこれまでの院政を総合し、完成に近づけたが、これは平氏政権のように〝終わりの〟ではないにせよ、やはり〝後退の〟始まりであった。

天皇時代の後鳥羽の宮廷は、中宮在子《ちゅうぐうざいし》（のちの承明門院）の養父である源通親《みなもとのみちちか》と後白河院愛妾《あいしょう》丹《たん》

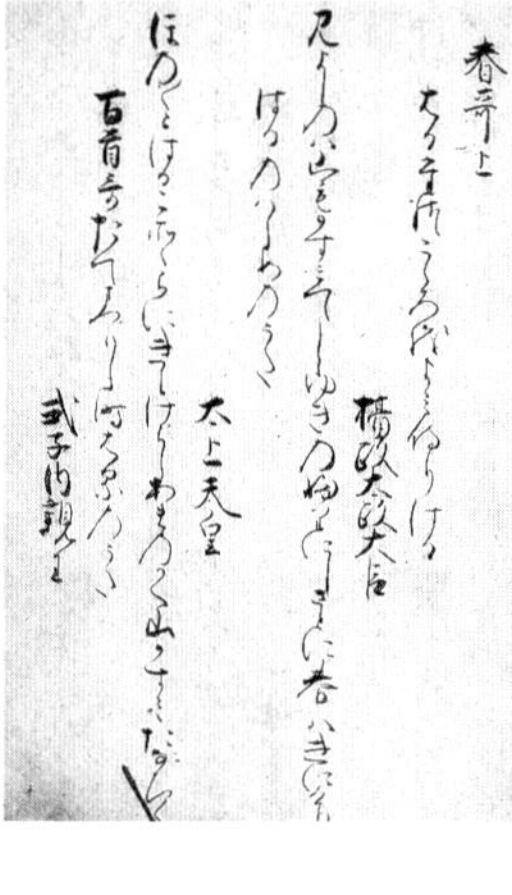

8

◉『新古今和歌集』
後鳥羽院の勅命による勅撰和歌集。藤原定家《ふじわらのさだいえ》以下の撰者により、元久《げんきゅう》二年（一二〇五）成立。本歌取りや技巧の駆使によって、重層的で精緻・妖艶な世界を描き出す。

後局《ごのつぼね》に主導されていた。彼らは、長女大姫《おおひめ》の入内《じゅだい》を求める頼朝に接近し、建久《けんきゅう》七年（一一九六）、九条兼実《くじょうかねざね》の一族を追い落とした。兼実は関白の座を追われ、娘の中宮任子《にんし》も宮中を退出、弟慈円《じえん》も天台座主《てんだいざす》の地位を辞す。九条家に出入りする者は、関東将軍の咎《とが》めをこうむるといううわさも流れたという。後鳥羽は同九年に譲位して院政を開始、在子の産んだ土御門《つちみかど》天皇が践祚《せんそ》した。

さて、通親との連携により、大姫の入内工作は順調かと思われたが、肝心の大姫が病死、その妹の乙姫《おとひめ》も病死してしまった。つぎに鎌倉が求めたのは実朝の正妻、そして実朝の横死後、後継者としての皇子の下向《げこう》であった。前者については坊門信清《ぼうもんのぶきよ》の娘が嫁いだが、後者は後鳥羽院が許さず、結局九条家から道家《みちいえ》（兼実の孫）の息子三寅《みとら》（頼経《よりつね》）が将軍として迎えられることになった。後鳥羽は、皇子を将軍に据えたら日本が二つに分裂することになってしまうと懸念して、幕府の要請を拒絶したという。院は同等の権威が東西に並立する可能性を恐れ、幕府執行部は新たな貴種を必要とした。両者は互いの関係を模索しつつ緊張を深めていく。

9

◉九条（藤原）頼経坐像
九条道家と西園寺《さいおんじ》公経《きんつね》の娘綸子《りんし》との間の子。源頼朝の妹の曾孫にあたる。北条氏を脅かす存在となったため、寛元《かんげん》四年（一二四六）に京都に送還された。

承久の乱

すべてを掌握せんとする後鳥羽《ごとば》院の意欲は、京都守護《しゅご》や在京御家人《ごけにん》、西国の守護などを配下に収める動きに発展した。従来の北面《ほくめん》の武士に加えて、新たに西面《さいめん》の武士を置き、軍事力の増強を図った。前述のとおり、後鳥羽は平賀朝雅《ひらがともまさ》を重用していたが、彼が討たれてからは、その兄にあたる大内惟義《おおうちこれよし》を取り込んでいた。京都醍醐寺《だいごじ》に残された『諸尊道場観集《しょそんどうじょうかんしゅう》』という聖教《しょうぎょう》の紙背文書《しはいもんじょ》（不要な文書の裏を再利用して聖教の書写を行なったために、用紙の裏にもとの書状などが残っている）からは、建保《けんぽう》二年（一二一四）に火災にあった園城寺唐院《おんじょうじからいん》修造のために、惟義《これよし》が惣《そう》奉行として奔走する様子を詳細にうかがうことができる。彼は摂津《せっつ》・伊賀《いが》・伊勢《いせ》・丹波《たんば》・越前《えちぜん》・美濃《みの》・尾張《おわり》の七か国の守護であったが、このような大きな権限は後鳥羽院の後押しによって実現したものに違いない。東国と西国の境界となる国々を押さえ、院の手足と

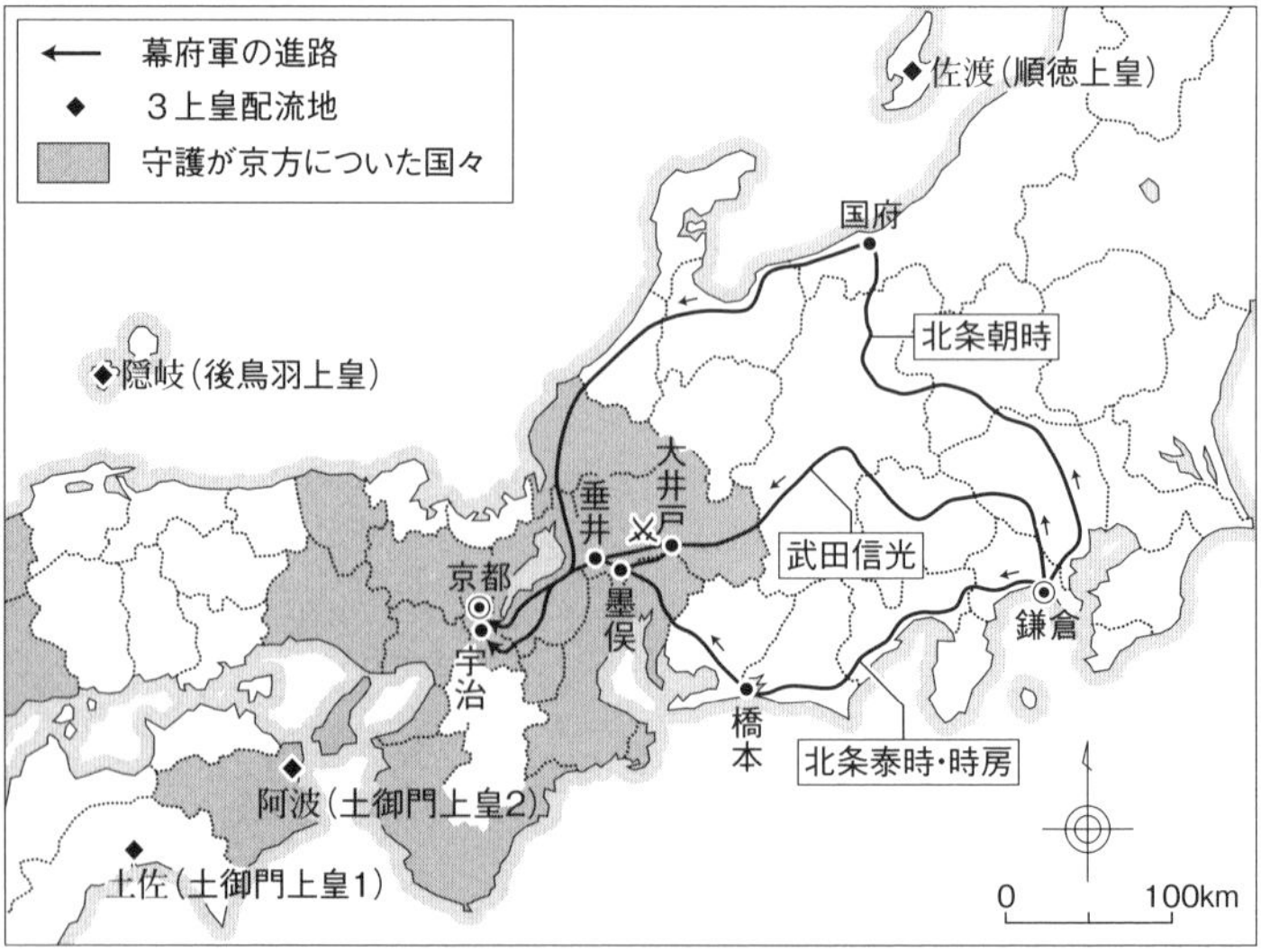

●承久の乱における東西勢力図
後鳥羽院はみずからの影響下に西国の守護職をまとめ、幕府追討をはかった。追討宣旨により、幕府側勢力が続々と院のもとに馳せ参ずる見通しであったが、あえなく敗退した。

なって働く源氏一門の武士惟義は、後鳥羽が幕府に対して挙兵するための、まさに布石となる人材だった。

承久《じょうきゅう》三年(一二二一)五月、後鳥羽院は五畿七道諸国に向けて北条義時《ほうじょうよしとき》の追討を命じる宣旨《せんじ》を発した。院に従うのは大内惟義の息子惟信《これのぶ》をはじめ、一条能保《いちじょうよしやす》(頼朝の妹婿《いもうとむこ》で初代の京都守護)の息子である二位法印尊長《ほういんそんちょう》、藤原秀康《ふじわらのひでやす》・山田重忠《やまだしげただ》・三浦胤義《みうらたねよし》らの在京武士、西国御家人らであった。

これに対して幕府側は、源頼朝《みなもとのよりとも》の未亡人政子《まさこ》が大演説を行なって御家人らをまとめ、京都に向かって攻め上らせた。故頼朝の幕府草創以来の恩を語り、逆臣《ぎゃくしん》の讒言《ざんげん》による非義の追討を批判して、皆の忠誠心と功名心をあおったのである。北条義時は迅速な上洛を第一とし、息子泰時《やすとき》を大将に、わずか一八騎で進発させた。数日のうちに、東国武士が続々と従い、泰時・時房《ときふさ》(義時の弟)のもとに軍勢はふくれあがり、足利義氏《あしかがよしうじ》・三浦義村《よしむら》・千葉《ちば》胤綱《たねつな》の率いる東海道勢一〇万騎、武田信光《たけだのぶみつ》・小笠原長清《おがさわらながきよ》・小山朝長《おやまともなが》・結城朝光《ゆうきともみつ》らの東山道五万騎、北条朝時《ともとき》・結城朝広《ともひろ》・佐々木《ささき》信実《のぶざね》らの北陸道四万騎が京都をめざしたのである。

西軍は有効な反撃を行なえぬまま、東軍の入京を許した。約一か月で乱は終結し、後鳥羽・土御門《つちみかど》・順徳《じゅんとく》の三上皇は配流、討幕を推進した近臣らは死刑以下の厳罰という、まことに激烈な結果となった。ここに西の公家《くげ》政権に対する東の武家政権の優位が決定的になったのである。

コラム2

源頼朝の情報戦

治承《じしょう》四年（一一八〇）一〇月、富士川《ふじがわ》の戦いで勝利を決めた直後、源頼朝《みなもとのよりとも》は平氏軍を追って上洛しようとする。だが千葉常胤《ちばつねたね》・三浦義澄《みうらよしずみ》・上総広常《かずさひろつね》らに諫《いさ》められて断念し、以後は東国の反対勢力を討ち、鎌倉での支配体制を固めることに専念する。彼がようやく上洛を遂げたのは、一〇年後の建久《けんきゅう》元年（一一九〇）であった。

東の鎌倉にあって、京都の政局や、平氏との戦闘状況をコントロールするのは至難である。結果的に京都と距離をとったことは、賢明な判断だったわけだが、それはどのようにして可能になったのだろうか。

治承四年六月一九日、ひとりの使者が北条《ほうじょう》の館に参着した。頼朝が人払いして用件を聞いたところ、つぎのように述べた。

「京都では、以仁王《もちひとおう》の令旨《りょうじ》を受けた源氏の追討を画策している。あなたは源氏の正統だから非常に危険である。奥州《おうしゅう》に逃れることをお勧めする」

使者を送ってきたのは三善康信《みよしやすのぶ》。母が頼朝の乳母《めのと》の妹にあたることから、毎月三度、一〇日ごとに使者を送って、京都の動静を知らせてくれていた。今回は重要な内容なので、とくに弟の康清《やすきよ》を使者として派遣してきたのだった。頼朝はたいそうありがたく思い、帰洛する康清にお礼の書状を持たせた。右筆《ゆうひつ》の大和判官《やまとほうがん》代藤原邦通《だいふじわらのくにみち》が本文を書き、頼朝も署名と花押《かおう》（書き判）を記したという。挙兵のきっかけのひとつとなった情報であり、康信のような在京の協力者があればこそ、伊豆《いず》の流人から鎌倉殿への飛躍がかなったといえるだろう。

右筆として登場する邦通は、『吾妻鏡《あずまかがみ》』に「洛陽放遊客《らくようほうゆうのきやく》」と説明されており、もともと京都で気ままに暮らしていたらしい。安達盛長《あだちもりなが》の紹介で頼朝に仕えることになった人物である。彼は、山木兼隆《やまきかねたか》攻めに先立って、その館に潜入した。酒宴の席で歌や舞などを披露して兼隆に気に入られ、数日間逗留《とうりゅう》して館周辺の地形などを絵図に描いたのである。できあがった絵図はまさに真に迫るもので、戦略を立てるのにおおいに役立ったという。文書作成・絵画・芸能に至るまで、幅広い能力があり、その才覚で都で世渡りしていた人物が、なんらかの縁で盛長の知己を得たのだろう。

また、義経《よしつね》に従って上洛した者に斎院《さいいん》次官中原親能《なかはらちかよし》がいる。彼は「頼朝代官」で、義経のお目付け役だった。父は明法博士《みようぼうはかせ》中原広季《ひろすえ》、前中納言源 雅 頼《みなもとのまさより》の門人で、在京の折には雅頼の家を拠点にしていたらしい。幼少時から相模国《さがみのくに》の武士波《は》多野経家《たのつねいえ》に養育されて、かの地で成人したため、頼朝とは古くからの知り合いだったという。その兄弟に中原広元《ひろもと》がいる。広元は、大江維光《おおえのこれみつ》の息子として生まれたが、中原広季の養子となって、中原姓を称した。親能とは義理の兄弟ということになる。建保《けんぽう》四年（一二一六）に、朝廷に願いを出して改姓し、大江姓に復した。外記《げき》として京都で活動していたが、親能の縁で頼朝に仕え、重んじられたのは、本文で述べたとおりである。

頼朝の周囲は武士ばかりでなく、このような多くの「京下り官人《かんじん》」が行政事務の補佐にあたっていた。いずれも京都で教育を受け、下級の官職に就いていた者たちで、その人脈や実務経験を生かして、頼朝を支えたのである。京都政界との交渉・連絡は、おもに文書を通じて行なわざるをえないが、その様式・文面などは彼らによって練り上げられていった。とくに後白河院《ごしらかわ》や近臣らの手ごわい面々を相手にしては、必要な礼節をはずさぬよう気を配りつつ、主張すべきを主張し、時に恫喝《どうかつ》を加えるなど、微妙なさじ加減が求められた。武家政権の発足にあたって、それにふさわしい文書の形を固めていったのも彼らの功績である。京都から離れることによって可能になった政権は、京都育ちの人材に支えられていたのである。

第五章

中世社会の確立

1

武家文書の成立

頼朝の発給文書

歴史を検証するにあたって重要な素材となるのが古文書《こもんじょ》である。なかでも、支配者や主人から下された、所領などの権益を保証する内容をもつものは、受け取り手によって大事に保管され、子孫に伝えられた。それらの文書にはさまざまな様式があるが、いずれも支配の性格・命令系統などを如実に反映する。一方で、文書を受け取る側が、どのような様式を望んでいるかという条件も無視することができない。すなわち文書様式は当事者（文書の発給者と受取者、支配する者とされる者）の意識や相互関係によって規定されるのである。以下に武家政権が生んだ新しい文書様式について述べよう。

源頼朝《みなもとのよりとも》は治承《じしょう》四年（一一八〇）以来、「下　〇〇」（〇〇には命令する相手の名が入る）と書き出す下文《くだしぶみ》という様式の文書によって命令を発していた。これには頼朝自身の花押《かおう》が据えられる。花押とは自筆署名のかわりに用いられる書き判で、多くは実名（諱《いみな》）の草書体をデザイン化してつくられる。頼朝の花押は実名二字から、それぞれ「東」と「月」という部分をとって組み合わせており、二合体《にごうたい》と称される。花押は頼朝その人の人格の表明であり、その文書が確かなものであることを示

◉盧舎那仏坐像（東大寺大仏）
平重衡《たいらのしげひら》の南都《なんと》焼討《やきう》ちによって焼亡。東大寺《とうだいじ》大勧進《だいかんじん》の重源《ちょうげん》が、宋人陳和卿《ちんなけい》とともに復興した。文治《ぶんじ》元年（一一八五）の開眼供養《かいげんくよう》では、後白河《ごしらかわ》院みずからが開眼の筆をとった。
前ページ図版

すために用いられた。

頼朝は建久《けんきゅう》元年（一一九〇）に上洛した際に、権大納言《ごんだいなごん》・右近衛大将《うこのえのたいしょう》に任じられた。京都にとどまるつもりのない頼朝にとって、官職は形式的なものにすぎない。彼はすぐに両職を辞すが、近衛大将という武官のトップの地位を得た事実は、武家政権にとって大きな前進であった。翌年正月に行なわれた政所始《まんどころはじめ》（年頭にあたり、政所の仕事始を儀式的に行なうもの）の席で、彼は、それまで御家人《ごけにん》に所領を充行《あておこ》なうために発給していた下文を回収して、かわりに右大将家政所下文を与えることを定めた。

貴族社会では三位に叙せられ公卿《くぎょう》に列すると、政所と呼ばれる家政機関を開設する資格を得る。政所は別当《べっとう》や家令《かれい》などの家司《けいし》によって構成され、家務の運営を行なう。政所から発給される文書が政所下文で、家領や家人《けにん》に関するさまざまな命令を伝える役割を果たした。初期の頼朝の下文は、政所開設の資格を得るまでのつなぎとして便宜的に用いられた様式と思われる。文書の袖《そで》（右端）や奥（左端）に花押を据えるのも、見慣れない様式に権威と信憑《しんぴょう》性をもたせる工夫のようにみえる。本文の書体や文章もいささか危なっかしく、発足したばかりの政権の幼さを反映している。だが、この様式はしだいに御家人らの支持を得、主従の紐帯《ちゅうたい》を表わすものとして重要視されるようになる。

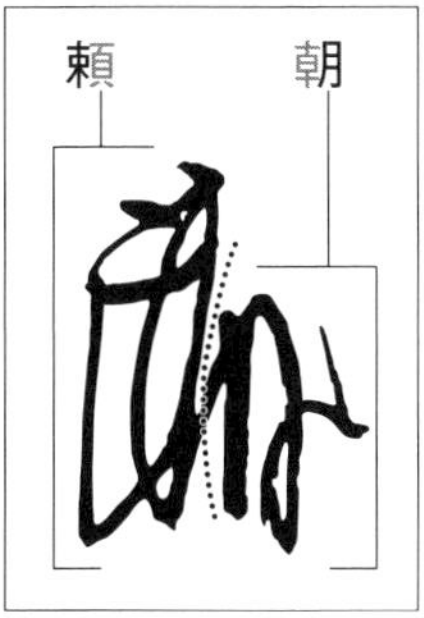

◉源頼朝花押
頼朝の花押は、実名二字から束と月をとって合成してつくられている。年齢や政治的地位の変化に応じ、花押の形や大きさ、据えられる位置なども変化する。

袖判下文と政所下文

建久《けんきゅう》三年（一一九二）八月五日、源頼朝《みなもとのよりとも》は晴れて征夷大将軍《せいいたいしょうぐん》に任じられた。これを機に、将軍としての政所始《まんどころはじめ》の儀式が行なわれた。別当《べっとう》の中原《なかはら》（大江《おおえ》）広元《ひろもと》以下の家司《けいし》が列し、主だった御家人《ごけにん》に対して「将軍家政所下文《くだしぶみ》」が下された。しかし、筆頭御家人として最初に下文を給された千葉常胤《ちばつねたね》は、つぎのように主張した。

「政所下文というのは家司の署名があるだけで、後代までの証拠とするには不足である。私のぶんは特別に御判を据えたものを頂いて、子孫末代まで伝えたい」

『吾妻鏡《あずまかがみ》』は「常胤すこぶる確執」と記しており、いわばごねたわけだが、頼朝は常胤の要求を認め、袖《そで》（文書の書き出しの側）に花押を据えた下文を与えた。常胤のもらった下文は『吾妻鏡』に収録されるのみだが、幸いに同様のケースの現物と思われる文書が伝来している。

下野《しもつけ》の雄、小山朝政《おやまともまさ》に与えられたもので、建久三年九月一二日付で袖《そで》判《はん》下文と政所下文の両方が残っているのである。政所下文は下野国日《ひ》向《が》野《の》郷住人に対して、朝政が地頭職《じとうしき》（地頭の地位）に補任《ぶにん》されたことを通告し、袖判下文は朝政自身に宛《あ》てて、彼のもつ地頭職を総合的に安堵《あんど》す

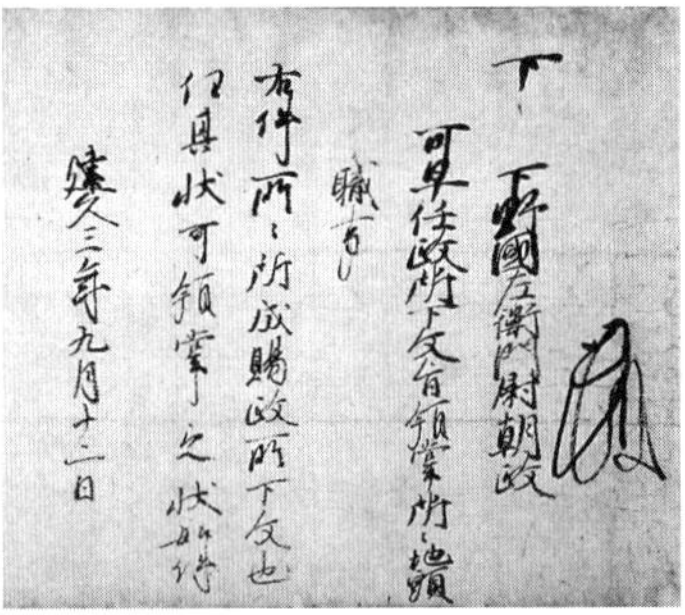
下　下野國左衛門尉朝政
可早任政所下文令領掌所々地頭職事
右件所々所成賜政所下文也
任其状可領掌之状如件
建久三年九月十二日

2

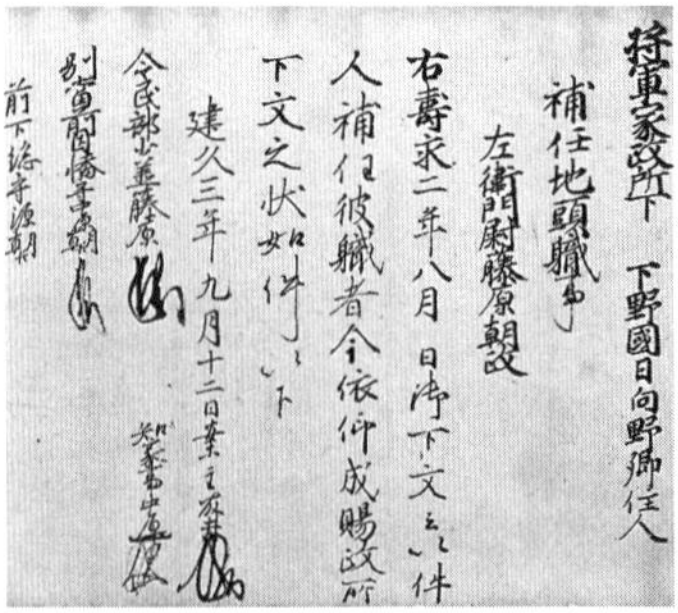
将軍家政所下　下野國日向野郷住人
補任地頭職事
左衛門尉藤原朝政
右壽永二年八月日以下文件
人補任彼職者今依仰成賜政所
下文之状如件以下
建久三年九月十二日案主藤井
知家事中原
令民部少丞藤原
別當前因幡守中原朝臣
前下総守源朝臣

3

る内容である。将軍家政所開設までの期間に、頼朝の政権は十分な体制を整えていたらしく、文書の体裁もバランスよく、権威を感じさせるものになっている。文書作成に携わった京下り官人《かんじん》たちの力量と、政権の志の高さをよく表わしているといえよう。たしかに子々孫々に伝えるにふさわしいと受け止められたであろう。

さて、二点の文書を比べれば、頼朝の花押と家司の署名との差がもたらす印象の違いは明らかである。政所下文は事務組織からの通達であり、整然とした体裁や複数の家司の花押が内容の確実性を保証してくれるようにみえる。だが御家人が、頼朝その人の意志が感じられる袖判下文を望むのはもっともであろう。

花押を据えることによって、主従制における主人の人格や意志を表わし、従者との紐帯《ちゅうたい》を深める文書様式は、武家政権によって新しく生み出されたものである。以後、花押は幕府発給文書や武士による契約文書などに多用され、本人であることの証拠として、またその文書が真正のものであることを示す手がかりとして重要視されるようになった。

●源頼朝袖判下文（右）・政所下文
政所下文には複数の家司《けいし》の花押があり、組織としての整合性を示しているが、頼朝の名はどこにも出てこない。袖判下文に据えられた花押は、頼朝の人格と、主君としての権威を表わし、堂々たる効果を生んでいる。

自然恩沢と勲功の賞

幕府執行部が選択したのは袖判下文《そではんくだしぶみ》の回収であり、御家人《ごけにん》らを、源頼朝《みなもとのよりとも》個人を超えた幕府首長の下に編成することだったと考えられる。しかし御家人の側にも、頼朝への臣従と幕府への参加は、あくまで自身の判断で選び取ったものだという自負があった。事実「源家相伝の家人《けにん》」のすべてが頼朝に従ったわけではなく、頼朝は関東の武士たちにとって選択肢のひとつでしかなかったのである。頼朝の死後、将軍位に就いた彼の息子たちが必ずしも重んじられず、また他の一門を将軍に担ごうとする事件がたびたび起こったことからも明らかだろう。

この巻ではこれから西の朝廷（公家政権）・東の幕府（武家政権）という二つの政権について叙述していくわけだが、両者のいちばんの相違は、前者が「九州の地は一人の有するなり」と全国支配の宣言から始めるのに対し、後者は、武士を組織し、戦うことを通じて支配権を拡大していかなければならない点である。朝廷の支配は「王土」全体に遍在しているが（もちろん遍在する濃度は時代とともに変化する）、幕府のそれは将軍と主従関係を結んだ御家人《ごけにん》を対象としており、非常に限定的である。そこで、諸国に御家人交名《きょうみょう》（名簿）の注進を命じるなど、御家人確定手続きの必要が生じる。建久《けんきゅう》三年（一一九二）には、守護《しゅご》の命令に従って京都大番役《おおばんやく》（京都に駐在して御所などを警固する役）を務めるようにとの政所《まんどころ》下文が出される。すなわち大番役勤仕《ごんし》をもって御家人と認定されることになったのである。

話を小山朝政《おやまともまさ》に戻そう。関東諸国の守護補任《しゅごぶにん》の下文の提出が求められたとき、朝政はこう答えた。

「先祖の下野少掾藤原豊澤《しもつけしょうじょうふじわらのとよさわ》が下野国押領使《おうりょうし》として検断《けんだん》権を掌握して以来、藤原秀郷《ひでさと》を経て一三代数百年にわたってその地位を受け継いでおり、頼朝公から新たに補任された下文はもっていません」

のちの彼の譲状《ゆずりじょう》（遺言状）を見ると、「下野国大介職《おおすけしき》」が冒頭に記され、これが同人の独自の資産と認識されていたことが明らかである。千葉成胤《なりたね》（常胤の孫）・三浦義村《みうらよしむら》もそれぞれ下総《しもうさ》・相模《さがみ》において祖先以来の在庁官人《かんじん》として成長してきたことを申し述べている。彼らのような「自然恩沢《じねんおんたく》」の守護は、勲功の賞として幕府から給付を受けた者とは区別して重んじられたのである。

鎌倉幕府は武家文書を創造し、さらに頼朝の発給文書について収集・整理を試みるなど、文書行政上での整備を充実させた。この政権が以仁《もちひと》王令旨《おうりょうじ》という一通の文書から始まったように、頼朝は、みずからが発給する文書を支配権確立の重要な手段と考えていたに違いない。一〇三ページに掲げた平清盛《たいらのきよもり》の政所下文に比べ、清新の気にあふれているのが、おわかりいただけるだろう。しかし逆説的なことに、幕府を支えるもっとも有力な御家人の力の淵源《えんげん》は、幕府の補任権の局外にあり、さらには文書の世界とも別のところにあった。彼らの力を制御しつつ、政権を固めていくことが、幕府の大きな課題だったのである。

北条氏の位置

それでは源頼朝《みなもとのよりとも》を支え、のちに幕府を主導あるいは独裁することになる北条氏《ほうじょう》の基盤は、どれほどのものだったろうか。

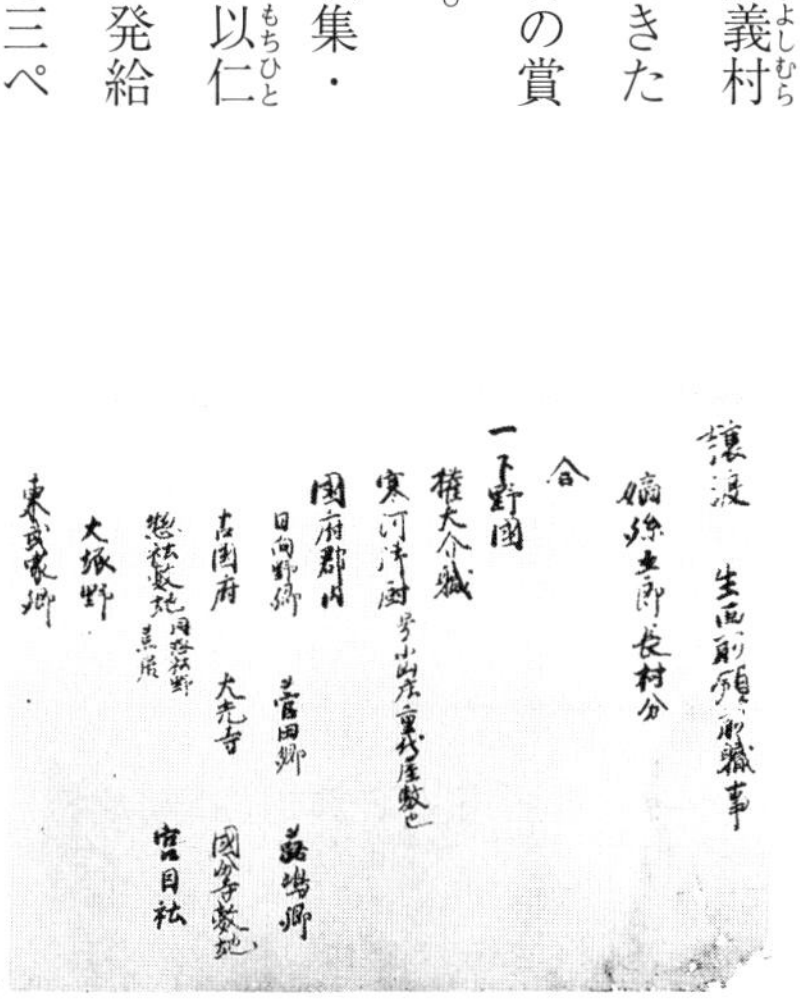

4

◉小山朝政譲状（部分）　寛喜《かんぎ》二年（一二三〇）、朝政は嫡《ちゃく》孫《そん》長村に所領を譲与した。下野国権大介職が資産の筆頭で、続いて名字の地の小山荘や国府周辺の諸郷などがあげられている。

北条時政《ときまさ》の娘政子《まさこ》が頼朝の妻となり、頼家《よりいえ》・実朝《さねとも》を産んだことで、北条氏が将軍の外戚《がいせき》になったのは確かである。しかし前述のように、将軍の地位そのものがゆらぎうるので、この関係をそれほど強調するわけにはいかない。しかも同氏は伊豆国《いずのくに》の在庁官人《かんじん》ではあるが、小山《おやま》氏のように由緒《ゆいしょ》を誇る大豪族とはとてもいえなかった。伝統ある在庁官人で、代々、守《かみ》・介《すけ》・掾《じょう》・目《さかん》の四等官のうちの職を帯していた家柄の者は、千葉《ちばの》「介」常胤《つねたね》・上総《かずさの》「介」広常《ひろつね》のごとく名のることが多い。北条時政はそのような名のりをもっていない。娘の政子も、貴種の正室としては格が十分とはいえなかった。次代の将軍を支える存在としては、比企《ひき》氏が選択されており、そのままでは北条氏は、頼朝一代限りの妻を出した家柄で終わる可能性があったのである。

本郷和人《ほんごうかずと》の説によれば、承久《じょうきゅう》の乱《らん》に至る時期の一連の騒乱は、北条氏による比企氏勢力の一掃と、鎌倉の膝元《ひざもと》である武蔵《むさし》・相模《さがみ》・伊豆《いず》・駿河《するが》四か国の有力御家人《ごけにん》排斥とみることができる。逆にいえば、小山・千葉氏がわがままをいうことができたのは、彼らがこの南関東四か国をはずれた下野《しもつけ》・下総《しもうさ》の勢力だったからだ。この流れのなかで、時政の息子義時《よしとき》が執権《しっけん》という地位を固め、同時に、政治的意志をもった将軍は不要であるという合意が、幕府内で形成されたと考えられる。先に、平氏政権において成熟した主従制が実現されていなかったと指摘したが、鎌倉幕府においても、主人たる将軍の地位は早い段階で空洞化しており、いったい「主従制」とは何かという問題に突き当たらざるをえない。鎌倉幕府はたしかに将軍―御家人の関係を軸としているが、それを私たちが近世の武家社会から類推するような主従制イメージと、ただちに重ねるわけにはいかない。主従制というと、人間普遍の情誼《じょうぎ》に基づいていて実現しやすい印象があるが、政権を支える構造として通用させるには、社会や共同体のなかにかなり高度な合意が成り立っている必要があろう。

幕府は新しい結束の中心、新しい合意を形成しなければならなかった。そこで存在感を増したのが政子で、幕府草創の祖、頼朝の意志の体現者として、御家人をまとめる役を担ったのである。彼女は実朝将軍時代に上洛し、子のない実朝の後継者として皇子の下向《げこう》を求めたが、その際の交渉相手は後鳥羽《ごとば》院の乳母《めのと》で卿二位《きょうのにい》と呼ばれた高倉兼子《たかくらけんし》（範兼《のりかね》の娘）だった。『愚管抄《ぐかんしょう》』は、政子が義時とともに「関東をば行い」、京都では卿二位が「ひしと世をとりたり」と記し、「女人入眼《にょにんじゅがん》の日本国、いよいよまことなりけりというべきにや」と締めくくっている。「入眼」とは叙位《じょい》・除目《じもく》の最終日に叙任者を書き入れる作業をいうので、彼女らが日本国東西の政治の決定権を握っているという意味である。政子はまた「尼将軍《あましょうぐん》」と呼ばれた。

ただし、彼女の位置づけはきわめて例外的なものと考えたほうがよかろう。一種の女傑であったことを否定するわけではないが、むしろ女性を将軍になぞらえねばならないほどの大きな欠落を、幕府が抱えていたと解釈すべきである。

●北条政子坐像
夫頼朝に先立たれ、二人の息子は横死、実父時政とも決裂するなど、「尼将軍」は家庭的にはかなり不幸であった。

平泉の栄華

奥州藤原氏の確立

奥州平泉《おうしゅうひらいずみ》は、後三年《ごさんねん》合戦（一〇八三～八七年）で勝利をおさめた藤原清衡《ふじわらのきよひら》が拠点とし、続く基衡《もとひら》・秀衡《ひでひら》の奥州藤原氏三代によって発展した都市である。後三年合戦は出羽《でわ》山北の俘囚長《ふしゅうのちょう》（帰順した蝦夷《えぞ》集団の統率者）清原武貞《きよはらのたけさだ》の三人の異父・異母の息子たちの確執から発し、陸奥守《むつのかみ》として京都からやってきた源義家《みなもとのよしいえ》が介入したことから本格的な合戦に発展したものである。ここで勝ち残ったのが清衡で、前九年《ぜんくねん》合戦で滅びた俘囚長安倍《あべ》氏と藤原氏の血を引いており、北奥羽《おうう》から蝦夷島《えぞがしま》までを勢力下に収め、一方で京都朝廷との関係に配慮する両面的な性格をもつ権力として発展した。三代秀衡に至って鎮守府将軍・陸奥守の官職を得て、その自立性を朝廷から認められたのである。

中央から見たときの奥州藤原氏の力は、かの地で産出する金と馬であり、鷲羽《わしのは》・水豹皮《あざらしがわ》などの北方交易の成果である。これらは都に送られ、彼らの存在を貴族たちに印象づけた。また、後白河《ごしらかわ》院は側近の静賢《じょうけん》（藤原信西《しんぜい》の息子）に命じて、後三年合戦を描いた絵巻を作成させた。さまざまな戦略、主従の関係など、合戦物語の基本的要素がすべて盛り込まれたうえに、殺戮《さつりく》場面が非常に凄惨《せいさん》に描かれている点が印象的な作品である。〝生理〟が前面に出る院政期の風潮を反映した、猟奇的傾向が感じられる。奥州の富と殺伐とした風土とは、いずれも度外れたものと受け止められ、畏怖《いふ》と忌避のないまぜになったイメージを形づくったであろう。嘉応《かおう》二年（一一七〇）に秀衡が鎮守府将軍に任じられたのは、彼らの勢力の成熟を朝廷が認可したことを示しているが、九条兼実《くじょうかねざね》は、秀衡を「奥州夷《い》狄《てき》」と呼び、旧来の秩序が乱れることを恐れている。

そして関東の武士たちにとって奥州とは、源頼《より》義《よし》・義家《よしいえ》に率いられて戦った合戦の記憶を呼び覚ます、いわば約束の地だったのである。

辺境の盛衰

藤原清衡《ふじわらのきよひら》が覇権を得て以来、大治《だいじ》四年（一一二九）に清衡の息子基衡《もとひら》と惟常《これつね》が争い、後者が殺される事件が起こっている以外、奥州《おうしゅう》には中央からの介入が必要なほどの騒乱はなく、彼らについて都で話題になることは比較的少なかった。しかし、治承《じしょう》・寿永《じゅえい》の内乱を迎えてさまざまな動きが活発になると、奥州藤原氏は存在感を増す。源義経《みなもとのよしつね》が秀衡《ひでひら》の舅《しゅうと》、陸奥守《むつのかみ》藤原基成《もとなり》の縁を頼って同氏の保護下に入り、また三善康信《みよしやすのぶ》が京都における源氏追討の動きを知らせて、頼朝《よりとも》に奥州に逃げることを勧めるなど、既存の政権から排斥された者のための避難所として、まず注目されるのである。義経の奥州下向《げこう》については、金売り吉次《きちじ》などの商人がかかわっていたともいわれ、京都と奥州を結んで

奥州藤原氏系図

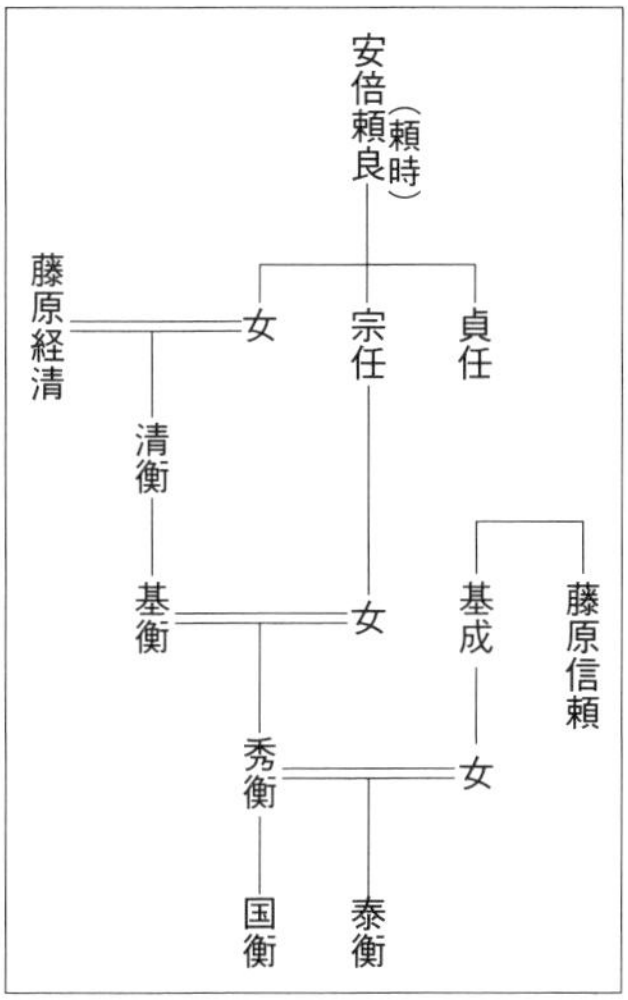

多くの商人が活躍していたことが知られる。

養和《ようわ》元年（一一八一）に、秀衡は地方武士としては異例の陸奥守に任じられ、同じく越後守《えちごのかみ》に任じられた城資職《じようすけもと》とともに、源氏を追討すべき宣下《せんげ》をこうむった。城氏は出兵して、信濃横《しなのよこ》田河原《たがわら》の合戦で木曾義仲《きそよしなか》に敗れるが、秀衡は動かなかった。ただし彼が頼朝に対抗しうる勢力と見なされていた事実は残り、鎌倉幕府と奥州藤原氏とは、いずれ雌雄を決しなければならなかったのである。

経済面では、重源《ちようげん》の勧進《かんじん》による東大寺《とうだいじ》大仏再興の鍍金《めつき》料として、頼朝一〇〇〇両に対して、秀衡は五〇〇〇〇両を献じており、相変わらずたいへんな富裕ぶりである。しかし文治《ぶんじ》二年（一一八六）には、秀衡から京都への貢馬貢金は、頼朝を介すべきことが合意され、奥州の富は頼朝の管理下に入る。義経をかくまいながら、奥州はしだいに頼朝の勢力下に取り込まれていくのである。

その翌年、秀衡は平泉館《ひらいずみのたち》で死去するのだが、その際の遺言が注目される。兄国衡《くにひら》と弟泰衡《やすひら》が相和して、義経を主君と仰ぎ、頼朝に対抗すべしというところまではともかく、兄弟融和のために泰衡の母を国衡にめとらせよというのである。父の跡を継承するのは藤原基成の娘を母とする泰衡だが、

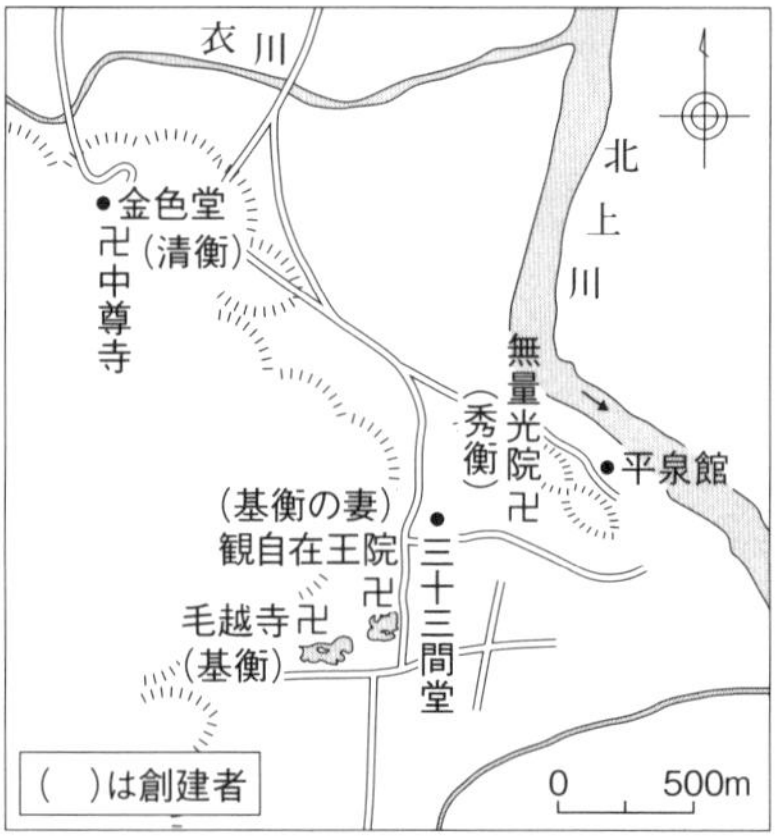

●平泉の奥州藤原氏関連施設
平泉を「みちのくの京都」とみるか、鎌倉に先行する武家の都とみるかは大きな問題である。多様な世界の結節点として、積極的に評価していくことが重要であろう。

兄国衡の存在感も大きく、兄弟の対立が心配だったのだろう。相続に伴う兄弟間の闘争は奥州藤原氏においてはめずらしいことではなく、大石直正《おおいしなおまさ》によれば、次子相続の慣行から必然的に生まれるものだという。長子に館や従者を与えて独立させ、父のもとに残った次子以下に跡を継がせるやり方で、狩猟民や遊牧民にみられる末子相続の一種と考えられる。同氏が北方と都と、両方に目を向けている以上、そのことが婚姻や血縁にかかわる慣行にも影響し、複雑な問題が生じたといえよう。兄弟の確執とそれを止揚する貴種の存在は、後三年《ごさんねん》合戦の図式の再現のようにみえる。奥州藤原氏は辺境の独立を謳歌《おうか》することをもはや許されず、文治五年、源頼朝軍の攻撃を受け、滅びへの道をたどったのである。

頼朝軍は勝利を得てのち、奥州藤原氏の資産調査に取りかかった。秀衡の宿館平泉館《ひらいずみのたち》（現在発掘中の柳之御所《やなぎのごしょ》遺跡）周囲には、宇治《うじ》の平等院《びょうどういん》を模した無量光院《むりょうこういん》・毛越寺《もうつうじ》・中尊寺《ちゅうそんじ》などの壮大にして豪《ごう》奢《しゃ》な寺院群が広がる。主が逃亡した平泉館を捜索すると、紫檀《したん》などの唐木の厨子《ずし》に犀角《さいかく》・象牙《ぞうげ》笛・水牛角・紺瑠《こんる》璃笏《りしゃく》などの珍宝が詰まっていた。地元産の金ばかりでなく、南方交易の産物までがこの地に大量に集まっていたのである。また、清衡が開いた白河関《しらかわのせき》から外ケ浜《そとがはま》（津軽《つがる》半島の青森湾側の地域）に至る奥大道《おくたいどう》といわれる幹線道路には、一町（約一〇九メートル）ごとに金色阿弥陀《こんじきあみだ》像を描いた笠塔婆《かさとうば》が立てられていたという。

柳之御所遺跡からは折敷《おしき》（杉や檜《ひのき》の薄板でつくった簡単な食器）に「人々給絹日記《ひとびとにたまうきぬのにっき》」というリストが墨書《ぼくしょ》されたものが出土している。その内容は、秀衡の鎮守府将軍就任を祝う宴会で、出席者に給与された装束の一覧と推定される。まだ幼名で呼ばれる泰衡《やすひら》・国衡《くにひら》、平泉館に仕える在地領主らが記され、さらに豊前介実俊《ぶぜんのすけさねとし》・橘藤五実昌《たちばなのとうごさねまさ》という名も見えるが、彼らは天永《てんえい》二年（一一一一）に京都から下ってきた下級官人の子孫で、頼朝の求めに応じて、焼失した奥羽《おうう》・出羽《でわ》の土地台帳のかわりに、両国の地形や荘園《しょうえん》の権利関係などをそらんじてみせたという。秀衡の土地支配が、このような文筆官僚に支えられていたことがわかるが、それが口承の世界に収まっている点には、いささかの限界を感じる。実俊は、のちに頼朝の公事《くじ》奉行人として仕えたという。

現在に残る中尊寺金色堂の意匠を見れば、奥州産の金をふんだんに用い、螺鈿《らでん》の装飾を施して、京都から将来《しょうらい》した最高の技術によってつくられたことは明らかである。北の果てと南の果てをつなぎ、間に政治や文化の中心である京都を置いて、平泉はさまざまな文物や人材を取り込んでいた。だが、それらが結局のところ京都直結の文化として編成され、『平家納経《へいけのうきょう》』のごとく、あまりにも装飾的に消費されているようにみえることを、どのように理解するべきだろうか。条件次第では、奥州幕府が成立する可能性があったのかどうか、歴史の〝もし〞のなかのひとつとして、考えていかなければならない問題である。

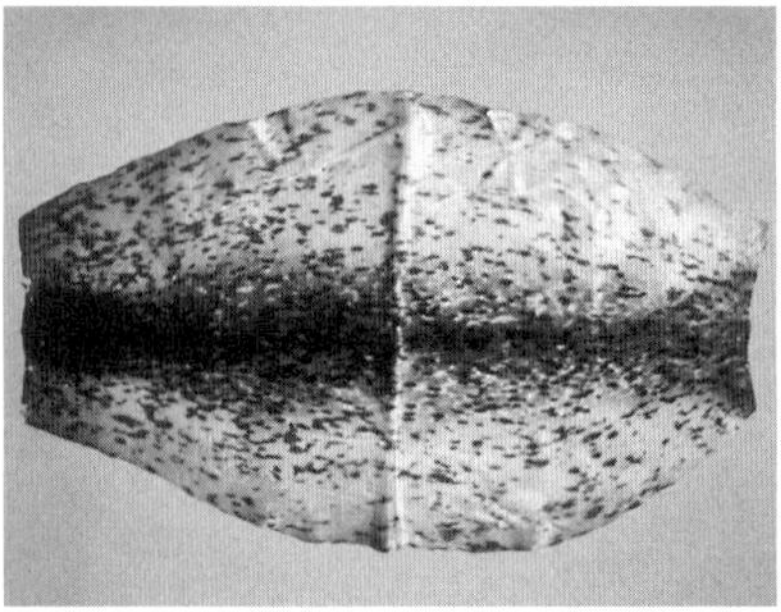
6

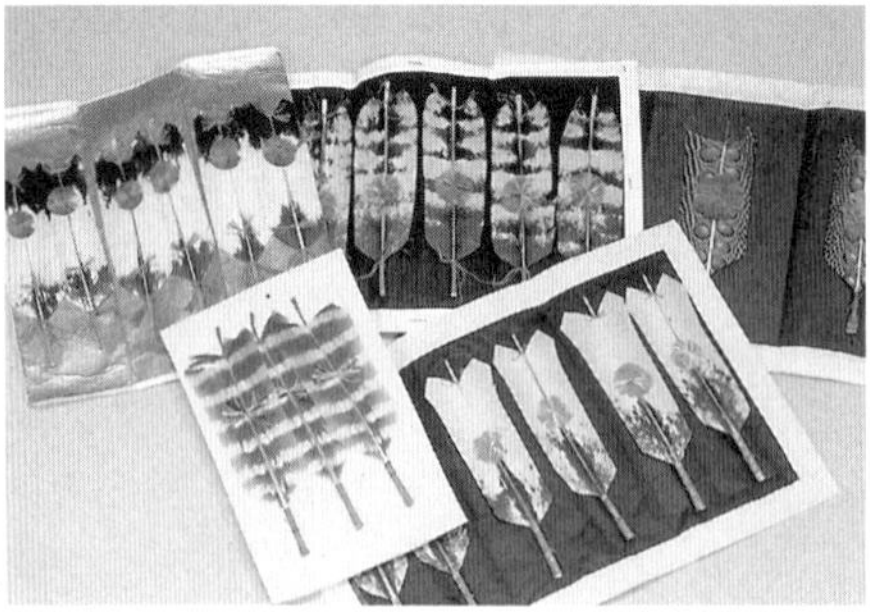
7

鎌倉幕府の辺境政策

奥州を制した幕府は、民衆の慰撫《いぶ》や寺院の保護に努め、円滑に占領を進めようとした。異文化の混在する地であることにかんがみ、とくに留意したものであろう。奥州の郡《ぐん》・郷《ごう》・保《ほ》は勲功の賞として御家人《ごけにん》らに配分して地頭《じとう》に補任《ぶにん》し、また、下総国葛西荘《しもうさのくにかさいのしょう》を本領とする葛西清重《きよしげ》を平《ひら》泉《いずみ》に置いて奥州惣《そう》奉行となし、御家人統制や犯罪の取り締まりなどにあたらせた。さらに、多賀《たが》国府（宮城県宮城野《みやぎの》区岩切《いわきり》）に伊沢家景《いさわいえかげ》を送り、民事・行政を担当させた。彼はもと大納言藤原光頼《だいなごんふじわらのみつより》に仕えた文筆に堪能《たんのう》な者で、北条時政《ほうじょうときまさ》の推薦で幕府に参仕することになったのである。国府を拠点に奥州藤原氏の有形無形の遺産を受け継ぎ、統治を行なうのが彼の役割で、その一族はのちに留守《るす》氏を名のる。

こうして、奥州は京都に直結する独立の地域ではなく、鎌倉に連なる東国の一部となった。鎌倉時代末、円覚寺《えんがくじ》で北条貞時《さだとき》（第九代執権《しっけん》、応長《おうちょう》元年〔一三一一〕没）の一三回忌が営まれた際の布施物を見ると、銭のほかに、非常に多くの砂金が出されている。西国では、金は贈答や工芸品に用いられる程度だったが、東国では砂金が日常的に流通していた可能性もあり、これも奥州掌握の成果であろう。

『曾我物語《そがものがたり》』には安達盛長《あだちもりなが》が見た夢として、源頼朝《みなもとのよりとも》が左足に奥州外ヶ浜《そとがはま》、右足に鬼界ヶ島《きかいがしま》を踏まえ、左右の袂《たもと》に日月《じつげつ》を宿し、頭に小松三本を飾っていたという話が載せられている。夢を語ること

●**武具の原料、水豹皮（右）と鷲羽**　いずれも北方海域の特産品。水豹（アザラシ）皮は馬具の一種である障泥《あおり》（鞍に取り付ける泥除け）として、鷲羽は矢羽として珍重された。奥州産の馬とともに、武士の働きを支え、威儀を整えるための必需品である。

は、潜在的な願望を表明する手段として中世にはよく行なわれた。さらに強調したい場合は神託を受けたと触れまわる方法があり、いずれも責任が問われず、しかも一定の権威を感じさせるから、なかなか便利だったのである。中世の人々にとって外ヶ浜・鬼界ヶ島は東西の果てを表わし、北は佐渡《さど》、南は熊野《くまの》がそれぞれ境界と考えられていた。草創期の幕府が、当時の一般的な境界認識のなかで、全国土の掌握を意識していたものと理解できよう。

　鬼界ヶ島は日本の西の端となる九州南方の島々の総称だが、俊寛《しゅんかん》が流罪となった鬼界ヶ島は硫黄島《いおうじま》を指すと考えられる。『平家物語《へいけものがたり》』によれば、一緒に流された藤原成経《ふじわらのなりつね》の舅《しゅうと》平教盛《たいらののりもり》が、所領である肥前《ひぜん》国鹿瀬《かせの》荘《しょう》（佐賀市）から必要品を送ってくれていたという。また俊寛のもとを訪ねる有王《ありおう》は薩摩《さつま》から船で同島に渡っており、硫黄島—薩摩—肥前という九州西海岸の航路があったことが予想される。同島では硫黄の採掘が行なわれ、それを求めて商人が交易に訪れていたのである。

　幕府は文治《ぶんじ》三年（一一八七）に宇都宮信房《うつのみやのぶふさ》に鬼界ヶ島の追討を命じており、付近の海路図なども頼朝に献じられたという。全国的内乱を経験しただけに、頼朝は早い段階から日本全域の支配を念頭に置いていたのだろう。薩南《さつなん》諸島は鎌倉末には、北条氏得宗被官《とくそうひかん》（北条氏家督に仕える家人）の千竈《ちかま》氏が領有することになる。

8

◉“西の果て”の硫黄島（鬼界ヶ島）
鬼界ヶ島には田畑がなく、住人たちは漁業を営むほかは、山に登って硫黄を掘り、九州から訪れる商人と交易して生計を立てていたという。

変革期の人物像

東大寺大勧進俊乗房重源

治承《じしよう》・寿永《じゆえい》の内乱期は、未曾有《みぞう》の変革の時代であった。あらゆる既得権が脅かされ、あらゆる権威が蹂躪《じゆうりん》され、すべてが混沌《こんとん》のなかに投げ込まれた。だが新しい道を求める者にとって、このような状況は千載一遇のチャンスに違いない。なかでも注目すべきは、多くの個性的な宗教者たちである。彼らは広く諸国をめぐり、さまざまな階層の人々と接した。貴族社会の人々をパトロンとして取り込むことにも熱心であり、九条兼実《くじようかねざね》の日記『玉葉《ぎよくよう》』には、彼らとの面会の様子などが記されている。彼らの生涯は、後人によってなかば伝説化して語り継がれるが、同時代人である兼実の記述をあわせみることにより、その実像に迫ってみよう。

まず、もっとも著名なのは俊乗房重源《しゆんじようぼうちようげん》だろう。平氏の南都焼き討ちにより焼失した東大寺《とうだいじ》を再建した人物である。彼が伽藍《がらん》の再興を担当する東大寺造営大勧進《だいかんじん》に任じられたのは、六一歳の養和《ようわ》元年（一一八一）のことであった。「勧進」とは、人々に勧めて仏道に導くこと、さらに、堂舎や仏像の建立などの宗教的公共事業のために喜捨《きしや》を募り、それによって善根を積ませ、神仏に結縁《けちえん》させることをいう。東大寺再興のため、重源は老骨に鞭打《むち》って、援助を求め、技術者や工人を集め、資材を調達するなど、全国津々浦々、貴賤《きせん》を問わず人間《じんかん》を奔走したのである。皇族・貴族から庶民に至るまで、数知れぬ人々が東大寺のために奉加《ほうが》し、源頼朝《みなもとのよりとも》も米一万石・砂金一〇〇〇両・上絹一〇〇〇疋《ぴき》を贈ったという。宋《そう》人陳和《ちんな》卿《けい》の協力を得て造立された大仏は、文治《ぶんじ》元年（一一八五）八月にめでたく開眼供養《かいげんくよう》の運びとなった。

続いては大仏殿の建設である。文治二年に周防国《すおうのくに》が東大寺造営料国として重源に与えられ、同国から得られる収入および杣《そま》の材木が造営にあてられることになった。重源は番匠《ばんしょう》らを率いて同国に入ったが、まず戦乱のために疲弊した民衆に米や種籾《たねもみ》などを施して、生産態勢を立て直させ、しかるのちに杣山に入って材木を探したという。長大な用材を伐り出し、川を流して海に出し、さらに京都の木《き》津川《づがわ》まで運んで蓄えるのである。そこから東大寺までは、牛に引かせた車に載せていくのだが、人々は競って綱に取り付いて引き、貴族たちだけでなく上皇までもが加わり、女御《にょうご》は牛車《ぎっしゃ》のなかに綱の端を入れてもらって引いて、もって結縁の証《あかし》とした。この大事業を通じて、重源は港湾の整備、各地の寺領荘園《しょうえん》の強化を図るとともに、播磨浄土《はりまじょうど》寺《じ》、周防阿弥陀《あみだ》寺など多くの拠点を創建している。

周防から京都・奈良に至る海路、あるいは陸路を巨大な材木

9

10

が運ばれるさまは、壮大な宗教的パフォーマンスであった。民衆の熱狂はすさまじく、治承《じしょう》・寿永《じゅえい》の内乱で軍勢が進み、戦闘が行なわれた地は、仏や浄土に至る道に変えられた。その社会的影響は計り知れず、すべての演出者である重源の傑出した手腕は驚くべきものである。

　多くの人を結縁させる勧進者の資質は、扇動者のそれに通じるといえよう。重源がはじめて九条兼実に招かれた際の『玉葉』の記事からは、彼の弁舌をうかがうことができる。「唐《から》の鋳師《いもじ》」の協力を得て大仏を鋳造すると述べたのち、重源は宋に渡ったときの経験を語ったという。天台山《てんだいさん》・阿育《あいく》王山《おうざん》巡礼の話なのだが、天台山には破戒《はかい》・罪業《ざいごう》の人には渡れない石橋があり、本国の人は十中八九渡れないが、日本から行った者はたいてい渡ることができる。命がけで海を越えてきたという志に仏も感ずるところがあるからだろう。阿育王山の仏舎利は、光明を発したり、仏の像を現わしたりする——などと、虚実相交えて華麗な話術を展開したらしい。兼実は「もっとも貴敬に足る人物」とすっかり魅了されてしまった。彼が滔々《とうとう》と述べる宗教世界は、異国的な情趣に満ち、たいそうありがたいが、いくぶんホラ話めいてもいる。壮大なプロジェクトを率いる大勧進の力量は、つまるところ、人の心をつかむ話術と演出力にあったのではないだろうか。

●俊乗房重源坐像と東大寺南大門
重源は東大寺再建事業を推進するなかで、勧進という行為を全国的に認知させ、建築・彫刻などの分野に中世的な転換をもたらした。建物には「大仏様《だいぶつよう》」と呼ばれる新様式が用いられ、合理的な工法と構造の強化によって、豪壮な大空間が実現した。南大門はその代表的遺構である。

荒聖人文覚と盲目の聖人鑁阿

多くの個性的な宗教者のなかでも、とくにエキセントリックだったのは文覚《もんがく》だろう。もとは摂津《せっつ》渡辺党《わたなべとう》の武士だったが、出家して厳しい修行を積み、高雄《たかお》神護寺《じんごじ》の復興を志して、諸方面への勧進《かんじん》を企てた。承安《じょうあん》三年（一一七三）、後白河《ごしらかわ》院に面会する機会を得たが、院を怒らせて流罪にされてしまった。院に対していきなり大荘園《しょうえん》の寄進を要求し、断わられるや種々の暴言を吐《は》いて朝廷を侮辱したため、北面《ほくめん》の武士に抑えつけられ、検《け》非違使《びいし》に渡されて罰せられたと『玉葉《ぎょくよう》』は伝えている。配流先の伊豆《いず》で、同じく流人であった源頼朝《みなもとのよりとも》と知り合って、平氏打倒の挙兵を勧めたといわれる。刑務所の中で、同輩の受刑者を扇動して暴動を企てるようなものである。

『平家物語《へいけものがたり》』では、頼朝と対面した文覚が、白い布に包んだ髑髏《どくろ》を取り出して、「これこそあなたの父上故左馬頭《さまのかみ》殿（義朝《よしとも》）であります」と述べたことになっている。平治《へいじ》の乱《らん》で梟首《きょうしゅ》されてのち、獄舎の前の草むらに埋もれていたのをもらい受けて、菩提《ぼだい》を弔っていたというのである。この奇妙なエピソードは落語に取り入れられ、髑髏が小さすぎるのではないかと頼朝に指摘された文覚が、「これは義朝公御年六歳のみぎりのしゃれこうべ」と応じる落ちになっている。『玉葉』元暦《げんりゃく》元年（一一八

11

◉文覚

殺伐とした生活をする武士が、仏の教えに触れて激烈な発心《ほっしん》を果たし、信仰に邁進《まいしん》する事例は、説話などに多く語られる。文覚は、内乱の時代と相性のよい人物だったに違いない。

四）の記事には、頼朝の勢力拡大の結果、父義朝の罪が減じられ、その首を文覚が受け取って鎌倉に持ち帰るという記事が見える。この事実から発想し、脚色を加えてできあがったのが、このしゃれこうべの話だったのだろう。

　文覚は、とにかく口が悪く、行く先々で問題を起こす人物だったらしい。だが頼朝の信頼を受けていたのは確かで、義仲《よしなか》・義経《よしつね》と京都の覇者がめまぐるしく変わる段階で入京し、頼朝の代理人として活動した。のちには後白河院の帰依も獲得し、多くの荘園を寄進されて、神護寺ほか空海《くうかい》ゆかりの諸寺をつぎつぎに整備していったのである。

　もうひとりの鑁阿《ばんな》は、高野《こうや》山《さん》の勧進《かんじん》聖《ひじり》として活動した人物である。九条兼実《くじょうかねざね》は同じく元暦元年に「盲目の聖人鑁阿来る」と記している。聖人の語るところは、いずれも天下にとってもっとも大事なところをついていると帰依の心を深くし、翌日には結縁《けちえん》のために仏舎利《ぶっしゃり》一粒を贈ったという。

　鑁阿は後白河院から金剛峯《こんごうぶ》寺根本大塔領《じこんぽんだいとうりょう》として平家没官《もっかん》領（朝廷によって没収された平氏一門の所領）の備後国大田荘《びんごのくにおおたのしょう》（広島

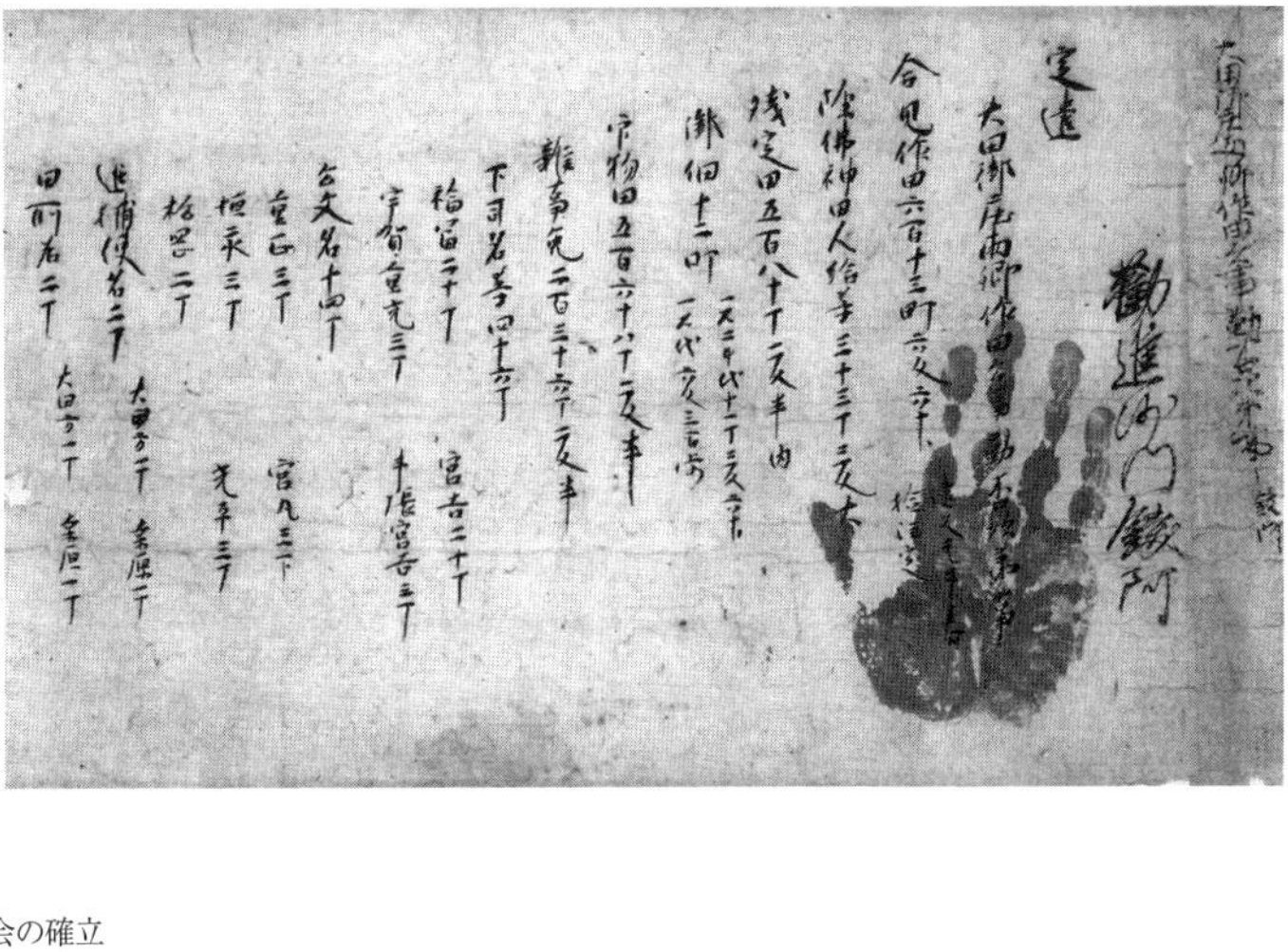

12

◉鑁阿置文（部分）

建久《けんきゅう》元年（一一九〇）に、備後国大田荘の作田数・年貢額などを確定したもの。冒頭に朱墨を用いて捺された手印は、鑁阿の不屈の意志を示して強烈な印象を与える。（『高野山文書《こうやさんもんじょ》』）

県世羅《せら》郡世羅町）の寄進を受け、その経営に力を尽くした。彼の発した文書は『高野山文書』のなかに残されており、署名や花押《かおう》を記すことが難しいため、その多くに手印《しゆいん》が捺《お》されている。手印は、一般には神仏に誓いを立てる起請文《きしようもん》に用いられて、堅い意志や決心を表わす意味をもつ。置文《おきぶみ》や下文《くだしぶみ》に残された鑁阿の手のひらのしるしは、盲目というハンディを負いながら、高野山の中世的基盤をつくった人物の偉大さを感じさせる。弟子に助けられながら諸方を勧進し、荘内をまわる鑁阿の姿は、人々に特別な畏敬《いけい》の念を覚えさせたことであろう。

内乱の時代はまた、異能の宗教者の時代でもあった。

第六章

ふたつの王権

1

執権政治の展開

三上皇配流・六波羅探題・新補地頭

後鳥羽《ごとば》院は勝つつもりだったのだろう。長い内乱期を通じて、院の発した宣旨《せんじ》は官軍・賊軍を決定してきた。第三代将軍源実朝《みなもとのさねとも》は、「山は裂け　海は浅せなむ　世なりとも　君にふた心　わがあらめやも」とうたった。院自身の発意による北条義時《ほうじょうよしとき》追討宣旨は、東国を大混乱に陥れ、武士たちは争って京方に馳《は》せ参ずるはずだった。しかし、結果が惨憺《さんたん》たるものだったのは前述のとおりである。武家政権は、いまや院と対峙《たいじ》し、圧倒するまでに成長したのである。

鎌倉時代を叙述する歴史物語『増鏡《ますかがみ》』によれば、出征した北条泰時《やすとき》は引き返してきて、父義時に「院ご自身が合戦の場に臨幸されたら、どうしたらよいでしょう」と尋ねた。義時はこう答えた。

「君の輿《こし》に向かって弓を引くわけにはいかない。そのようなときは冑《かぶと》を脱ぎ、弓の弦《つる》を切って仰せに従うように。しかし、君が都にとどまり、軍兵だけを派遣してくるのならば、一〇〇〇人がひとりになるまでも戦わなければいけない」

もとより軍隊の先頭に立つほどの覚悟はなく、後鳥羽院は、敗走してきた藤原秀康《ふじわらのひでやす》や山田《やまだ》重忠《しげただ》を御所から追い払った。さっさと義時追討宣旨を取り消し、武力放棄する旨の院宣《いんぜん》を出したのである。

◉北条時頼坐像
鎌倉の建長寺《けんちょうじ》に残る。同寺は時頼《ときより》を開基とし、彼が招いた南宋《なんそう》出身の禅僧蘭渓道隆《らんけいどうりゅう》を開山として、建長五年（一二五三）に開かれた。源頼朝像とともに、武士の肖像彫刻の典型的な様式。前ページ図版北条時房《ときふさ》・泰時は京方を平らげたのち、六波羅《ろくはら》邸に入り戦後処理に取りかかる。六波羅はもともと平氏一門の邸宅が立ち並んだ地だったが、平氏滅亡ののち平頼盛《たいらのよりもり》の池殿《いけどの》跡に源頼朝《よりとも》の新邸が建てられ、幕府の京都における拠点となっていたのである。時房・泰時の地位は六波羅探題として制度化され、鎌倉の執権《しっけん》の耳目として朝廷を監視し、京都や西国の行政・裁判などを担当した。北条氏より二名が派遣され、北方《きたかた》・南方《みなみかた》両探題として勤務したのである。

後鳥羽・順徳《じゅんとく》・土御門《つちみかど》の三上皇は、それぞれ隠岐《おき》・佐渡《さど》・土佐《とさ》に流され、乱直前に順徳譲位によって践祚《せんそ》した天皇（順徳の第四皇子）は廃位とされた（九条《くじょう》廃帝・仲恭《ちゅうきょう》天皇）。上皇・天皇が一掃されてしまったわけだが、幕府は後鳥羽の兄の守貞《もりさだ》親王（すでに出家して入道行助《ぎょうじょ》親王となっていた）を治天《ちてん》の君《きみ》とし（後高倉《ごたかくら》上皇）、その息子茂仁《ゆたひと》を天皇に据えた（後堀河《ごほりかわ》天皇）。天皇になったことのない後高倉に院政をとらせるという前例のない措置となったが、乱に加担しなかった者という基準に照らせば仕方がなかった。幕府の力は、新しい院・天皇を決定しただけでなく、朝廷がもっとも重んじてきた先例をも乗り越えたのである。

京方についた者の所領三〇〇〇余か所は没収され、幕府軍の御家人《ごけにん》らに恩賞として地頭職《じとうしき》が与えられた。これを新補《しんぽ》地頭と称し、その得分は新補率法として、田畠一〇町につき給田一町および一段ごとに五升《しょう》の加《か》

2

●後鳥羽院火葬塚
島根県隠岐郡海士《あま》町所在。後鳥羽院は隠岐島に配流され、帰京を許されることなく一八年後に崩御した。行在所が設けられていた源福《げんぷく》寺《じ》の裏山で火葬されたという。

徴米《ちょうまい》（地頭給田以外の耕作地から徴収できる年貢米）と定められた。多くの御家人が西国に所領を与えられて移住し（西遷《せいせん》御家人）、東国と西国という二つの世界が出会うことになったのである。もちろん軋轢《あつれき》も生じたが、京都と鎌倉とを往還する者も増加し、東西の距離は格段に縮められていった。

鎌倉の新体制

貞応《じょうおう》三年（一二二四）、北条義時《ほうじょうよしとき》が亡くなり、翌嘉禄《かろく》元年（一二二五）北条政子《まさこ》が亡くなった。政子の死のひと月ほど前に大江広元《おおえのひろもと》も没しており、源頼朝《みなもとのよりとも》を直接に知る世代はほとんど世を去った。かわって幕府を主導したのは、執権義時《しっけんよしとき》の跡を継いだ北条泰時《やすとき》であった。承久《じょうきゅう》の乱《らん》後の武家政権優位の状況を受けて、御家人《ごけにん》を束ねるだけでなく、より包括的な支配権を確立することが、彼に与えられた課題だったといえる。泰時は叔父時房《ときふさ》を六波羅《ろくはら》から呼び戻し、執権の補佐役の「連署《れんしょ》」としてともに幕政を運営する体制をしいた。

鎌倉幕府が用いた文書として、先に将軍袖判下文《そではんくだしぶみ》と政所《まんどころ》下文をあげたが、それに加えて「下知《げち》状」という、武家による独自の様式が創出されていた。執権が将軍の意思を奉《うけたまわ》って命令する体裁をとり、「鎌

北条氏系図

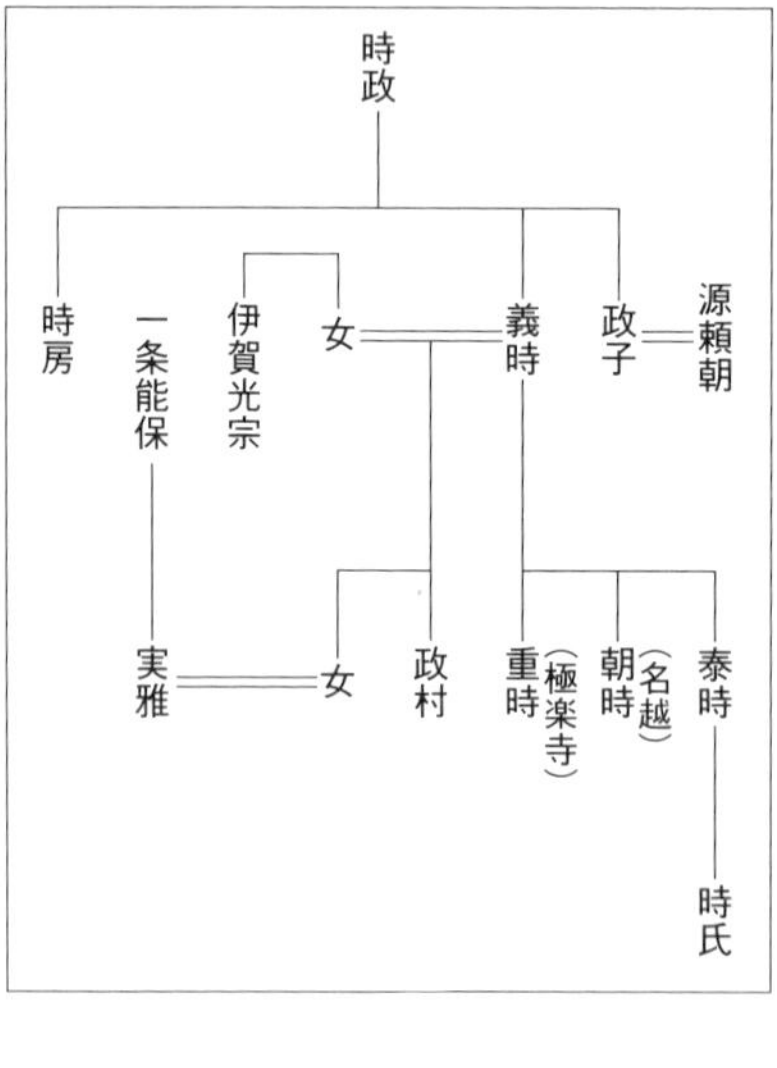

倉殿の仰せによって下知くだんのごとし」と書きとめられる。下知状は、なんらかの事情で将軍の下文が出せない場合の代用として用いられていたが、泰時以後は執権・連署（執権の補佐役。下知状に執権と並んで署名することから、こう呼ばれた）が署名して、政務上の採決・裁判の判決などに用いられ、将軍下文を圧倒していくようになるのである。

嘉禄元年一二月には将軍御所の新造がなり、大倉《おおくら》から宇津宮辻子《うつのみやのずし》への移転が行なわれた。摂関家《せっかんけ》から迎えた将軍三寅《みとら》の新御所への移徙《わたまし》（転居）の翌日には評議始《はじめ》が開催され、ここで執権・連署とともに政務を決裁する一一名の評定衆《ひょうじょうしゅう》が任じられた。評定衆は北条一門・有力御家人・文筆官僚から構成され、執権北条氏の権力を支え、正当性を与える合議体制がつくられたのである。同時に遠江《とおとうみ》以下一五か国の御家人に、将軍邸を警固する鎌倉番役《かまくらばんやく》が課されることになった。

年も押しつまった二九日、三寅の元服が粛々と行なわれ、泰時は加冠・理髪の役をつとめて将軍の後見であることを示した。三寅は頼経《よりつね》と名のることになり、翌年正月の除目《じもく》で征夷大将軍《せいいたいしょうぐん》に任じられた。ここに幕府の新体制が定まったのである。

伊賀氏の変

しかしながら、北条泰時《ほうじょうやすとき》体制確立の裏には、義時《よしとき》死後の緊迫した状況があった。義時の死の直後、その後室伊賀《いが》氏が、兄の伊賀光宗《みつむね》と謀り、娘婿《むすめむこ》の一条実雅《いちじょうさねまさ》を将軍にし、息子の北条政村《ほうじょうまさむら》を執権《しっけん》に据えようとする事件が持ち上がったのである。そもそも義時の死が、後室による毒殺だといううわさがささやかれていたらしい。事件の図式としては時政後室の牧《まき》の方《かた》のケースとよく似ている。北条氏と将軍候補者を擁する一族が謀叛《むほん》を企て（もしくは謀叛の疑いをかけられ）、それを現執権勢力が滅ぼすというものである。御家人《ごけにん》たちにとって「将軍」の帯びる意味は、血統的に明らかに優越している（源氏一門、摂関家《せっかんけ》出身、のちには親王など）ことと、京都朝廷と対等に交渉する能力があるという二点と思われる。伊賀光宗の兄光季《みつすえ》は承久《じょうきゅう》の乱《らん》時の京都守護《しゅご》で、京方の挙兵により自害に追い込まれた人物である。当時、参議であった一条実雅も、やはり京都守護をつとめた一条能保《よしやす》の息子で、西園寺公経《さいおんじきんつね》の猶子《ゆうし》になるなど、京都と鎌倉の結節点にいたといえる。

和田《わだ》合戦に続いてキーパーソンとなったのが三浦義村《みうらよしむら》である。和田義盛《よしもり》に盟友として頼りにされながら、結局北条氏についた義村は、千葉《ちば》胤綱《たねつな》に「三浦の犬は友を喰《く》らうなり」と罵《ののし》られた。今回も、北条政村《まさむら》の烏帽子《えぼし》親《おや》として彼を後見する立場にあることから、伊賀氏方の有力勢力と見なされたが、政子に切り崩され、またも北条方にとどまった。

義時の没後一か月ほどの間は、きなくさいうわさが乱れ飛び、近国の武士が参集するなど、鎌倉は騒然としていた。幸い武力衝突には至らず、後室は伊豆《いず》、実雅《さねまさ》は京都送還後越前《えちぜん》に配流、光宗は

3

◉朝比奈切通し
人々はこのような小暗い道をたどって、鎌倉に出入りした。境界の地は商業や布教の場として栄えるとともに、刑場・墓地、差別される人々の集まるところでもあった。

所領五二か所を没収のうえ信濃《しなの》に流された。政村は罪に問われなかったが、この事件を機に北条氏内での泰時の地位は確立し、続けて執権の家内にはじめて家令《かれい》を置き家政組織を整えるなど、のちに「得宗《とくそう》」と称される、北条氏本宗の家柄の形成が進んだのである。

後年、北条政村は幕府を支える人材となり、伊賀光宗も許されて幕政に復帰する。彼らが本気で謀叛をたくらんでいたというよりは、泰時・政子らが不安材料を早めに除くために起こした事件のようにもみえる。いずれにしても、将軍や北条氏と姻戚《いんせき》関係を結ぶ有力御家人は、つねに疑いをもたれる立場にあった。御家人勢力に対抗するためには北条一門を拡大せねばならず、実権はもたせないにしても将軍を廃するわけにはいかず、この先、北条氏は構造的な矛盾を抱えつつ発展していく。それは幕府そのものが抱える矛盾とまた一体のものであった。

寛喜の飢饉――民衆と政権との関係

朝廷と幕府の体制は安定したものの、社会情勢は必ずしも明るくなかった。寛喜《かんぎ》二年（一二三〇）は夏に霜が降りて雪が降るなど、全国的な気候不順の年となった。作物は実らず、この年から翌年にかけて、全国は深刻な飢饉《ききん》に見舞われた。餓死者があふれ、疫病が蔓延《まんえん》し、群盗が横行するなど、悪循環ははてしなく続いていた。貴族の家僕にも餓死する者がおり、歌人藤原定家《ふじわらのさだいえ》は「街路に捨てられた遺骸《いがい》の死臭が、家の中にまで漂ってくる」と、日記（『明月記《めいげつき》』）に記したのである。

この惨状に公武の政権はそれぞれのやり方で対処した。北条泰時《ほうじょうやすとき》は、伊豆《いず》・駿河《するが》両国の窮民のために米を与えることを命じた。また人身売買禁止の原則を枉《ま》げ、妻子を売ったり、富かな家に養われて奴婢《ぬひ》となることを許可する法令を出した。幕府内部でも倹約を奨励したようで、幕府要人たちが食事を質素にしているというわさは都にまで伝わってきた。一方、京都では後堀河《ごほりかわ》天皇に皇子（のちの四条《しじょう》天皇）が誕生し、御五十日儀《おんいかのぎ》・御百日儀《おんももかのぎ》などの祝賀儀礼が盛大に行なわれていた。親王宣下《せんげ》の際の宴席に雑人《ぞうにん》が乱入して、饗膳《きょうぜん》を奪い取ろうとする騒ぎがあり、飢饉のためかとささやかれた程度で、貴族たちは民衆の窮迫を真剣に考えてみようとはしなかったのである。

朝廷が企画したのは、攘災《じょうさい》のために伊勢《いせ》神宮に公卿《くぎょう》勅使を派遣することだった。権中納言四条隆《ごんちゅうなごんしじょうたか》親《ちか》が勅使となり、八〇〇人余からなる一行を率いて伊勢神宮に参詣《さんけい》し、飢饉の解消を祈って奉幣《ほうべい》するのである。当然のことながら莫大な費用がかかる。そのおもなものは、内《ない》・外宮《げくう》の宮司に与える禄物《ろくもつ》・神宝《しんぽう》（神宮に奉納する宝物）・勅使一行のための駅家雑事《えきかぞうじ》（経路にあたる国や宿での、宿泊や替馬《かえうま》の準備など、移動にかかわる負担）の三種である。

禄物は諸国司《こくし》に賦課し、神宝については金銀・錦・綾《あや》などを各所から調達したほか、幕府から御《ご》家人《けにん》の成功《じょうごう》（朝廷の官職を金銭で買うこと）によって四〇〇貫《かん》（非常に大ざっぱにいって四〇〇〇万円くらい）ほどが献じられた。第三の駅家雑事は、経由地となる近江《おうみ》・伊勢両国に一国平均役《いっこくへいきんやく》として賦課されることになった。近江国でその徴収業務にあたり、勅使一行のために奔走したのは、守護《しゅご》・国司兼任の御家人佐々木《ささき》信綱《のぶつな》である。彼は国内の荘園《しょうえん》に使者を派遣して積極的に徴収を行なったが、有力な荘園領主は朝廷に申請して免除や徴収使の不入《ふにゅう》を求め、朝廷もこれに応じた。信綱は、朝廷の発する恣意《しい》的な免除決定に悩まされた。結局「荘園が支払わなかったぶんは、守護・地頭《じとう》の力によって補塡《ほてん》しよう」と呼びかけ、不足分は武家側が自腹を切って、道路の整備や勅使の接待につとめたのである。朝廷は、「このたびのことは、武家に頼まなければ何もできなかったに違いない」と賞賛した（褒めるのはただである）。幕府開創期から、一国平均役の徴収が守護に命じられていたことは第一章で述べた。徴収業務をいとも簡単に武家に命じ、一方で、皇族や有力諸家の免除要請に安易に応じる朝廷の矛盾した姿勢は、この後もたびたび幕府を悩ませることになる。

公家の撫民・武家の撫民

大飢饉《ききん》に対応して幕府がとった施策は、現代の私たちにも理解しやすいものである。それに比べて朝廷の行なった公卿勅使《くぎょう》の派遣は、飢饉に襲われた民衆をますます苦しめるようにしかみえない。しかし、日照りなら請雨経法《しょううきょうほう》、雨続きなら止雨奉幣《しうほうべい》など、生産にとって条件の悪い事態が起これば、その解消を神仏に祈ることこそが朝廷の役割であった。必要な費用は、人々の願いを吸い上げて祈請に参加させるため、広く諸国に課されたのである。

法事やお祓《はら》いを受けるときのことを思い浮かべてみよう。私たちに見えるのは、僧侶や神主の背中だけだ。彼らが仏壇や祭壇に向かってどんな所作をしているのか、また経文や祝詞《のりと》がほんとうのところ何を言っているのか、祈ってもらっている側にはよくわからない。でも私たちは細部にはあまりこだわらない。親族の何回忌とか、地鎮祭とかを粛々と執り行ない、ありがたい感じを抱くことができれば十分で、少なからぬ出費も惜しまないのである。

朝廷が行なうのは、有事の際に社会や民衆の意思を結集して神仏に祈ることであって、朝廷は民衆に対して背中を見せている。一方、幕府の飢饉対策は、窮乏した民衆に向き合い、実効性はともかく、彼らに寄り添い、救おうとするものだったといえる。公卿《くぎょう》勅使の経費徴収もまた、朝廷にかわって民衆と直接対峙《たいじ》する使命を与えられたと解釈できようが、それにしても損な役まわりである。荘園《しょうえん》に入部《にゅうぶ》し、取り立てを行なう武士に対して、百姓らは怨嗟《えんさ》の声をあげたに違いない。一方で彼らは、公卿勅使の美々しい一行をありがたがって迎え、攘災《じょうさい》の願いを込めて見送ったであろう。

朝廷が行なう「公事《くじ》」と呼ばれる儀礼・行事・事業は、規模の大小はあるが、いずれも国家的な合意・共感のもとに行なわれるものである（少なくとも、そういうことになっている）。寛《かん》喜《ぎ》の公卿勅使は、公事の本質がもっとも先鋭的に現われた例だったといえよう。私たちからみれば、本末転倒のように思えるが、公共の福祉を実現するための装置が整備されていない社会にあっては、人々の願い（飢餓のような差し迫った困難から、漠然とした不

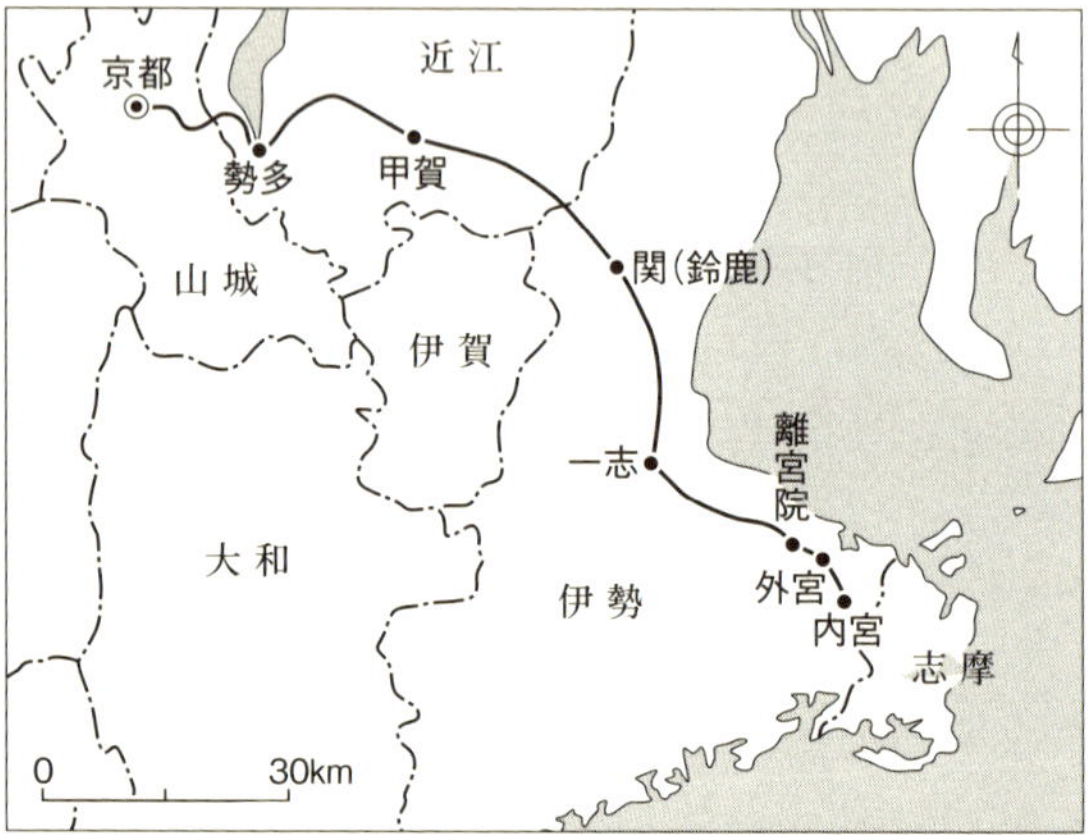

●公卿勅使の参宮経路
寛喜三年（一二三一）の公卿勅使は、一〇月九日に出発、一五日に大神宮に参拝、一七日に帰京。近江《おうみ》国内の勢多《せた》・甲賀《こうが》の二駅では、守護の配慮によって、とくに手厚い饗応が行なわれた。

安や不満の解消、豊作を願ったり、新年を寿《ことほ》いだりするような慣習化されているものまで）を結集し、形にしてくれる公事には、現実的な需要と役割が存在したのである。

幕府は、朝廷の公事に対してさまざまな支援を行なった。経費の徴収業務の代行のほか、成功《じょうごう》による支援や献金である。成功はいわゆる売位・売官で、朝廷の官職を金銭で売買することである。一般には政権の腐敗の象徴のように受け取られがちだが、中世の人々は、公事の資金調達のためにこれを行なうのは、ごくまっとうなことと考えていた。幕府は御家人の自由任官を禁止したが、幕府の認可のもとで成功に応募し、官位を買うことはむしろ奨励した。成功で資金が集まらなければ、つぎは献金の形で朝廷から援助を求められることは必至だったからである。

幕府からの献金は「関東御訪《かんとうおんとぶらい》」「関東別進《かんとうべつしん》」などと呼ばれ、朝廷の資金不足を補填《ほてん》するため、しばしば要請された。「訪《とぶらい》」という言葉は、相手を気遣う行為全般を意味し、そこから訪問や贈答などを指すようになったのだが、それが政治的な献金にも用いられた。すなわち、公式には負担の義務のない賦課や要請に、厚意でもって特別に応ずる行為を意味したのである。贈答や訪は、政権の構成員どうしを結ぶ重要な役割をもっており、訪を求められるのは、この特権的グループに加わることを許されるという意味もあった。朝廷は、権限が縮小し、公式の賦課が形骸《けいがい》化していくのを埋めるために訪に頼るようになり、なかでも幕府への依存が増していったのである。

幕府は公事を支えるための支援を強《し》いられ、朝廷の恣意《しい》に悩まされつづけた。それでも協力の姿勢を保たなければならなかったのは、それらの公事が民衆の支持と必要に基づいていたからであり、幕府独自の公事を創出することができなかったためであった。幕府の抱えた矛盾はしだいに深まっていく。

御成敗式目――ただ道理の推すところを記され候ものなり

「訴訟を裁決するにあたって、当事者の権勢の強弱などによって判断が異なることがないように、あらかじめ法律を定めておくことにしましたので、お送りします。従者は主人に忠を致し、子は親に孝行し、妻は夫に従い、人の心のまっすぐなのを賞揚することこそ、人々の安泰な生活に通ずると考えて、このように定めました。京都のあたりでは、ものを知らない夷戎《えびす》どもが書き集めたこと、と、お笑いになる方がいるかもしれませんが、関東御家人《ごけにん》・守護《しゅご》・地頭《じとう》にもれなく披露して、納得させてください」

「この式目は、とくに根拠とした原典があるわけではなく、ただ道理にかなうように記したものです。当事者の身分の高下にかかわらず、偏頗《へんぱ》なく裁定するための基準として、これらの条々を定めました。律令格式《りつりょうきゃくしき》は漢字を読むことができる者のための法律です。世間には仮名しか読めない者も多いので、誰にでもわかるように表現をやさしくしました。これによって、京都朝廷の裁判や律令格式の内容が、いささかも改められるものではありません。京都の人で非難を加える人がいたら、私の意を汲《く》んで説明してください」

六波羅《ろくはら》探題《たんだい》として京都にいる弟重時《しげとき》に、北条泰時《ほうじょうやすとき》は右のような手紙を書き、御成敗式目《ごせいばいしきもく》五一か条に添えて送った。貞永《じょうえい》元年（一二三二）のことである。幕府はこれまでにも単行の法令は出していたが、今回はまとまった立法であり、しかも広く御家人全体に知らせようとしているのは、この法令が特別な意味をもったものだったことを物語っている。笠松宏至《かさまつひろし》によれば、一般の中世法は、立法した側にさえ控えが残されておらず、裁判の当事者となった者は、自分の主張を有利にするために、必要な法律をどこかから探してこなければならなかった。しかし御成敗式目は、中世を通じて人口に膾炙《かいしゃ》した特異な法となった。

それでは内容を見てみよう。第一・二条は寺社整備と仏神事興行《こうぎょう》をうたっており、この条目を最初に置くのは朝廷の出す公《く》家《げ》法の慣習に倣ったものである。五一か条全体がひとつのまとまりをもち、政策上の明確な意図のもとに発せられていることを示している。以下、諸国の守護《しゅご》・地頭《じとう》の職務・職権と朝廷・本所《ほんじょ》との関係、御家人領知行《ちぎょう》の原則、刑事法・家族法・訴訟法など、武家政権の体系的な法的基準が定められた。「右大将《うだいしょう》家の御時」「大将家の例」など源頼朝《みなもとのよりとも》の時代の立法や慣例、頼朝による裁定などが源泉であることが強調されており、多くの政変や合戦の末に、絶対的な存在である頼朝の遺

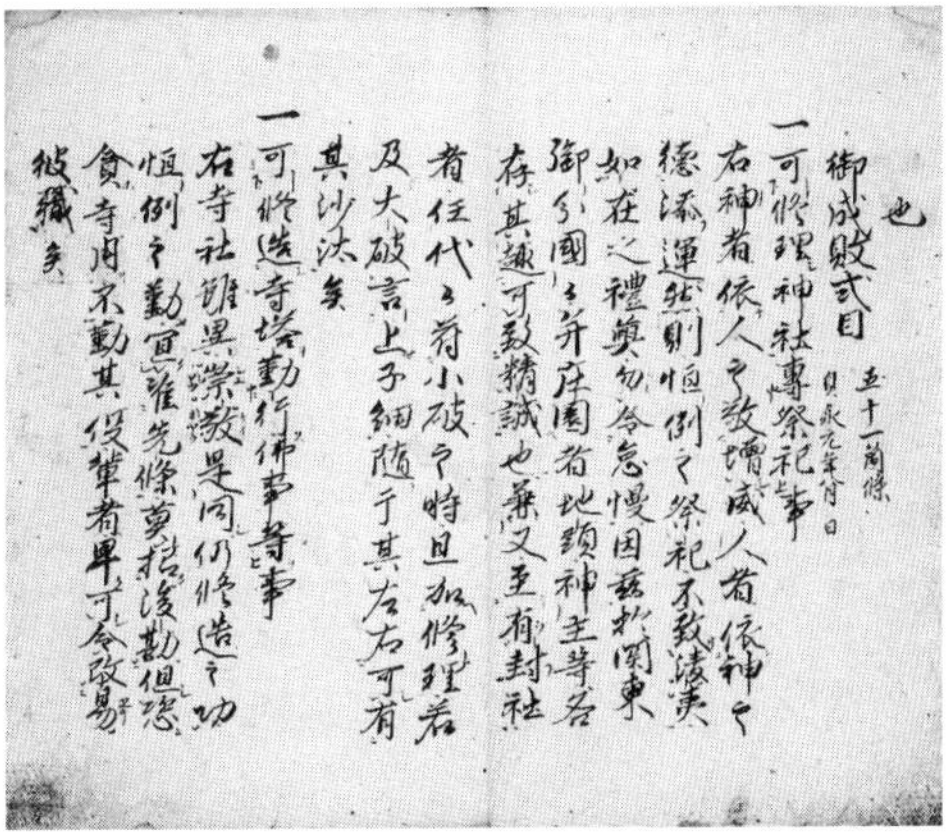

4

◉鎌倉幕府の基本法典、御成敗式目
武家社会の慣習法を明文化し、幕府や御家人たちにとっての総合的な規範を示した。公家法とは異なる規定を設けた部分もあり、武家の独自性が打ち出されている。

志を受け継ぐものとして制定されたのがこれら五一か条であったことがわかる。

直接的には、承久《じようきゆう》の乱《らん》後の新補《しんぽ》地頭の設置によって、本所や在地住人らと地頭との紛争が増大したこと、また寛喜《かんぎ》の飢饉《ききん》に対する徳政《とくせい》の必要が、御成敗式目制定を促したと考えられる。幕府法廷での荘園《しようえん》本所―御家人間相論は、「事実者《ことじちならば》」すなわち本所側の主張が事実ならばと、そのまま認めて本所を勝訴とするのが一般的だった。しかし式目制定後は、原告・被告の申状《もうしじよう》（訴状・陳状）の応酬および直接対決など、手続きにのっとった裁判が展開された。当事者の主張が精査されることにより、裁判の結果も本所と御家人との間で拮抗《きつこう》するようになるのである。

道理と合議

御成敗式目《ごせいばいしきもく》の制定に際しては、執権《しつけん》・連署《れんしよ》を含む一三人の評定衆《ひようじようしゆう》が起請《きしよう》（誓約）を行なった。裁定を下すにあたっては、公正を旨としてもっぱら道理に従い、結論は全員の「一味の義」と認識することを誓ったのである。すなわち、源頼朝《みなもとのよりとも》にかわる権威として、道理に従った法と、合議による公平な理非の判断が採択されたと理解できる。権力の多元性や支配の重層性が当たり前だった社会に、法＝道理の公平な適用という一元的基準を導入したことは、まさに画期的と評価できる。

北条《ほうじよう》氏はたしかに権力を握ったが、それを裏付ける理念や権威に不足していた。権威となるはずの将軍を否定し形骸《けいがい》化させることによって、同氏は力を伸ばしてきたからである。御家人《ごけにん》らとの抗争も終わったわけではなかった。一定の基盤は固めたが、盤石《ばんじやく》とは、とうていいえなかったのである。このような状況において、道理と合議が選び取られた。
この二つの概念は、どこから見ても正論には違いない。しかし道理や公正さを突きつめれば、正しい結論はつねにひとつのはずだから、その行使者は誰であっても同じ——取り替え可能ということになろう。また合議制は、現代人からみれば民主的な議論に基づく適正な方式と思える。しかし、鎌倉幕府の合議は、御家人らの意思を統合できないからこその合議だった一面がある。挙兵の際の頼朝が、味方してくれる武士をひとりずつ呼んで「お前だけが頼りだ」とやったように、主従制は本来、非常に個人的で密室的な関係である。従者にとって主人は唯一無二であるが、従者は同時に、主人にとっても自分が特別な存在であることを夢想する（もちろん、主人はひとりで従者は大勢だから、そんなことはめったに実現しないのだが）。すべての御家人に対して公正という姿勢は、主従制の本質とも齟齬《そご》をきたすことになるのである
さらにもうひとつ、武家にとっての道理と、公家《くげ》にとっての道理、論理の組み立て方の違いについて述べておこう。前出の撫民《ぶみん》概念の違いにも通じることだが、前者が事実の追求に基づいて道理と非理の弁別を行なおうとするのに対し、後者は現実にあわせて都合のいい理屈を組み立てようとする。公家の議論では、律令《りつりょう》の条文と政治的に望ましい結論とを、うまく結びつける理屈を法曹官《ほうそうかん》人《じん》が探すことになるのだが、この方式は、朝廷が民衆を背後において神仏と折り合おうとする際のやり方を敷衍《ふえん》したものなのである。
天災や怪異などを神仏のなんらかの意志の表明とみて、それをなだめ、鎮めるべく努めるのが朝

廷の役割である。飢饉《ききん》には公卿《くぎょう》勅使、神社の汚濁には神殿の造替などである。だが、ほんとうのところ神仏が何を求めているのかなど、わかるわけがない。朝廷は実現可能な対応を決定し、それが必要十分であることを説明できればよいのである。このような論理の組み立て方は、ご都合主義でもあり、柔軟でもあり、場合によっては優美とすら感じられる。公武の道理の違いは、さまざまな場面で人々の行動規範に影響を与えていく。

公武協調体制の進展

九条道家と鎌倉幕府

承久《じょうきゅう》の乱《らん》後の朝廷を主導したのは誰だったろうか。安貞《あんてい》二年（一二二八）一二月、九条道家《くじょうみちいえ》が関白に就任した。彼は西園寺公経《さいおんじきんつね》の娘綸子《りんし》を妻にしており、多くの子女に恵まれていた。のちに摂政・関白となる教実《のりざね》・良実《よしざね》・実経《さねつね》のほか、鎌倉に下向《げこう》して将軍となっていた頼経《よりつね》、さらに後堀河《ごほりかわ》天皇の中宮として四条《しじょう》天皇を産んだ竴子《しゅんし》（のちの藻壁門院《そうへきもんいん》）など、東西政界の枢要の位置を占めた人々である。西園寺公経は、承久の乱を企てる後鳥羽《ごとば》院に反対し、殺されそうになったり幽閉されるなどの苦渋をなめたが、乱後には幕府と朝廷との交渉の窓口となる関東申次《かんとうもうしつぎ》の役をつとめ、親幕派公《く》卿《ぎょう》として権勢を築いていた。

貞永《じょうえい》元年（一二三二）一〇月には後堀河天皇が譲位、わずか二歳の四条天皇が践祚《せんそ》した。前月に彗星《すいせい》が出現したことを不吉として道家が強行したもので、これによって彼は外戚《がいせき》の地位を手に入れたのである。翌天福《てんぷく》元年（一二三三）五月、彼は自己の政治方針を示す奏状を作成した。「徳政《とくせい》の要《かなめ》」として「任官叙位《じょい》のこと」「訴訟決断のこと」の二か条をあげたものである。とくに第二条は「人に相伝の荘園《しょうえん》あり」と始められており、荘園関係の訴訟（本領主と新たに権利を得た新給人《しんきゅうにん》との争いが想定されており、乱後に急増した種類のものであろう）の公正・迅速な処理をうたう。〝人〟に対して適切な処置をとることが、神を喜ばせる善政となり、攘災《じょうさい》に通じると、その重要性を説明する。この主張は、天災や神社における怪異への対応（卜定《ぼくじょう》・祈請など）を第一とし、荘園所領に関する訴訟を「雑訴《ざっそ》」と称して軽んじてきた朝廷のこれまでの姿勢からの明確な転換といえる。人を神に従属させるのではなく、

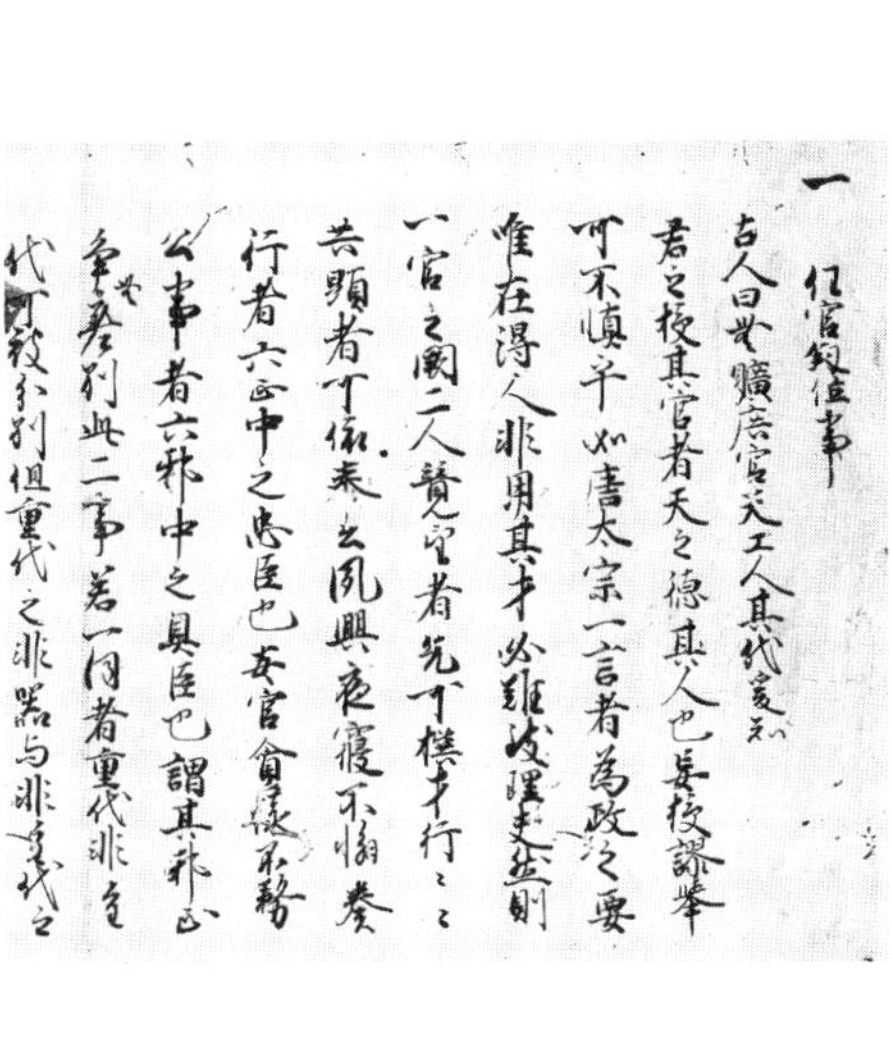

◉九条道家奏状案（部分）
公正な人事と迅速な裁判を実現して、人心を安堵させることこそが徳政だと述べる。道理の究明の強調、妖邪を排し、仁徳を重んずる姿勢は、公武協調の新しい政治思想を示す。

人の喜びや恨みこそが神を動かすと、優先順位を逆転させたのである。

幕府の動きと同調して、道家は朝廷の裁判機能の整備・充実を図り、寛元《かんげん》二年（一二四四）の西園寺公経没後は、関東申次の役割を引き継いだ。鎌倉では、彼の息子である将軍頼経が成長しており、道家は東西呼応する体制を牽引《けんいん》していった。

後嵯峨天皇の誕生

九条道家《くじょうみちいえ》体制の大きな柱であった四条《しじょう》天皇は、わずか一二歳で急逝した。仁治《にんじ》三年（一二四二）正月のことである。道家は順徳《じゅんとく》天皇の皇子忠成王《ただなりおう》を後継にと考えたが、幕府は、土御門《つちみかど》天皇の皇子邦《くに》仁王《ひとおう》を指名してきた。幕府は承久《じょうきゅう》の乱《らん》に消極的であった土御門の継嗣を重んじ、また、邦仁の大叔父で、北条泰時《ほうじょうやすとき》・重時《しげとき》の姉妹を妻にしている前内大臣土御門定通《さだみち》が、関東に使者を送って邦仁を推す政治工作を行なった。幕府の使者をつとめた安達義景《あだちよしかげ》は、鎌倉を発《た》つ前に「順徳院の宮がすでに位に就かれていたらどうしましょう」と尋ねた。執権《しっけん》泰時は「そのようなことになっていたら、位から下ろし申しあげろ」と答えたという。

ほとんど忘れられ、元服も遂げていなかった二二歳の邦仁は、忠成のために用意されていた、寸法の合わない装束を着て践祚《せんそ》した。後嵯峨《ごさが》天皇の誕生である。

一方、鎌倉にはまたも暗雲が立ちこめてきた。五月に、北条泰時が病のために出家したのである。翌日には、すぐ下の弟である名越朝時《なごえともとき》が出家した。泰時出家の報を受け、重時《しげとき》・時盛《ときもり》の両六波羅探《ろくはらたん》題《だい》はすぐに鎌倉に向け出立、しばらくして関東において陰謀が露見し、合戦が行なわれるという風聞が京都に伝わってきたという。朝時が泰時と疎遠だったことは周知の事実であった。泰時の後継をめぐって争いがあり、それが収拾された結果として、朝時が出家させられたのだと考えられる。泰時は六月一五日に六〇歳で亡くなった。泰時の長男時氏《ときうじ》は寛喜《かんぎ》二年（一二三〇）に二八歳で死去、次男時実《ときざね》は安貞《あんてい》元年（一二二七）に殺害されていたため、時氏の息子で一九歳の経時《つねとき》が跡を継ぐことになった。

　幕府主導で後嵯峨天皇が擁立されたことは、京都の貴族たちにとっては大きな衝撃であった。「凡《ぼん》卑《ぴ》の愚か者が帝位を決定するなど前代未聞である」と痛罵《つうば》の声があがったのである。泰時自身については、廉直な人柄で、道理にそった善政を行なったという評価が一般的だったが、朝廷の重大事が「東風」（幕府の意向）で決められる体制が彼によって確立した事実は、複雑に受け止められていた。泰時の死は後鳥羽《ごとば》院の祟《たた》りだとか、臨終の様子が平清盛《たいらのきよもり》のそれのようだったなどのうわさが、あちこちでささやかれたのだった。

天皇と九条道家関係図

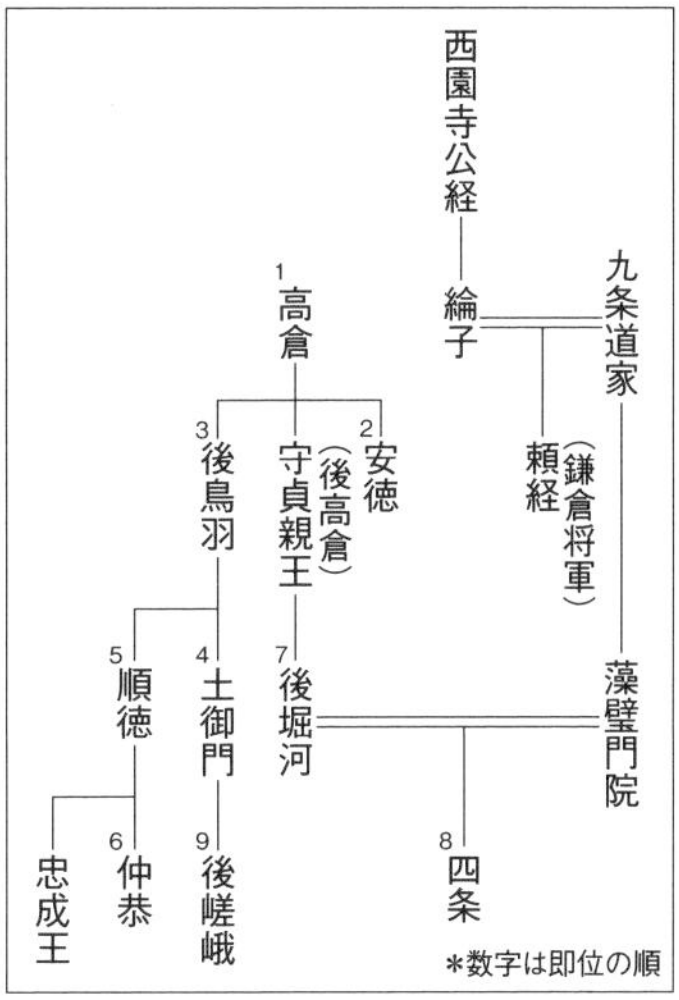

宮騒動

二歳の三寅《みとら》として鎌倉に下った将軍頼経《よりつね》も、すでに二〇代なかばである。北条《ほうじょう》氏嫡流の独占体制に不満をもつ勢力の中核として、しだいに力をつけ、若き執権経時《しっけんつねとき》を脅かしていた。北条執権政治が提唱した道理による政治と、将軍を戴《いただ》く主従制との相克である。

経時は訴訟・裁判の振興を打ち出した。同時に、評定事書《ひょうじょうことがき》（判決の要旨）の将軍による閲覧を、手続きの延滞を理由に省かせたり、泰時《やすとき》執権時代の判決に特別の意味をもたせるなど、裁判の主宰者を、将軍から執権に移行させようとしたのである。

寛元《かんげん》二年（一二四四）四月、頼経は突然に将軍位を辞した。六歳の息子を元服させて頼嗣《よりつぐ》とし、ただちに征夷大将軍《せいいたいしょうぐん》の宣下《せんげ》を受けさせた。将軍派と執権派の対立が深刻化したための将軍交替と思われる。すぐに頼経の帰京が計画されたが、さまざまな理由で延期が繰り返され、頼経は幼い頼嗣の後見として力を保ちつづけた。

寛元四年、北条経時が病に倒れ、私邸での秘密会議（深秘《しんぴ》の御沙汰《ごさた》）によって弟の時頼《ときより》が執権を継ぐことが定められた。経時は出家し、閏《うるう》四月に死去、五月には名越光時《なごえみつとき》（朝時《ともとき》の息子）

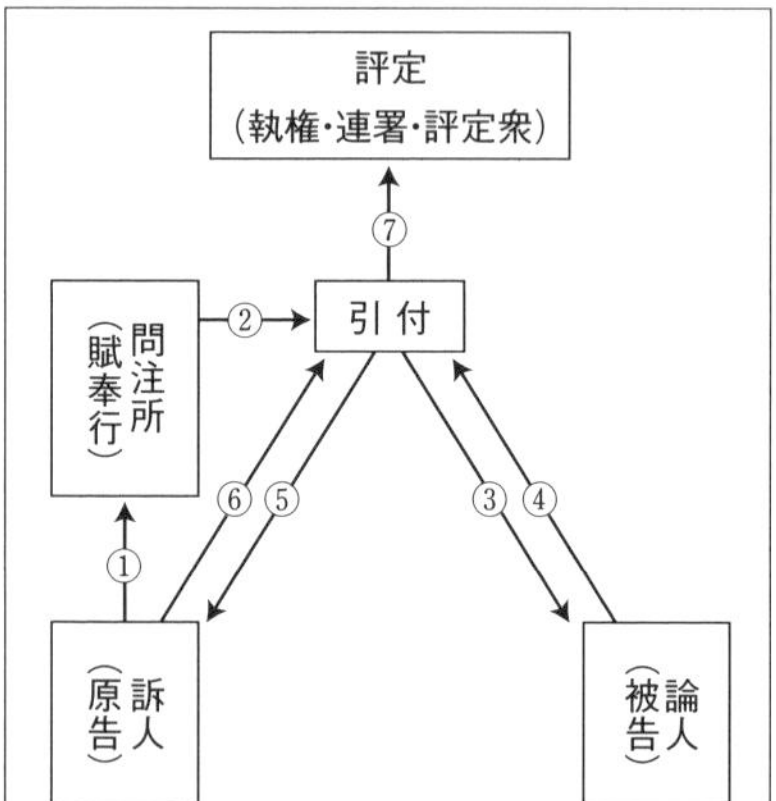

◉幕府の訴訟手続き
①訴人《そにん》が訴状を問注所《もんちゅうじょ》に提出。
②問注所の賦《くばり》奉行が担当の引付《ひきつけ》を決める。
③〜⑥引付の指示により訴人と論人《ろんにん》が書面で主張を述べる。これを三回行なう（三問三答）。
⑦引付による判決原案を評定会議が検討のうえ、関東下知状《かんとうげちじょう》で判決を下す。

が頼経とともに謀叛《むほん》を企てたとして粛清された。執権側の示威行動を受けて、光時は出家、弟の時章《あきら》・時長《ときなが》・時兼《ときかね》らは異心なき旨を時頼に誓った。光時は越後《えちご》守護以下の所職《しょしき》を奪われて伊豆《いず》に配流《はいる》、弟のひとり時幸《ときゆき》は自害した。泰時の晩年以来懸案であった名越氏の排除は、このようにして達成された。頼経も京都に送還されることとなり、千葉《ちば》秀胤《ひでたね》ほか評定衆《ひょうじょうしゅう》からも多くの者が解任され、将軍派は一掃された。以上が宮騒動の顛末《てんまつ》である。

はっきりした武力衝突は起こらなかったが、泰時の死の前後より、鎌倉全体はただならぬ雰囲気に包まれていたに違いない。ついに表面化したのが、宮騒動だったのであろう。一連の政治判断は、時頼のもとでの「内々の御沙汰」「深秘の御沙汰」の結果として行なわれた。そのメンバーは北条政《まさ》村《むら》・金沢実時《かねざわさねとき》・外戚《がいせき》安達義景《あだちよしかげ》（姉妹の松下禅尼《まつしたぜんに》が経時・時頼の母）だったが、のちに三浦泰村《みうらやすむら》が加えられた。和田《わだ》合戦以来のキーパーソンである同氏を引き入れておく必要があったのだと思われる。

一方、京都では、頼経の父である九条道家《くじょうみちいえ》が、この一件に加担していたとうわさされ、騒然となった。道家は籠居《ろうきょ》に追い込まれ、関東申次《かんとうもうしつぎ》は西園寺実氏《さいおんじさねうじ》（公経《きんつね》の息子）に交替した。

後嵯峨院政

京都では、この寛元《かんげん》四年（一二四六）の正月末に、後嵯峨《ごさが》天皇が後深草《ごふかくさ》天皇に譲位、二六年間に及ぶ院政を開始したところであった。幕府からは、宮騒動の経緯の報告とともに、叙位《じょい》・除目《じもく》ほか万事正道を行ない、徳政《とくせい》を実施するようにとの要請がなされた。これを受けて、後嵯峨院のもとで院《いん》評定制《ひょうじょうせい》の整備が行なわれたのである。承久《じょうきゅう》の乱《らん》以前の、院のカリスマ性に基づく属人的な政治方式の敗退、幕府に従属する停滞期を経て、ふたたび院が主導権をもち、公家《くげ》政権を合理的に運営する制度が生まれたといえる。活力にあふれた院政時代とは比べるべくもないが、新しい軌道を定めた政治方式の始まりであった。

院のもとで政務運営を担った評定衆は、幕府の意向を容《い》れて選ばれ、関東申次《かんとうもうしつぎ》の西園寺《さいおんじ》実氏《さねうじ》・後嵯峨即位に貢献した土御門《つちみかど》定通《さだみち》などの有力廷臣のほか、名家《めいか》と呼ばれる中流貴族層で構成された。名家とは、蔵人《くろうど》・弁《べん》などの文官系の役職を経て公卿《くぎょう》に列する家柄で、一方には羽林《うりん》・清華《せいが》などの武官系の家柄がある。名家の人々は、もともと摂関家《せっかんけ》の家司《けいし》などをつとめていたため、〝諸大夫《しょだいぶ》〟と呼ばれて軽んじられることもあったが、儀式の差配や文書作成、論理的思考などに優れ、政治の担い手として期待された。

また、院への奏聞《そうもん》を担当する伝奏《てんそう》という役職を定め、側近や女房らによる恣意《しい》的策動を排除、諮問機関として記録所《きろくじょ》・文殿《ふどの》なども整備した。構想としては、九条道家《くじょうみちいえ》が描いた徳政と一般訴訟の推進を受け継いでおり、政務や裁判の迅速・公正な処理を意図した改革である。ただし、あまりにも

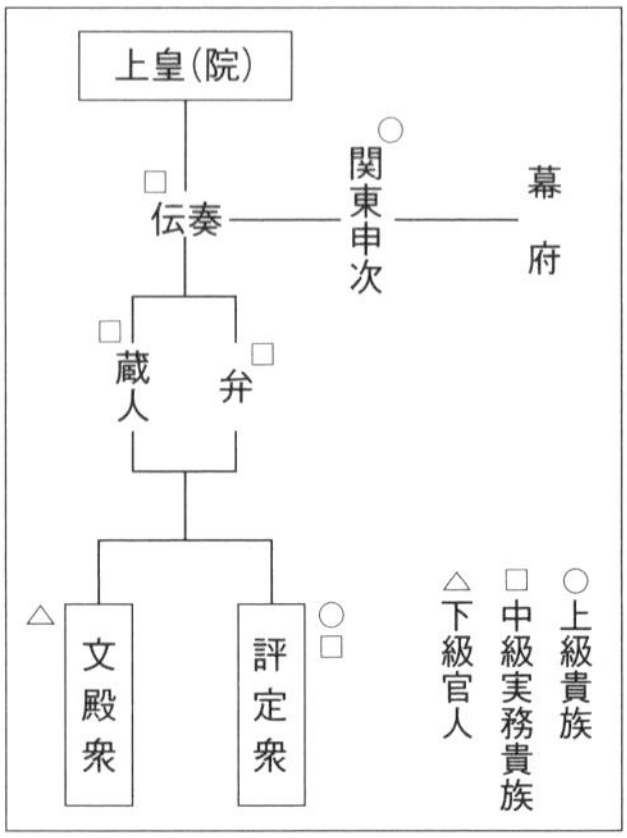

◉後嵯峨院政期以降の朝廷訴訟の手続き
訴訟や申請は弁・蔵人のもとに提起され、伝奏がこれをうけて上皇の判断を仰ぐ。さらに必要に応じて、評定衆が審議し、法律の専門家である文殿衆の意見を求める。

予定調和的とみえるのは、すでに公家政権が内発的な動機によって動くことのできない組織となっていたことを表わしているのだろう。

宝治合戦

鎌倉の状況はとても予定調和的にはみえなかったが、北条氏《ほうじょう》にとっては想定の範囲内だったのかもしれない。将軍派勢力は依然健在であり、頼経《よりつね》を京都に送り返して一年にもならない宝治《ほうじ》元年（一二四七）、とうとう衝突が起こった。反北条勢力に与《くみ》することを何度も求められながら、そのつど北条氏に懐柔されてきた三浦《みうら》氏が、ついに追いつめられたのである。同氏は千葉《ちば》氏・小山《おやま》氏と並んで「自然恩沢《じねんおんたく》」を誇る相模国《さがみのくに》の豪族で、幕府草創以来の最有力の御家人《ごけにん》一族である。当主泰村《やすむら》の弟光村《みつむら》は、二〇余年にわたって頼経の側近として仕え、京都に戻る頼経との別れ際に、「いま一度鎌倉に入れ奉らん」と約束したという。

三浦氏に対して包囲をせばめていったのは、景盛《かげもり》・義景《よしかげ》らの安達《あだち》一族である。六月五日未明、北《ほう》条時頼《じょうときより》は三浦泰村に使者を送り、討伐の意志がないことを告げた。しかし、安達景盛は、和解が成立したら三浦氏の優越が確定すると判断し、泰村邸襲撃に踏み切った。泰村らは館を出て源頼朝《みなもとのよりとも》墓所の法華堂《ほっけどう》に立てこもった。総勢五〇〇人余が、頼朝の御影《みえい》の前で、往時をしのびつつ念仏を唱え、自害したという。また泰村の妹婿《いもうとむこ》であった千葉秀胤《ちばひでたね》の一族も滅ぼされた。宝治合戦と呼ばれる三浦氏族滅の戦いである。

頼経の京都送還に至る状況について、『吾妻鏡《あずまかがみ》』の記述はあまり歯切れがよくない。それが逆に事態の深刻さを表わしているのだろうが、一転して宝治合戦については、じつに饒舌《じょうぜつ》である。三浦氏の最期の様子は、法華堂の天井裏に隠れて一部始終を見ていた法師の証言なるものによって語られる。光村が一貫して強硬姿勢をとっていたのに対し、泰村は、いまさら北条殿を恨んでも仕方なかろうと話すなど、諦念《ていねん》を表わしていたという。おそらく三浦氏滅亡の場所は、頼朝法華堂でなくてはならなかったのである。不運な結果にはなったものの、彼らは幕府や北条氏を否定して滅びていったわけではないことを、後世に説明する必要があったのだろう。実際には、もっと凄惨《せいさん》な場面が展開したのかもしれない。これをもって、北条氏に対抗しうる南関東の豪族は一掃された。

京都では、九条道家《くじょうみちいえ》の不仲の息子である良実《よしざね》が、宝治合戦の背後に父の画策があることを幕府に通報した。さらに、建長《けんちょう》三年（一二五一）、三浦・千葉の残党とみられる了行法師《りょうぎょうほうし》らが謀叛《むほん》の疑いで捕らえられる事件が起こった。了行が前将軍頼経の策謀を自白したことから、将軍頼嗣《よりつぐ》は廃され、九条家と幕府との紐帯《ちゅうたい》は失われた。かわって後嵯峨《ごさが》院皇子の宗尊《むねたか》親王が鎌倉に下向《げこう》したのである。

6

◉源頼朝墓（法華堂跡）
頼朝の遺体は、幕府後方の丘陵中腹にあった持仏堂（法華堂）に葬られた。墓ははじめ五輪塔であったが、江戸時代に、頼朝の子孫を称する島津重豪《しまづしげひで》が、現在の層塔に改修した。

中世の経済構造

銭の病

院政期から鎌倉時代中期にかけて、経済の方式は大きく変化した。とくに朝廷財政の構造転換、貨幣使用の一般化などが大きな問題となる。そこで、本節ではこの期間の経済の動向について、まとめて述べることにしよう。

治承《じしょう》三年（一一七九）七月末、九条兼実《くじょうかねざね》のもとに「銭《ぜに》の直法《じきほう》」（銭による法定価格の設定）について諮問する高倉《たかくら》天皇の綸旨《りんじ》（天皇の意向を受けて出される書状様式の文書）が届けられた。万物の沽価《こか》（売買の際の価格）が混乱しているのを安定させるための措置である。少し前には「近日天下の上下病悩す。これを銭の病《やまい》と号す」（『百練抄《ひゃくれんしょう》』）といわれており、貨幣経済をめぐって社会的な問題が生じていたことがわかる。この年の八月に平重盛《たいらのしげもり》が没し、平氏政権は暴走から崩壊へと向かうのだが、同氏が手広く行なった日宋《にっそう》貿易の重要な輸入品が宋銭であった。

対外貿易の伝統的拠点としては大宰府《だざいふ》があるが、博多《はかた》・筥崎《はこざき》付近には多くの中国人が在留し、「綱《こう》首《しゅ》」と称されるリーダーに率いられた商人組織が形成されていた。平氏の都福原《ふくはら》にも多くの宋人が出入りし、高倉《たかくら》院の厳島御幸《いつくしまごこう》には平氏所有の宋船が用いられるなど、国際色は都近くにまで及んでいた。日本からの輸出品としては、金・水銀・硫黄《いおう》・木材のほか、蒔絵《まきえ》・扇・螺鈿《らでん》・屏風《びょうぶ》・日本刀などの工芸品が主であった。輸入品は錦・綾《あや》などの高級織物・陶磁器・文房具・書籍などの中国製品および香料・染料・薬品類などの南アジア産品、薬用人参《にんじん》・紅花などの高麗《こうらい》の産品だった。宋銭は輸入品のなかでも主要な位置を占め、皇朝十二銭《こうちょうじゅうにせん》（和銅《わどう》元年から天徳《てんとく》二年〔七〇八〜九五八〕にかけて行なわれた国家による銭貨《せんか》鋳造）以来、国家による貨幣鋳造が行なわれなかった中世社会において不可欠の品目となっていった。

ただし、宋銭の使用は国家が主導したものではない。高倉天皇の諮問も、「銭の直法」の採否をも含めた判断を求めるものであった。以後も宋銭使用は必ずしも歓迎されたわけではなく、建久《けんきゅう》四年（一一九三）には停止が命じられている。治承《じしょう》三年の「銭の病」の実態は、桜井英治《さくらいえいじ》によれば、銭の導入によって貨幣機能を奪われた米や絹布が、諸物資に対する購買力を低下させた現象ではないかという。諸物資の米・絹布建て価格が高騰し、米・絹布建て財政をとっていた朝廷や国衙《こくが》に打撃をもたらした。治承・寿永《じゅえい》の内乱期には、宋銭使用停止の動きがみられなくなるが、これは養和《ようわ》の飢饉《ききん》によって米価が持ち直し、

皇宋通宝　熙寧元宝　元豊通宝　元祐通宝
聖宋元宝　政和通宝　皇宋元宝

●おもな宋銭
戦国時代以前の日本では、金・銀などの貴金属類の貨幣使用は行なわれず、経済活動はもっぱら輸入銭に依拠していた。全国から、甕《かめ》などに詰められた大量の宋銭が出土している。写真は原寸の約80％。

7

財政的な問題が解消されたためと考えられるという。嘉禄《かろく》二年（一二二六）には鎌倉幕府が、布の貨幣的使用を禁止し、銭の使用を命ずる法令を出す。院政期以降の経済発展は交換の具としての銭を必要としており、銭に対する社会的需要は止めることができなくなっていた。

中世の支配者は銭を鋳造しようとせず、もっぱら輸入に頼っていた。のちの建武《けんむ》新政期に後醍醐《ごだいご》天皇が紙幣の発行を企てるが、これは計画倒れに終わったようである。一般に中国の周辺諸国においては、朝鮮・ベトナムなど、中国に隣接し、その強い影響下にあると思われる国で銅銭自鋳が試みられ、逆にジャワや日本など比較的離れた地域では中国銭の流用ですませる傾向がみられる。国家的大事業や大規模な対外戦争などを企てるのでなく、一般的交換手段として用いるだけならば、すなわち国家財政が名目貨幣発行による利益を必要としないならば、輸入される銅銭だけで十分だったからだと桜井はいう。たしかに、自鋳の手間や経費をかけるよりも、対外貿易の主宰者を政治的に管理したほうがずっと簡単だったであろう。

文書と銭

中世の貨幣事情について特筆すべき点は、それが輸入銭だったこととともに、金・銀などの貴金属の貨幣使用が行なわれなかったことである。金・銀は贈答や、工芸品の素材などとして用いられる程度で、支払い手段としてはもっぱら一枚一文《もん》の銭が使われていたのである。もちろん銭は米に比べればずっと輸送が簡単だが、高額になれば日常の使用には不便な点も多いだろう。

時宗《じしゅう》の開祖一遍《いっぺん》の全国遊行《ゆぎょう》の生涯を描いた絵巻物『一遍聖《いっぺんひじり》絵《え》』には、備前国福岡市《びぜんのくにふくおかのいち》の光景が描かれているが、そこに、手に銭緡《ぜにさし》を持って女商人と商談する男性が見える。一〇〇文の銭を、中央の穴の部分に藁《わら》や紙縒《こよ》りを通して、棒状にまとめたものである。もっと高額になると、一〇〇〇文分（一貫《かん》）の銭に紐《ひも》を通し、大きな輪状の銭緡として用いる（ただし省百法《せいひゃくほう》という原則により、たとえば一〇〇文の銭緡なら、九六～九七枚で一〇〇文と見なすことになっていた）。市場のように不特定多数の人々が取り引きをする場では、銭が多用されたと思われる。匿名の存在どうしが売買を行なう手段として、銭は非常に有効であった。

ただし、不動産や年貢の輸送などが絡む高額の取り引きにおいては、銭の一般的使用以前から、文書を用い、金融業者に仲介させる方法が発達していた。日吉《ひえ》社大津神人《おおつじにん》の金融活動を示す早期の例である保延《ほうえん》二年（一一三六）の史料（『壬生家文書《みぶけもんじょ》』）には、国司《こくし》の借金返済が滞っていることの証拠として「讃岐守庁宣《さぬきのかみちょうせん》四枚」「参河守《みかわのかみ》庁宣三枚」などを、神人が所有していることが示されている。庁宣（国司《こくし》庁宣）は、在京の国司から国衙《こくが》の在庁官人《かんじん》に送られる文書で、この場合は国衙に

8

●備前国福岡市
画面右上で、笠をかぶった女性と、尻はしょりした男性の間で、反物の売買が行なわれている。男性が手に持っている細長いものが銭緡。福岡は現在の岡山県長船町《おさふねちょう》。（『一遍聖絵』）

対して諸物資の進済《しんさい》を命じる内容をもっていたのであろう。支払い命令を内容とする文書が手形として金融業者の手に渡り、不渡りになってしまったと理解できる。

諸国から中央に物資が納められるにあたっては、支払い命令文書と支払い完了を示す返抄《へんしよう》などの各種の文書がやりとりされ、国司の任期満了時に、それらの文書を監査する公文勘会《くもんかんかい》が行なわれることになっていた。完備された文書体系と、納物の難済化とのギャップが生じたところに、金融業者が入り込んで、必要物資の前納や徴収の代行などのさまざまな操作が行なわれるようになったのである。彼らは「借上《かしあげ》」と呼ばれるが、多くは寺社に所属する神人《じにん》・寄人《よりゆうど》で、神仏に捧げる「初穂《はつほ》」を運用して仏神事の資とする行為から発し、関所の自由通行・臨時課役の免除などの特権を利用して成長したのである。

手形による決済は中世を通じて発達を遂げたが、これは商品経済の発達の結果として生まれたものではなく、現物の調達・輸送が必要に見合ったペースで行なわれなかったことが原因と考えられる。米よりも銭、銭よりも文書のほうが、輸送コストははるかに安い。しかも徴収業務を金融業者に代行させれば、何割かの手数料を払っても損はない。国家財政の形骸化に伴い、国司や諸官司《かんし》発給の支払い請求文書はその役割を終えるが、かわって荘園領主・知行国主の経済圏に属する者たちは、金融業者との関係を深め、彼らと日常的に取り引きを行なうようになる。物流や交換のあらゆる側面に金融業者が絡み、その活動が文書の授受によって担保されるという、中世経済の基幹をなす方式は、ここから始まったのである。

便補保・商業課税・金融業者

朝廷の政務および宮廷の生活を支える多くの官司《かんし》（役所）は、諸国から徴収する納物によって運営されていたが、その滞納の深刻化に応じて、財源の再編成が行なわれる。一二世紀なかば以降の便《べん》補保《ぽのほ》の設置、一三世紀前半期からの商業課税の開始などである。便補保とは、納物を徴収するかわりに、諸国に財源となる所領を設定したものである。便補保は国司《こくし》との交渉を経て生み出され、諸官司の直接的な経済基盤としての役を果たした。これらの変化は、官司組織の中世的再編成と軌を一にしていた。

上島享《うえじますすむ》は、中世の国家財政について、「律令《りつりょう》国家財政ではいったん徴収された租税が大蔵省・民部《みんぶ》省《しょう》に蓄積され、そこから経費が支出されたが、中世国家財政では収入の蓄積を前提とせず、必要に応じ経費が調達された」と述べた。また佐藤進一《さとうしんいち》は、律令国家にかわって現われた中世公家《くげ》政権の中央官司制について、律令官僚制にみられる、太政官《だいじょうかん》を頂点とする大小官司の統属関係が解体し、個々の官司が分離独立して、それぞれ完結的な業務を行なうようになると述べている。中央制御から自律分散へという流れが進行したのである。

官司再編に伴う独自の収益源の確保という点でもっとも顕著な例として、太政官において、朝廷の文書行政の根幹を守る地位にあった小槻《おづき》氏の太政官厨家領《ちゅうけりょう》がある。一二世紀後半、同氏が太政官の上首《じょうしゅ》の史《し》（のちに官務と呼ばれる）を請負世襲するようになるのと並行して、一〇か所の所領が成立している。同氏は殿上《てんじょう》（宮中の殿上の間に上がること。これを許された者が殿上人《てんじょうびと》）を許されない地《じ》下《げ》の地位にとどまった実務官人《かんじん》だが、文書管理という重要な業務に経済的裏付けを与えるために、まとまった所領が確保されたのである。同氏は、主殿頭《とのものかみ》の地位をも世襲し、主殿寮領や供御人《くごにん》（官司の統制のもとで、朝廷の必要品を進納する人々）を編成して職務の達成に努めた。同寮の供御人としては京都郊外の小野山《おのやま》供御人が有名で、宮中で用いる松明《たいまつ》や炭を進上するのがおもな役割であった。彼らは、のちに院庁《いんのちょう》の仕所《つかえどころ》にも属するようになり、必要に応じて主殿寮供御人・院作手《いんのさくて》の称を使い分けている。さらに彼らは、朝廷への奉仕の見返りとして、洛中における松明売買の独占権を与えられていた。官司による所領・供御人把握と、供御人主導による活動の拡大とは、相互に影響しあっていた。

仁治《にんじ》元年（一二四〇）閏《うるう》一〇月、造酒司《みきのつかさ》（酒や酢を醸造する役所）の官人は申状《もうしじょう》を作成し、一二か国に割り振ってある納物が進済されないことを訴え、かわりに東西両京の酒屋から一軒ごとに酒一升の上分《じょうぶん》を徴収することを願った（一二か国のうち六か国に便補保を設置したが、収益がはかばかしくないとも述べられている）。先行例として、内蔵寮《くらりょう》・内膳司《ないぜんし》が魚鳥、装束司《しょうぞくし》が苧《からむし》（布の原材料となる植物）の売買に対して課税し、左右京《きょう》職《しき》は洛中の行政単位である保《ほ》から染藍《そめあい》・人夫を出させていることをあげ、「和市《わし》交易の課役」（商業課税）が一般化していることを主張したの

9

●借上《かしあげ》から借金する女性
借上の使者が持参した銭緡《ぜにさし》を、縁の上で侍女が数える。奥の屏風の陰にいるのが、債務者本人。五つの輪にまとめられた五貫の銭である。（『山王霊験記《さんのうれいげんき》』）

である。これに対する朝廷の裁定は不明だが、京都における商業の成長に対応して、各業種に関連する官司による保護や特権の付与、課役の徴収などが拡大していることは明らかである。

独自所領の設定と商業課税は、朝廷経済を支える新しい柱として展開していった。一方で、必要度の高くない官司ではこのような再編が行なわれず、形骸《けいがい》化の道をたどった。たとえば民部省《みんぶしょう》では、文庫《ぶんこ》が荒廃し、京中の所領は権門《けんもん》（権勢のある家柄）のために押領《おうりょう》されているといわれており、中世的な存在意義を見いだせなかったことが知られるのである。

この巻の対象である院政期から鎌倉時代においては、金融業者の活動はそれほど表面化しておらず、史料にかいま見える事実を拾ってつなぎあわせていくしかない。彼らはまだ政権に公認された存在ではなかったといえる。しかしながら、金融業者の存在は日常に浸透しており、多くの経済活動が、彼らの手を介して行なわれていた。

まとまった収入を得た場合、金融の専門家に預けて管理・運用を任せるという方式は、広く一般に受けいれられていた。資産の整理や売却が必要となる場合に、金融業者が換金や売却先の検討、資金の融通、契約文書の作成などにかかわっていた可能性も高い。また、朝廷の官人のように、金銭や物資の出入りにかかわる地位にある者は、いわば取引銀行として、特定の金融業者と関係をもつことが一般的だったと思われる。鎌倉時代後期に、さらに巨額の資金が運用されるようになることは、あとの章節で述べることにしよう。

西園寺家の興隆

「この鳥は、人の名前を呼ぶという触れ込みなのに、いっこうに鳴かないなあ」

当代の文化人、和歌の権威の藤原定家《ふじわらのさだいえ》は、鮮やかな色あいの鳥を眺めてつぶやいた。知り合いの石清水八幡宮《いわしみずはちまんぐう》の神官が、「関白様に献上するつもりなのですが、めずらしいものですから、その前にちょっとご覧ください」と、鸚哥《いんこ》と麝香猫《じゃこうねこ》を届けてくれたのである。嘉禄《かろく》二年（一二二六）のことであった。京都では、唐船《からふね》が持ち帰った異国のめずらしい鳥獣がもてはやされ、六波羅探題《ろくはらたんだい》の北条時氏《ほうじょうときうじ》も「唐鳥《からとり》」を将軍頼経《よりつね》に献じたという。

平清盛《たいらのきよもり》が築いた日宋《にっそう》貿易のルートを継承して、莫大な富を蓄えていたのが西園寺《さいおんじ》家である。仁治《にんじ》三年（一二四二）には、西園寺公経《きんつね》が派遣した貿易船が帰朝し、銅銭一〇万貫《かん》とさまざまな珍宝をもたらした。そのなかでは水牛としゃべる鳥が話題になっている。公経は檜《ひのき》材でつくった三間《けん》四面の堂を献上して、宋の皇帝に非常に喜ばれたという。

西園寺家は幕府と結んで政治的地位を固めるとともに、院の

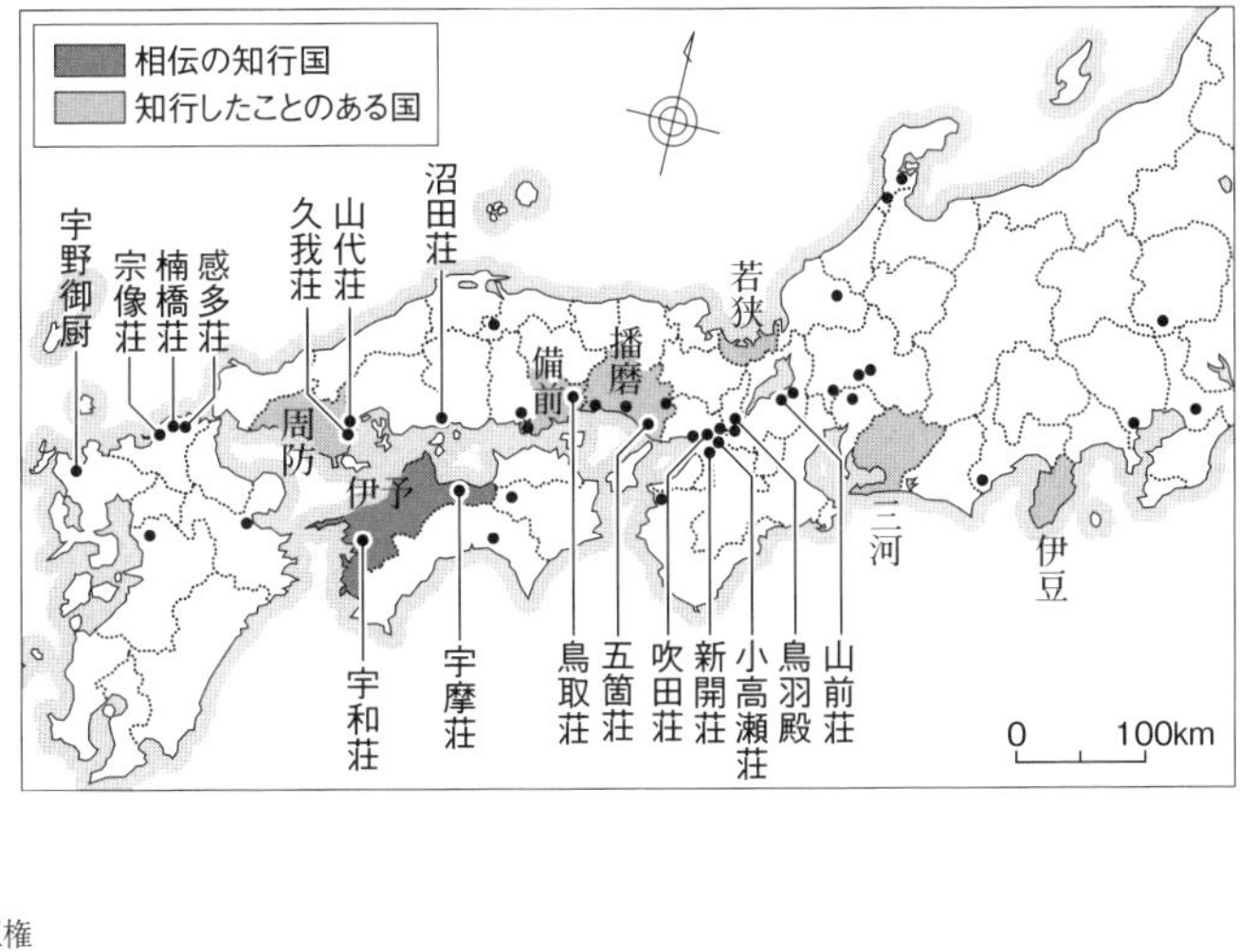

●西園寺家の所領
西園寺家の所領は、院権力と密着することによって形成され、伊予国と瀬戸内海海運を軸に、効果的な物流が実現するように組織されていた。院御厩に属する各地の牧や、駿牛の産地である肥前国宇野御厨なども掌握している。

もとで鳥羽殿《とばどの》・院御厩《いんのみまや》の預《あずかり》という地位を確保し、知行国としては伊予国《いよのくに》を押さえ、海上交通の神として知られる筑前国宗像大社《ちくぜんむなかたたいしゃ》にも支配の手を伸ばしていた。これらを基盤として、京都―瀬戸内海―九州とつながる所領群を編成、対外貿易も含めた経営体制を整えていたのである。凋落《ちょうらく》しつつある知行国や、本家職《ほんけ》・領家職《りょうけ》など、現地支配者への影響力を弱める荘園《しょうえん》制の上級所職に依存を続ける貴族社会のなかで、同家はすぐれて主体的な経済政策をとっていたといえよう。

また、同家に仕える侍であった橘《たちばな》氏の〝知〟を通字《つうじ》とする一族は、周防《すおう》・伊予・若狭《わかさ》・備前《びぜん》などの経営に関与し、安芸国沼田荘《あきぬたのしょう》（広島県三原市《みはら》）や宗像大社の預所《あずかりどころ》をつとめるなど、西園寺家の所領経営の代官として活躍、御所の造営なども請け負って、鎌倉末期には公卿《くぎょう》に列するに至った。富のブロックの形成を通じて、貴族社会における新しい階層をも生みつつ、西園寺家は公家《くげ》政権のスポンサーとしての機能を果たしていたのである。

三浦氏の経済基盤

宝治《ほうじ》合戦で滅びた三浦《みうら》氏について、気になる点があるので触れておこう。当然のことだが、敗者の所領・所職《しょしき》は没収されて、勝者の間で分配される。合戦のあと、すぐに問題になった三浦泰村《やすむら》の知行地は、肥前国神崎荘《ひぜんのくにかんざきのしょう》と筑前《ちくぜん》国宗像《むなかた》大社であった。いずれも、もとは皇室領として後鳥羽《ごとば》院が管領《かんれい》していたが、承久《じょうきゅう》の乱《らん》によって、前者には地頭《じとう》が設置され、後者は後高倉《ごたかくら》院の本家職《ほんけ》のもとで、将軍家が領家職《りょうけ》をもつことになった。前者の地頭・後者の預所《あずかりどころ》に泰村が任じられていたのである。

経営の詳細は不明だが、『宗像神社文書《もんじょ》』には、泰村による社領侵略を社司宗像氏業《うじなり》が訴えたことが見えている。なんらかの実態をもった支配を行なっていたことは、ここから確認することができる。

さらに、三浦氏が守護をつとめていた国は、相模《さがみ》・河内《かわち》・讃岐《さぬき》・土佐《とさ》と推定される。また紀伊《きい》国は、もともと佐《さ》原義連《はらよしつら》が守護だったものが、いったん廃されて院の管掌となり、承久の乱後ふたたび守護が置かれて三浦義村《よしむら》（泰村の父）の手に帰す。その後、佐原家連《いえつら》（義連の息子）が守護人・守護所として見える。義連は義村の叔父《おじ》、家連は従兄弟《いとこ》で、宝治合戦の際に、家連の息子たちは泰村に従って討死《うちじ》にした（義連の別の息子盛連《もりつら》の息子たちは北条《ほうじょう》側につき、のちにそのなかのひとり盛時《もりとき》が三《み》浦介《うらのすけ》を名のる）。したがって紀伊の守護職も、三浦氏の間接的な支配下にあったとみてよいだろう。

相模・河内・紀伊・讃岐・土佐、加えて神崎荘・宗像社となると、関東から西国への、太平洋側をまわる航路を想定することができる。泰村の弟の光村《みつむら》は、讃岐守護だったと考えられるが、天福《てんぷく》元年（一二三三）に検非違使《けびいし》として京都で賀茂祭《かものまつり》に列した際、西園寺公経《さいおんじきんつね》に装束を調えてもらったり、同家の宴会にとくに招かれたりしていた。政治的にも経済的にも、三浦氏—将軍頼経《よりつね》（およびその父九条道家《くじょうみちいえ》）—西園寺公経というつながりが想定される。

三浦氏の滅亡ののち、幕府の膝元《ひざもと》である相模は侍所《さむらいどころ》・政所《まんどころ》が直接支配し、ほかの守護職は極楽寺《ごくらくじ》流を中心とする北条氏が握った。三浦氏が多くの政変で、早まることなく身を処すことができたのは、西海に向かう独自の発展の構想があったからかもしれない。同時に、そのような基盤があったからこそ、追いつめられて滅亡しなければならなかったのだろう。

コラム3

伝統的宗教界の内部意識

勧進《かんじん》や専修念仏《せんじゅねんぶつ》によって宗教の社会的展開が大胆に進むなかで、伝統的仏教界の内部に暮らす宗教者の内面はどのようだったろうか。

東大寺《とうだいじ》に宗性《そうしょう》（一二〇二〜七八）という学僧がいた。父は似絵《にせえ》の名手といわれた藤原信実《ふじわらののぶざね》の兄弟の隆兼《たかかね》で、中級貴族の出身である。宗性は八宗兼学《はっしゅうけんがく》の道場たる東大寺をまさに体現する人物であって、華厳経学《けごんきょうがく》の集成をはじめとする各種仏典の研究、信仰の表白、仏教の歴史的研究など、多方面にわたる膨大な著作を残した。希代の勉強家であると同時に、なんでも書きつけて取っておくのが習い性だったらしく、法会の記録や、さまざまな文章の書写・抄出、各種の研究ノートなど、大量の自筆本が東大寺図書館に所蔵されている。

そのなかに『禁断悪事勤修善根誓状抄《きんだんあくじごんじゅぜんこんせいじょうしょう》』と題された一本がある。宗性の書いた起請文《きしょうもん》を集めたものだが、その内容がふるっている。

文暦《ぶんりゃく》二年（一二三五）、三四歳のときの「禁断酒宴のこと」と題する誓状は、飲酒は僧のなすべきことでないと記して、一〇〇〇日の禁酒を誓う内容である。ただし、いきなりやめるのは身体に悪いので、一日に三合だけならいいことにしようと続けてある。七年後の仁治《にんじ》四年（一二四三）には「一生涯盡未来際断酒《いっしょうがいじんみらいさいだんしゅ》のこと」として、「一二歳から四一歳のいままで酒を飲んで酔っ払ってきたが、今後はいっさい飲まないことにする」と記す。もちろん「心底飲みたくて苦しいときは除く」という但《ただ》し書きは忘れない。ほかにも「手ずから双六《すごろく》を打つべからず」とか、「男犯《だんぼん》一〇〇人のほか、淫欲《いんよく》を行なうべからざること（時に九五人なり）」などという恐ろしい内容に至るまで、いろいろなことが誓われている。彼にとっては、飲酒・男色・勝負事（博打《ばくち》）が主たる問題であったらしい。

寺院における僧侶の生活が、必ずしも清浄なものではなかったことは、説話などから容易にうかがうことができる。それにしても、教学への並みはずれた精進と、こうした起請文の内容（戯言《ざれごと》という側面があるにしても）とが、ひとりの人間のなかでいかに共存するのだろうか。

おそらく宗性にとって、仏とは、その御前に平伏して畏《おそ》れ敬う対象ではなかったのだろう。彼は仏の主宰するサロンの一員であり、仏との親密なつながりのなかで、学問に励み、仏を賞揚し、時に羽目をはずしても見逃してもらえたのだ。彼にとって、信仰はみずからの生き方を試す試金石ではなく、それによって自己を解放し、自由になれる支えとして働いたのである。

ついでながら、仏教教学の世界は、さまざまな史料の宝庫である。蒙古《もうこ》からわが国に送られた国書が、それをたまたま目にした宗性の書写によって伝わったことは本文で述べた。さらに、宗性の著作群の裏には、大量の紙背文書《しはいもんじょ》が残っており、社会や生活にかかわる思いがけない情報が含まれる。

宗性の弟子にあたる凝然《ぎょうねん》もまた、東大寺を代表する学僧で、教学上の大きな成果と大量の紙背文書を残した人物である。とくに著名なのは霜月騒動《しもつきそうどう》をめぐる史料で、彼の著作『梵網戒本疏日珠抄《ぼんもうかいほんしょにちじゅしょう》』巻三十の紙背文書として断片的に伝わる。「弘安《こうあん》八年（一二八五）一一月一七日、鎌倉合戦において人々自害す」と題する、自害者の一覧を書き出した文書で、粛清された人々を知り、事件の性格を考えるための、ほとんど唯一の手がかりとなっている。おそらくは幕府関係者が、凝然か彼の周囲にいる者に宛《あ》てて、霜月騒動についての政治情報を書き送ったのであろう。この『梵網戒本疏日珠抄』巻三十は、東大寺から流失して個人蔵となり、近年、古書市場に現われたが、すぐに売却され、行方がわからなくなってしまった。表は東大寺の教学上の、裏は鎌倉時代政治史の、ともに重要な史料であることははっきりしているが、いままでに表裏の全体が精査されたことはなく、一部しか知ることができないのは残念というしかない。

第七章

在地領主の生活

1

御家人の所領経営

◉武士の面貌
奈良県橿原《かしはら》市の新堂《しんどう》遺跡で出土した木製品。鎌倉時代前半のもので、折烏《おりえ》帽子《ぼし》を着け、あごひげをたくわえた当時の武士の姿をかたどったとみられる。前ページ図版

職の体系と在地領主

中世を特徴づけるのは、院政に始まる制度外的な仕組みによる政治の運営と、武家政権の成立である。土地制度からみれば、荘園《しょうえん》公領制の進展による土地支配の重層化ということになる。皇室・摂関家《せっかんけ》・大寺社などの本家《ほんけ》の下に領家《りょうけ》・預所《あずかりどころ》・下司《げし》などの支配・経営の主体が段階的に設定され、それぞれの地位は職務と権益とが一体となった資産である「職《しき》」として機能する。この職の体系に加えて、謀叛《むほん》人・犯罪人追捕《ついぶ》などの強制力の行使による治安維持機能を担当する者として配されたのが、鎌倉幕府の地頭《じとう》である。地頭職《しき》（職の体系の役職について、地位・職務・権益などを総称する場合に「職」の語を付す）は、先祖伝来の既得権を認められたり（本領安堵《あんど》）、下司・公文《くもん》などの荘園の荘官《しょうかん》だった者が任じられるなど、国衙《こくが》領の権益や荘園諸職と重複している場合も少なくなかった。

この巻が扱う院政期から鎌倉時代においては、荘園・公領などの支配は、対象となる領域が必ずしも明確でなく、しかも複数の支配者が重層・錯綜《さくそう》して関与しているという、複雑かつ未分化な状態である。農地化されている部分のほかに、まったく人手の入っていない荒野、さまざまな恵みを

もたらすと同時に係争のもとになりやすい山や川、共同体の中心となる寺や神社、堂や墓地など、民衆の生活空間は多様な要素を含みこんで成り立っていた。

隣接する荘園との境界争いや下地中分《したじちゅうぶん》（領家と地頭が支配の入り組みや紛争を解消するために、それぞれの支配地を分割すること）などのために作成された、荘園の絵図が残されている。それらは、さまざまなランドマークによって荘園の領域を示すとともに、そこで生活する人々の意識をそのまま反映した景観を描き出す。距離や面積は客観的な基準によるのではなく、住人の印象に応じて表現される。すなわち、日常的に利用される場所や耕作地は詳細に、大切な建物は大きく描かれ、あまり人が踏み込まない荒蕪《こうぶ》地《ち》などは冷淡に扱われる。

鎌倉中期以降、武家の力の拡大を反映して、地頭請《じとううけ》（現地の経営を地頭が請け負うこと）・下地中分がさかんに行なわれるなど、支配の複雑性は整理され、一定の領域を排他的に支配する一円領化に向けての動きが現われる。中世の土地支配は、その重層性とさまざまな社会階層の消長が連動し、多様な流れを形成している。そのなかで、在地において支配・経営を行ない、民衆や生産にもっとも近いところにいた在地領主層の生活・心性を検討するのがこの章のテーマである。

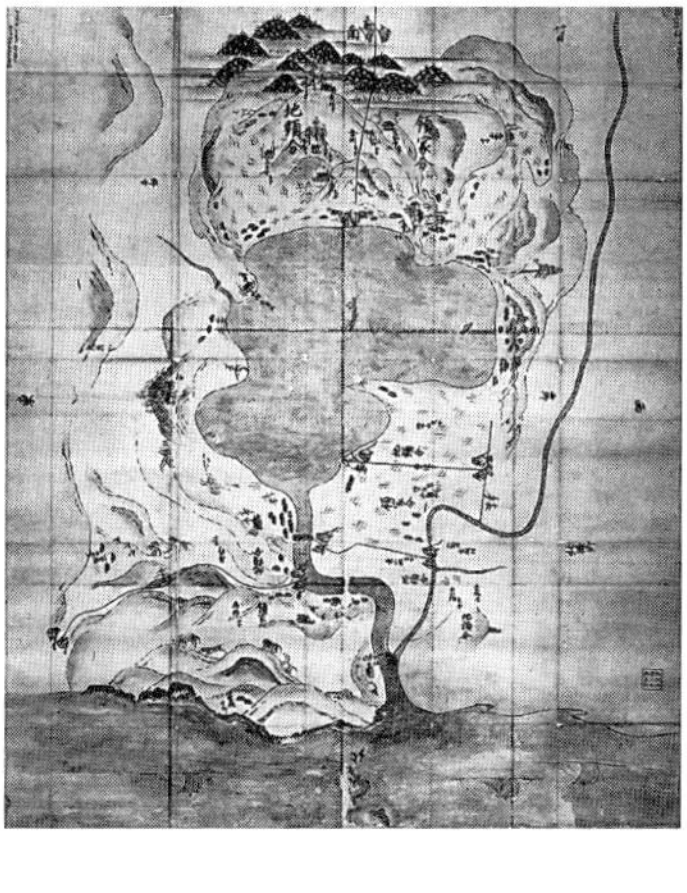

2

◉伯耆国河村郡東郷庄之図（模本）
東郷荘《とうごうのしょう》は、現在の鳥取県東伯《とうはく》郡湯梨浜町《ゆりはまちょう》の地。正嘉《しょうか》二年（一二五八）に、領家松尾社《りょうけまつのおしゃ》と地頭との間で行なわれた下地中分の結果を記したもの。田畑・馬の放牧地などがそれぞれ分割された。

千葉氏の家政運営

千葉《ちば》氏は、鎌倉幕府成立の功労者に数えられる一族である。代々下《しも》総権介《うさのごんのすけ》を名のった由緒《ゆいしょ》ある家柄で、家格・実力ともに傑出していた。平氏を打倒しての九州平定、奥州藤原《おうしゅうふじわら》氏を滅ぼした奥州征伐などを経て、同氏は薩摩《さつま》や肥前《ひぜん》、陸奥《むつ》などに所領を与えられ、一族は全国に広がっていった。嫡流千葉介《ちばのすけ》家には、庶家を束ね多くの所領を統括して、一族を破綻《はたん》なく運営していく責務が課されたのである。

幸いに千葉氏には、その執事をつとめた富木常忍《ときじょうにん》のもとにあったと思われる文書群が、日蓮宗大本山法華経寺《にちれんしゅうだいほんざんほけきょうじ》（千葉県市川《いちかわ》市中山《なかやま》）に残されている。常忍は千葉氏の家政にかかわる実務を担当するとともに、日蓮の活動を支える有力門徒で、法華経寺の開創者である。彼はたびたび法難にあう日蓮をみずからの本拠地である八幡荘《やわたのしょう》に迎え、法華寺を開いて保護した（のちに、やはり千葉氏被官《ひかん》で日蓮宗門徒であった大田乗明《おおたじょうみょう》の開いた本妙寺《ほんみょうじ》と一体化して法華経寺となる）。常忍は日蓮に不要になった文書を与え、それらの裏を利用して、日蓮が経典の抜粋や思索の成果を記したのが『双紙要文《そうしようもん》』『天台肝要文《てんだいかんようもん》』『破禅抄《はぜんしょう》』『秘書要文《ひしょようもん》』という四冊の、いわば研究ノートである。日蓮の筆跡は文永《ぶんえい》六年から建治《けんじ》元年（一二六九～七五）にわたり、紙背《しはい》に千葉氏の家政運営の実態を示す文書群が残されることになった。

3

◉中山法華経寺
日蓮宗中山門流の中心寺院。『立正安国論《りっしょうあんこくろん》』『観心本尊抄《かんじんほんぞんしょう》』など、同宗の基本典籍を所蔵。現在の寺地は本妙寺のそれを継承し、法華寺の故地は奥之院となっている。

まず建長《けんちょう》元年（一二四九）五月二七日付の、千葉氏惣領《そうりょう》の動向がわかる文書を見てみよう。当時の惣領は千葉介常胤《つねたね》から数えて六代目となる頼胤《よりたね》だが、まだ亀若丸《かめわかまる》という童名《どうみょう》を名のる少年であった。同年二月に焼失した閑院内裏《かんいんだいり》の修造を幕府が請け負い、全国の御家人《ごけにん》に建造の分担が命じられた。千葉氏には西《にし》の対《たい》の造進が課されたが、亀若丸は、そのような負担は手にあまると縷々《るる》訴える。

「嫡家相伝とはいっても名ばかりでございます。幕府の公事《くじ》だからと庶家の人々に催促しても、誰も応じてくれません。しかも今年は京都大番役《おおばんやく》をつとめる年ですので、とうてい無理でございます」

あちこちに修正の跡があり、幕府に提出する申状《もうしじょう》の下書きであることが明らかな文書である。常忍は若年の惣領《そうりょう》を補佐し、文書の作成にもかかわっていたのだろう。上位者に対して泣き言を述べる内容をそのまま信用することは問題があるが、拡大した所領と庶家の統制が、惣領にとって大きな負担だったことは事実だろう。

幕府から課される公事（その多くが、朝廷の造営事業などを幕府が請け負うものである）は、御家人にとって頭の痛い問題であった。閑院内裏の負担が免除されないうえに、同時期に蓮華王院《れんげおういん》の造営も行なわれ、千葉氏には三〇〇貫《かん》（約三〇〇〇万円）の進済《しんさい》が命じられた。後者については、所領の規模に応じて一門に割り振り、前者は九州在住の被官を京都に送って差配させる対応がとられた。この被官から、造営の状況やさまざまな問題を惣領のもとに知らせた書状が残っている。大工や人夫の手配、六波羅探題《ろくはらたんだい》や朝廷の担当者との折衝など、彼の仕事は多岐にわたる。何よりも五〇〇貫以上にのぼる費用の工面が問題で、それは千葉氏所領のうちの肥前国《ひぜんのくに》小城《おぎ》郡（佐賀県小城町付近）から調達されたらしい。被官は小城郡の関係者で、同所からの年貢を担保として九州で「利銭《りせん》」を借り、京都での経費にあてたようである。

また肥前国小城郡関係では、現地の小領主どうしの紛争の裁定が、惣領の千葉介に求められていることが見える。千葉介が大番役で京都に滞在している間に、当事者が上洛して審理が行なわれたという。関東と九州という遠隔地間の支配を成り立たせる結節点として、京都が大きな役割を果たしていたことがわかる例である。

法橋長専の嘆き

法華経寺《ほけきようじ》所蔵の紙背文書《しはいもんじよ》に多くの関係史料を残しているのが法橋長専《ほつきようちようせん》である（法橋は僧侶の位のひとつ）。千葉《ちば》氏の日常的な経理・出納を引き受けていた人物らしく、常忍《じようにん》と頻繁に書状のやりとりをしている。まず目につくのは、鎌倉における幕府の課役を処理していた点である。正月に将軍に饗《きよ》膳《うぜん》を捧げる垸飯《おうばん》の準備や、鶴岡八幡宮《つるがおかはちまんぐう》の放生会《ほうじようえ》の際の将軍随兵《ずいひよう》の手配、工事の請け負いなど、鎌倉の駐在事務官のような役まわりだったらしい。いずれも有力御家人《ごけにん》としての存在感を示す機会であり、特権でもある。ただし経済的な負担は重く、長専は金策に苦慮していた。これらの支出をまかなうために、彼は千葉氏の所領を質入れし、質流れになりそうなのを心配していた。質流れを避けるために、個人の責任で返済を保証する証文を書いたり、別の金主から借金したりしていたようである。保証人と多重債務で首がまわらない状態に陥っていたわけである。

未返済が深刻となり、長専のもとには連日多くの取立人が押しかけてきた。千葉氏が経営を請け負う千束郷《せんぞくごう》（中世史家湯《ゆ》浅治久《あさはるひさ》は現在の台東《たいとう》区千束周辺に比定している）の年貢米が、幕府役人の俸給にあてられているため、その支払いを求める請使《うけつかい》が数十人。借上《かしあげ》（金融業者）からの借米返済を催促する使いも来る。大勢の取立人が殺到して大きな声で責めたてるので、野次馬も集まってきて、騒ぎはますます大きくなった。

興味深いのは取り立てに来る請使について、「総じてみな貧しい人々なので、この機会を逃したら支払ってもらえないのではないかと責めたてる」と長専が記している点である。取り立てる側もただの使者ではなく、千束郷からもたらされる給料を担保に幕府役人に金を融通している、零細な金融業者たちを想定することができよう。困っている者ばかりのなかで金の貸し借りが行なわれ、誰もが最後にジョーカーを引きたくないと必死だったのである。

さらに注目すべきことに、長専は請使らに対して、「田舎に下ればなんとかなるから一緒に行こう」と誘って、「とんでもない」と断わられていたという。〝田舎〟とは千葉氏の本拠地たる下総国《しもうさのくに》のことで、地元に帰ればなんとかなるという感覚だろう。つまり自分の窮境の主たる原

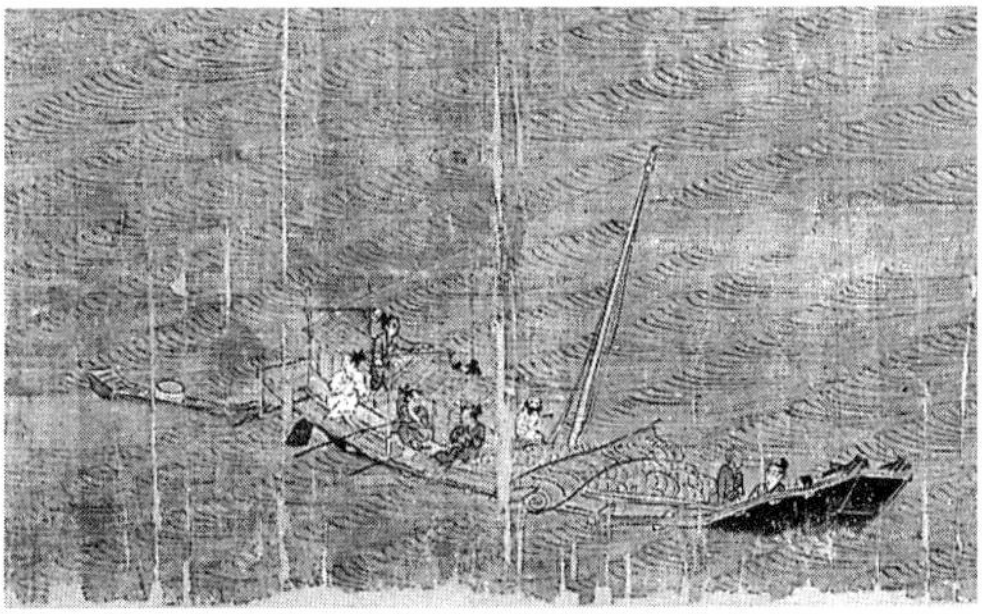
4

●年貢を運ぶ船
輪田泊《わだのとまり》（現在の神戸市）に向かう船。地方荘園の年貢と思われる米俵を積んでいる。交通路には関所が設けられ、関料をめぐる紛争が頻発した。（『一遍聖絵《いっぺんひじりえ》』）

因は、生産の現場から距離的に隔てられているという点にあると認識していたことになる。遠隔地間での所領経営や、本拠地を離れて京都や鎌倉で（蒙古《もうこ》襲来後は九州などでも）幕府への奉仕を行なうことにこそ御家人の存在意義があるのだから、これは構造的なジレンマというほかない。

御家人の家政運営は、本貫《ほんがん》の地（一族の発祥の地）を中心に、全国にわたる所領と京都・鎌倉を結んで、文筆や経理に堪能《たんのう》な事務担当者が縦横に活動することで支えられていた。彼らは下総国・肥《ひ》前国小城《ぜんのくにおぎ》郡などの〝田舎〟を富の源泉としてつねに意識していたが、必要な経費を手っ取り早く調達するために金融業者との取り引きは不可欠であり、しかもその関係は多重化していた。地方の小領主たちも、必要に応じて京都や鎌倉に出向くなど、「一所懸命」の所領と一体化した既成のイメージとはだいぶ異なる。全国的な情報伝達と金融取引が御家人―幕府関係を支えていた。ただし〝田舎〟に発する現実の物資の動きから乖離《かいり》して、金融取引をめぐる関係や、証文の作成・帳簿上の処理などの机上の操作は複雑化する傾向にあり、多くの人を苦しめたのである。

「田舎の習い」の主従関係

さて、事務担当者が心の支えとしていた〝田舎〟では、領主が領民を人格的に支配し、抑圧する関係が成立していた。現在の千葉《ちば》市内に所在したと思われる寺山《てらやま》郷では、百姓橘重光《たちばなのしげみつ》が名主《みょうしゅ》（もともとは荘園内の一定領域〔名田《みょうでん》〕の経営を請け負う者のことだが、転じて、広く地域密着型の領主を指す）寺山殿を訴える申状《もうしじょう》を出している。同郷は千葉氏本領の一部で、寺山殿も同氏の従者であり、在地の直接の支配者だったと思われる。

重光は、祖父母を相次いで亡くしたため、寺山殿の課す公事《くじ》をつとめられず、代理を真家《さねいえ》という人物に任せた。寺山殿はこれを厳しく咎《とが》め、一五貫《かん》の科料（罰金）を支払わなければ真家を死刑にすると脅《おど》した。さらに寺山殿は、仏事のお供をつとめなかったとして、重光の田畑の作物を刈り取り、領内から追い出して、その田畑を横領しようとしたという。寺山殿の行為は、百姓のわずかな過失に難癖をつけ、銭や作物、田畑までを略取しようとする、まことに理不尽なものである。また、彼の脅しは「頸《くび》を切るべし」「惟光《これみつ》（寺山殿の実名か）に随身《ずいじん》せざるは奇怪なり」などと直接話法で表わされ、重光らを心底震えあがらせていた。寺山殿を恐れて一言の反論もせずに我慢してきた重光も、ついに追いつめられ、本領主であり守護《しゅご》である千葉氏の法廷に訴えたのである。

重光は百姓とはいっても、複数の所従《しょじゅう》を抱えていたことが文面から明らかである。公事の勤仕や仏事の際の供奉《ぐぶ》など、寺山殿と重光一家の間には明確な主従関係があり、しかも前者の意向は絶対で、後者を暴力的に支配・隷属させていたらしい。郷内には、寺山殿によって〝頸を切られた〟住人が少なからずいて、人々に恐怖を植えつけていたのだろう。撫民《ぶみん》をとなえる公《く》

◉寺山郷百姓橘重光申状（部分）料紙《りょうし》を横に二つに折って用いる「折紙《おりがみ》」に記される。紙を折らずに使う「竪紙《たてがみ》」に比べて略式とされる様式である。（『天台肝要文《てんだいかんようもん》』紙背文書《しはいもんじょ》）

家法《げ》は、在地での苛烈《かれつ》な制裁慣行を「田舎の習い」と呼び、抑制しようとした。「田舎の習い」とは、まさにこの寺山郷のなかで成立していたような力関係であった。

重光の一世一代の訴えの行方は不明である。だが、仮に彼が勝訴したとして、ほんとうの解決は可能なのだろうか。寺山郷の限られた世界のなかで生活していくかぎり、寺山殿が心を入れ替えて人格者になることはないだろうし、重光が主人の重圧から逃れることも難しかろう。本領主で上位の主人である千葉氏も、寺山殿をむやみに改易するわけにはいくまい。在地支配は、人格支配の連鎖に支えられて成立していた。

下人の譲与・売買

中山法華経寺《なかやまほけきょうじ》の紙背文書《しはいもんじょ》には、下人《げにん》・所従《しょじゅう》の帰属をめぐるものも多い。千葉《ちば》氏の領主権あるいは守護権《しゅご》に基づくローカルな法廷に提出された訴状だろうが、反故《ほご》として廃棄された紙背文書だからこそ伝わった種類の史料である。

重光《しげみつ》のような百姓のもとには、下人・所従と呼ばれる、さらに隷属的な立場の人々が仕えており、彼らは資産の一部として質入れ・売買の対象となった。下人ひとりの値段は一五貫《かん》程度（約一五〇万円）で、現代なら、さしずめ車一台分に相当するだろうか。自家用車と同じ感覚で、人の身柄が売られたり、差し押さえられたりしていたのである。

下総国長田郷《しもうさのくにながた》（千葉県成田市内《なりた》）住人沙弥進士《しゃみしんじ》入道は、耕作する所領の年貢を納められなかったために、まず下人の八郎太《はちろうた》を領主側に質に取られ、さらに翌年も未進をしたために、家族の老女と子供二人、下人ひとりのほか、家財道具一切を質に取られてしまった。それでも先祖以来の土地は離れがたいので、千葉氏一族の従者になるからなんとかしてほしいと訴えている。年貢の未進により、下人や家族を拘束され、ついには自身も、千葉氏のイエ支配権のなかに囲い込まれる身分に転落するのである。

御家人《ごけにん》の世界は多層的な人間関係によって成り立っていた。これは、在地（田舎）における人格的な支配―被支配の関係と、都市的な事務担当者の活動という二つの潮流に分けられる。田舎で生活する者も、都市で活動する者も、誰もがとりどりに人格を脅かされている。暴君のようにふるまう領主も、上位の主人によって同様に責められることがあり、隷属させられているとみえる百姓も、自分の下人に対しては高圧的に臨むかもしれない。この関係がはてしなく続き、下の階層になるほど脱出しにくい状態なのである。土地支配や人間関係をめぐる未分化な重層性と閉塞性《へいそく》は、そのまま中世前期の社会の限界であったのかもしれない。

6

◉**武士の館**（模型）
武士の館は、主人の支配権が貫徹する領域である。周囲には堀や土塁、柵を巡らし、草葺《くさぶき》屋根の主屋に、従者などが控える廊屋が続き、厩《うまや》や納屋が附属していた。

専修念仏と武士

勧進と念仏

この節とつぎの節では、在地領主層の信仰についてみていこう。鎌倉時代には多くの新仏教が現われるとともに、旧仏教各派も改革と社会的進出を試みた。とくに主調をなすのは勧進《かんじん》と専修念仏《せんじゆねんぶつ》と考えられる。

勧進については、先に東大寺《とうだいじ》を復興した大勧進重源《ちょうげん》について述べた部分で触れたが、これをおもに担ったのが律宗《りつしゅう》である。律宗を率いたのは叡尊《えいぞん》と、その弟子忍性《にんしょう》で、北条時頼《ほうじょうときより》をはじめとする幕府要人の帰依を受け、鎌倉においては極楽寺《ごくらくじ》がその拠点となった。幕府と律宗との関係には、政治支配を行なううえでのパートナーシップとでもいうべきものが設定されていたと思われる。施政者の公共的機能としては、先に論じた「公事《くじ》」の実施があり、幕府も御家人《ごけにん》を動員してそれにあたっていた。だが、公事は理念的な分野に属するもので、現実の生活を支え、困窮を救うものではない。そこで現実面を補うために、律宗の慈善救済・土木事業などが重要な意義をもつことになった。また網野《あみの》善彦《よしひこ》は、得宗《とくそう》権力と律宗が結びついて、交通の要衝に拠点を設けて活動していた可能性を指摘している。

一方で個人の内面に踏み込んだのが、浄土宗《じょうどしゅう》の開祖法然《ほうねん》の提唱した専修念仏である。「南無阿弥陀《なむあみだ》仏《ぶつ》」と唱えれば往生できるとする教えによって、信仰と心の救済（極楽往生）との関係は極限まで簡略化され、人々はみずからの心のありように真剣に向き合わねばならなくなったのである。

社会と個人に、それぞれのやり方で救いと支えをもたらす二つの宗教に共通するのは、平等の感覚である。東大寺再建のために、南都に向けて材木を引く民衆の熱狂のなかには、後白河《ごしらかわ》院をはじめとする多くの貴顕も加わった。また『法然上人絵伝《ほうねんしょうにんえでん》』には武蔵国《むさしのくに》御家人熊谷直実《くまがいなおざね》のエピソードが載せられている。法然が「罪の軽重は関係ない。ただ念仏を唱えさえすれば往生することができる」と説くのを聞き、直実は「手足を切り、命をも捨てなければ、とても往生はできないといわれるかと恐れていたが、念仏を唱えるだけでよいとは、なんとありがたいことよ」と涙を流して喜び、専修の行者として法然に仕える道を選んだ。法然が当時入道前関白《にゅうどうさきのかんぱく》であった九条兼実《くじょうかねざね》を訪れた際、付き従った直実は縁の外に控えさせられた。彼は、法然の説法が聞こえないのを不服とし、「現世とはままならぬところだ。極楽にはこのような差別はないだろうに」と言い放った。これを聞いた兼実は、ただちに彼を縁の上に上がらせたという。専修念仏を通じて、摂関家《せっかんけ》の当主と、一御家人との同席が実現

7

●法然の説法を聴く熊谷直実
室内の上座にいるのが九条兼実、下座の黒衣の僧が法然。直実は本来地べたで控えているべきだが、特別に許されて縁近くに座っている。（『法然上人絵伝』）

したのである。勧進と念仏という二つの信仰的アプローチは、仏への結縁《けちえん》を求め、信仰を深めたいと願う点において、無名の民衆も御家人も、貴族も上皇も同列であるという意識のうえに築かれていた。

殺生と信仰の間で

在地領主層の念仏信仰を検討するために、建長《けんちょう》八年（一二五六）成立の『広疑瑞決集《こうぎずいけつしゅう》』という史料を見てみよう。これは法然《ほうねん》の孫弟子で、博学で名高い敬西房信瑞《きょうさいぼうしんずい》が、信者の上原馬允敦広《うえはらうまのじょうあつひろ》の発する二五か条の問いに答え、信仰のありようを諄々《じゅんじゅん》と説いた書物である。敦広の「広」と信瑞の「瑞」の字をとり、前者の疑問を後者が決するの意が書名となっている。

同書の序によれば、上原敦広は信濃国諏訪《しなののくにすわ》社の神官の一族で、代々戦闘や狩猟を業とする武士の家柄であった。諏訪社周辺の在地領主だったと考えられる。彼の質問の中心は、めざすべき信仰生活と、俗人としての義務や立場との矛盾を、どう克服すべきかという点にある。とくに殺生《せっしょう》をめぐる問題は、武士である敦広にとって非常に深刻であった。

「殺生をやめなければ往生はできないのでしょうか？　それとも、殺生しても念仏を唱えさえすれば往生できるでしょうか？」

「夜押し入ってきた強盗を捕らえた場合には、頸《くび》を斬るべきでしょうか？　斬ったら罪には違いないでしょうが、斬らなければ悪人が絶えないことになりましょう。どうすればいいのでしょうか？」

信瑞の答えは、やむをえず殺生を行なう場合でも、「仏助けたまえ」と心に思い、口には念仏を唱えれば救われる、あるいは、極悪人であっても罪を減じて流刑にとどめよなどの、折衷的な内容である。在地で経営や秩序の維持にかかわる者は、殺生と無縁ではいられないのが現実だった。

ほかに問題となるのは、造塔・法会《ほうえ》・勧進《かんじん》などの、宗教的事業にかかわるものである。

敦広「堂を建立するために草刈りをすると、たくさんの虫を殺してしまうことになりますが、どうしたらよいのでしょうか」

信瑞「堂の庭などには、砂を四〜五寸の厚さに敷けば草もあまり生えないであろう。多少生えてくるようなら手で採れば、虫も死ななくてよい」

敦広「不善の人の行なう勧進に、そうとは知らずに結縁《けちえん》してしまったら、私も罪に問われるのでしょうか」

信瑞「信心によって結縁するのは最上の善根である。知らずにしたことであれば、不当な目的で勧進する者の同類とはならない」

六勝寺《ろくしょうじ》に代表される院政期の豪華な造寺事業について、白河《しらかわ》院が「どれほどの功徳になるだろう」と期待をもって問うたのに対し、禅林寺《ぜんりんじ》の永観律師《ようかんりつし》は「まあ罪にはなりますまい」と答

8

◉猟師の生活
片肌脱ぎで、妻子とともに食事中の猟師。獣肉を食べているらしい。庭先にも、莚《むしろ》の上に広げたり、串刺しにしたりして干してある肉片が見える。（『粉河寺縁起絵巻《こかわでらえんぎえまき》』）

えたという（『続古事談《ぞくこじだん》』）。造寺などの事業は、善根には違いないが、実際には民衆の負担や新たな殺生のもととなる。また中世社会でさかんに行なわれた勧進も、宗教目的を騙《かた》る詐欺のようなケースがあったことは、現代における寄付や援助事業と同様である。内省による救いという方法にめざめた敦広が、宗教的事業につきまとう不条理や欺瞞《ぎまん》に敏感に反応していたことがわかる。彼の疑問が、信心や善行と社会との軋轢《あつれき》に根ざしているだけに、信瑞の答えは微温的で歯切れが悪い。

殺生祭神の呪縛

上原敦広《うえはらあつひろ》の抱えるもっとも大きな問題は、諏訪《すわ》社という彼の本貫《ほんがん》にかかわっていた。すなわち「古来、福を得るために生き物を殺して神に供える風習がありますが、これはいかがなものでしょうか」という問いである。信瑞《しんずい》は「殺生によって神を祀《まつ》り、悪報を得た例がたくさんある」と受け、香華《こうげ》菜飯《さいはん》・音楽などを神に捧げよと述べる。しかし敦広は反論する。古来行なわれてきた殺生祭神《せっしょうさいしん》の礼に背けば、神罰をこうむることになるのではないか？

神を祀り鎮めるために「贄《にえ》」と呼ばれる供物《くもつ》は不可欠と考えられていた。とくに諏訪社は山の民＝狩猟民の神で、山野における狩猟そのものが神事とされており、鹿《しか》の頭・鹿皮ほか多くの狩りの獲物《えもの》を供えることになっていたのである。伝統的な「殺生祭神」の方式は、諏訪社の信仰圏で生きる人々の意識にしみ込んでおり、それを簡単に否定することはできなかった。神への畏怖《いふ》は、殺生に対する抵抗感よりも、ずっと強く人々を縛っていたのである。

これに対して信瑞が説くのが「清浄祭祀」「無《む》邪憐民《じゃれんみん》」である。本地垂迹説《ほんじすいじゃくせつ》にのっとって、神の本来の姿は慈悲広大の仏だから、殺生食肉を好むはずがないと述べ、さらに、政道に邪《よこしま》なく、民衆を憐《あわ》れむことを心がけるならば、たとえ祭祀は簡素でも、神は納得してくださると主張するのである。ただし、現実的な措置として、「三種浄肉《さんしゅじょうにく》」を用いよと提案している。「三種浄肉」とは殺生の現場について、見ず・聞かず・疑わずという三つの条件が整っている獣肉を指し、市場《いちば》で購《あがな》うものが、その条件を満たすと考えられた。市場で売られる商品は、それぞれの由来について思いわずらう必要のない、匿名的な存在と見なされたらしい。もちろん、必要な品物が市場で確実にそろう保証はないから、祭祀に用いるような場合には、あらかじめ品物を準備して市場の商人に預けておくのである。これを詭弁《きべん》というのは簡単だが、信仰と殺生との折り合いをつけるためには、必要な理屈であった。

「無邪憐民」の概念は、次章で触れる極楽寺《ごくらくじ》重時《しげとき》の家訓にも通じる。殺生のただなかにいた、武士であり在地領主である人々は、専修念仏《せんじゅねんぶつ》の教えに触れて、みずからの内面を検証し、社会における行動規範を真摯《しんし》に模索していたのである。

9

◉諏訪社祭礼の供物
上社《かみしゃ》の御頭祭《おんとうさい》の際に用意される供物《くもつ》。鹿の頭部や兎・雉《きじ》・干肉などを、例式に従って整える。写真は江戸時代の民俗学者菅江《すがえ》真澄《ますみ》のスケッチをもとに再現したもの。

公家の殺生観

同じ専修念仏《せんじゆねんぶつ》の信者でも、公家《くげ》はずっと柔軟である。徳大寺実基《とくだいじさねもと》は、その奏状《そうじよう》（天皇・院に上申する政治意見書）の第一条に「人の煩いなく、神事を興行すべきこと」と掲げ、「敬神の道は、誠信の心を第一とし、祭祀や供物が立派かどうかに左右されるものではない」と述べた。神事の興行を法令や奏状の冒頭でうたうのは通例だが、彼は神事の興行よりも、人の安寧を優位に置いた。この主張は中世史家多賀宗隼《たがむねはや》によって「徹底した人間第一主義」と評されたものである。実基の父の公継《きんつぐ》は、法然《ほうねん》の有力な門徒で、往生を遂げたとされている人物である。また、代々の徳大寺家当主は、周囲の思惑《おもわく》にとらわれない合理的思考を実践し、毀誉褒貶《きよほうへん》の多い人柄が特徴であった。実基の人間第一主義も、徳大寺家一流の合理性と専修念仏信仰の産物で、神仏を祀《まつ》るためにわざわざ民に負担をかける従来型の「撫民《ぶみん》」に内在する矛盾をついたと考えられよう。

また、『古今著聞集《ここんちよもんじゆう》』には、放生《ほうじよう》をめぐる以下のような説話がある。ある人が、伊勢《いせ》の一志浦《いちしのうら》で海人《あま》が蛤《はまぐり》を採っているのを見かけ、憐れに思ってすべて買い取り、海に放してやった。功徳を積んだと喜んでいたら、夢に蛤が現われた。「贄《にえ》として伊勢神宮の神前に上がり、畜生の身が、やっと得脱《とくだつ》できると喜んでいたのに、なまじ助けられたせいで出離《しゆつり》の縁を失ってしまいました」と嘆いたという。殺生祭祀《せつしようさいし》は、一見むごいようだが、殺生される側にとっては、畜生の業《ごう》を離れ解脱《げだつ》に至る好機にほかならず、これを妨げるべきではないという論理である。『古今著聞集』は、公継を中心とする文化グループのなかで成立した可能性があり、右の説話は、殺生をめぐる問題の非常にスマートな解決ということができよう。上原敦広《うえはらあつひろ》が同じテーマを突きつめていって、袋小路に入り込んでしまったのとは対照的である。

　もともと貴族社会で珍重された武力は、むごたらしさを骨抜きにする技能を重んじるものであった。同じく『古今著聞集』の説話では、鳥羽《とば》殿の池の魚を採りにくる鳥に困った鳥羽院が、「鳥を射殺すのは後味が悪いから、鳥も殺さず、魚もとられないようにしてほしい」と、武者所《むしやどころ》に命じた。すると、源《みなもとの》むつるという武士が、鯉《こい》を捕らえて飛び立った鳥の、ちょうど足のところを射切って、鳥も魚も殺さないという命令を実行してみせたという（足をなくした鳥は困ったに違いないが）。このように、武力を行使しながら、周囲に心理的な負担を与えないという、まことに都合のよい結果を可能にするのが、朝廷における武芸の本質であった。人を傷つけ、獣を狩ることを日常とする上原敦広とは、そもそも殺生についてのイメージの質が異なる。とはいえ、多くの矛盾を身軽にすり抜けていく論理の組み立ては、公家社会の知性の懐の深さを表わすといえよう。

10

◉神饌

海に囲まれたわが国では、神饌《しんせん》に海産物が用いられることが多い。熨斗鮑《のしあわび》（鮑を薄くむいて干したもの）のように、特別な処理をするものもある。

在地土豪の信仰生活

阿弥陀如来の胎内納入史料

この章の最後に、在地土豪が記した非常にめずらしい史料を取り上げることにしよう。三重県四《よっ》日《か》市《いち》市の善教寺《ぜんきょうじ》に伝わる本尊阿弥陀《あみだ》如来像の胎内に納入されていたものである。阿弥陀如来・十一面観音などの摺仏一括《すりぼとけいっかつ》、仏頂尊勝陀羅尼《ぶっちょうそんしょうだらに》一紙、阿弥陀経一巻、「作善《さぜん》日記」一巻、「願文《がんもん》」一点で、いずれも藤原実重《ふじわらのさねしげ》という人物の手で、天福《てんぷく》元年から仁治《にんじ》二年（一二三三～四一）の間に作成された。

もっとも情報量が多いのは「作善日記」で、元仁《げんにん》二年（一二二五）から仁治二年までの二〇余年にわたって、実重が神仏のためにどのような奉仕を行なったかを記録したものである。また「願文」では、彼がそれまでに積んだ善根をまとめて記し、現世安穏・極楽往生を願っている。実重についてはほかの史料がなく、また、善教寺もたびたび水害にあっているため、寺歴を知るための手がかりが失われている。彼の人物像は、これらの史料の内容の検討によってのみ再現できることになる。

「作善日記」以下の史料を見ると、実重の読み書き能力があまり立派なものでなかったことは明らかである。ほとんどは仮名で書かれ、年月日と米・麦、大・小などの簡単な漢字や数字が交じる。文字を書き慣れていない様子で、字配りもたどたどしい。さらに、話し言葉と書き言葉の別という概念がわかっておらず、耳で聞き、口でしゃべる言葉が、方言や舌足らずなところもそのままに、文字に置き換えられている。固有名詞や仏教用語などは聞き覚えているだけで、どのような漢字をあて、どんな意味があるのかなどは、ほとんど気にしていなかったのだろう。メモ程度のものが書けて、所領経営に必要な数字が理解できるというところだったと思われる。

たとえば寛喜《かんぎ》二年（一二三〇）正月一日の作善はつぎのとおりである。

大しんくえ正月一日、ないけくへ米三斗《と》、こへいれう、又二斗けくえまいらす、二斗、ねうほうのおんはな米まいらす、くまの丶おんやまへ五斗五升、おんふしやうまいにまいらす。

（大神宮へ正月一日、内外宮へ米三斗、御幣料、又二斗外宮へ参らす、二斗、如法の御花米参らす、熊野の御山へ五斗五升、御仏餉米に参らす）

伊勢《いせ》の内宮（皇大神宮《こうたいじんぐう》）・外宮（豊受大神宮《とようけだいじんぐう》）へ御幣《ごへい》料やお花料として米七斗、熊野三山《くまのさんざん》に五斗五升の仏餉米《ぶつしょうまい》（仏に捧げる米）を奉納したというのである。実重は北伊勢を本拠とし、尾張《おわり》・伊勢・紀《き》

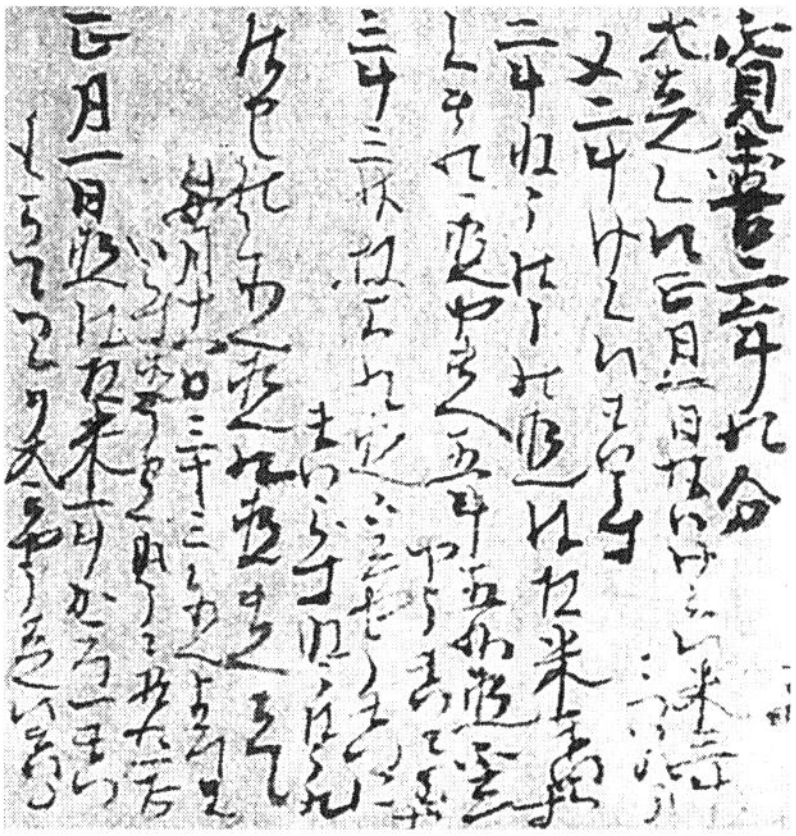
11

◉藤原実重「作善日記」
等身大の在地領主像を伝える貴重な史料。素朴な段階にとどまる知性は、真摯《しんし》な信仰と暴力性や衝動性が同居するような、矛盾する内面をつくりだしていたと考えられる。

伊《い》・大和《やまと》・山城《やましろ》などの各地の寺社に対して、米・銭の奉納、田地の寄進、法会《ほうえ》や造営の助成などを行なっていた。かなりの財力の持ち主で、在地領主クラスであることは間違いない。署名に「筑後守《ちくごのかみ》」の官途《かんと》が冠されており、幕府の斡旋《あっせん》で得たものとすれば、御家人《ごけにん》だった可能性が高い。有力な地位と、拙《つたな》い文章力とのギャップは、一般の在地領主層の知性について考える目安となる。体験に根ざした範囲内で思考・判断するにとどまり、物事を抽象化したり、想像力を働かせたりする習慣がほとんどなかったのではないだろうか。

「作善日記」以下の史料は、特定の相手と通信するために作成される一般の古文書《こもんじょ》とは異なり、信仰の表明として仏像の胎内に納められた、いわば仏を宛先《あてさき》とするものである。仏に伝わりさえすればよいのだから、文筆に長じた者の助けを借りることもなく、一般在地領主の知性が生のままで現われている貴重な事例と考えられる。

勧進者たち——信仰の営業マン

「作善日記」で注目されるのは、藤原実重《ふじわらのさねしげ》のもとを訪れる多くの勧進者《かんじん》の存在である。勧進者たちは、神仏の縁起を語り、祈禱《きとう》や祓《はら》いを行なっ

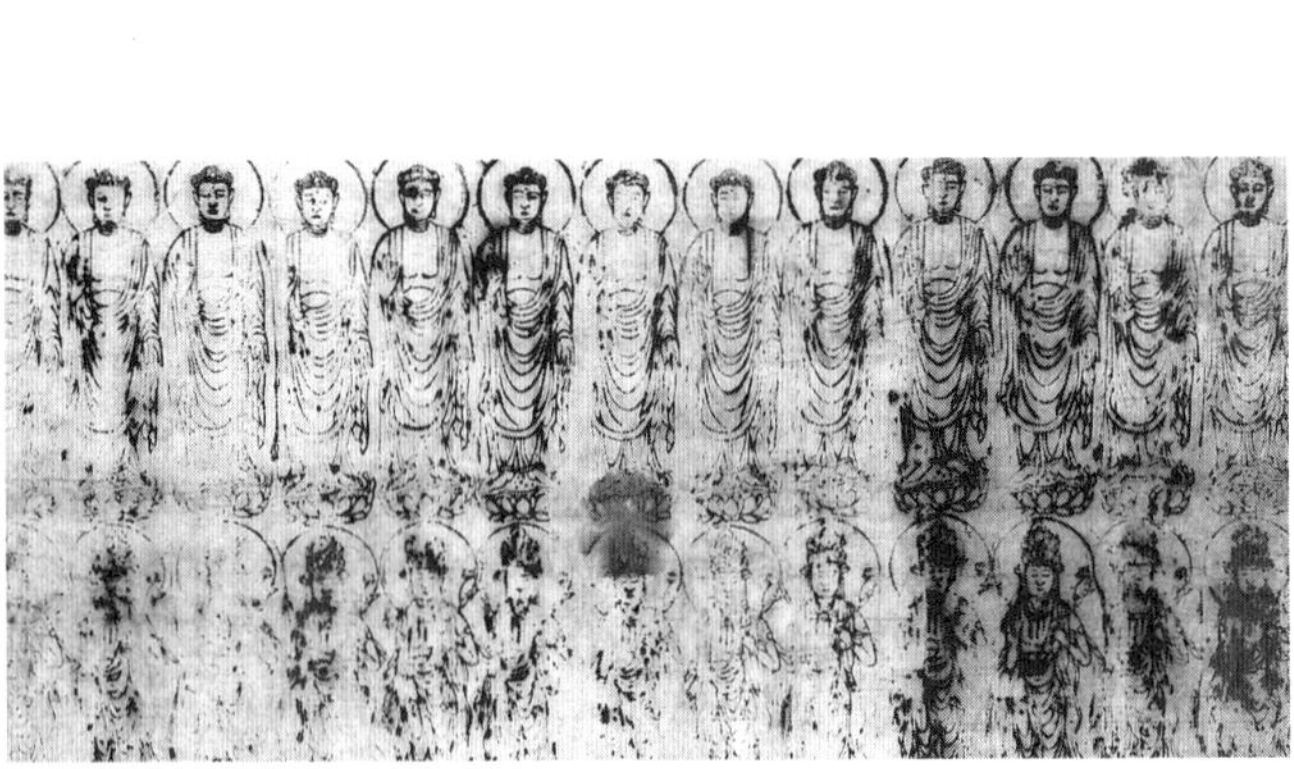

12

●藤原実重の摺仏
版木に彫った阿弥陀仏と十一面観音を、毎日一組みずつ、念仏を唱えながら摺っていったもの。漢字の読み書きができない者にとって、写経にかわる信仰の表明だった。

て喜捨《きしゃ》を得た。同時に、旅の途中で得たさまざまな情報、政治情勢から市井のうわさ話までを伝えたことであろう。

固定的な関係が明確なのは伊勢《いせ》神宮・熊野三山《くまのさんざん》。伊勢神宮では外宮禰宜《げくうねぎ》の度会行房《わたらいゆきふさ》・行能《ゆきよし》の名が見えており、各種行事や遷宮などにあたって実重に寄付を要請し、彼の信仰の窓口となっていたようである。また熊野からは「熊野の月参りの聖《ひじり》」「熊野の先達《せんだつ》」などと記される宗教者が二か月ごとにやってきて、代参の布施物という名目で米や銭などを受け取っていた。実重は伊勢神宮や熊野に何度も参詣《さんけい》しているが、参詣を勧め、旅の手配をするのも彼らの役割だったろう。実重は、伊勢桑名《くわな》郡の多度《たど》神社などへも大口の寄付をしており、周辺の寺社からスポンサーとして注目される存在だったと思われる。

定期的にまわってくる者ばかりでなく、一回限りの門付《かどづ》け勧進もやってきた。山伏《やまぶし》や道者が戸口に立てば、米一升程度を喜捨する。ほかに特定の目的を示して助成・結縁《けちえん》を募る者も多かった。京都西山《にしやま》の釈迦《しゃか》堂に銭一〇〇文《もん》、六万体の仏供養に三〇文、めずらしいところでは延応《えんおう》二年（一二四〇）に訪れた「かまくらの八尺のあみたつくるひしり」（鎌倉の八尺の阿弥陀つくる聖）に、米と銅少々を奉加している。嘉禎《かてい》四年（一二三八）着工といわれる鎌倉大仏のための基金だろうか。鎌倉の事業の勧進が、北伊勢にまでのびていたことは注目すべきだろう。また、寛喜《かんぎ》の飢饉《ききん》の折に、清水《きよみず》の橋のたもとで困窮者一三〇人への施行《せぎょう》、道路や橋をつくるための援助など、社会事業への参加がみられるのも勧進者を介しての行為だろう。

富裕な在地領主は、多くの宗教事業の有力な財源として、周辺の寺社に把握されていた。また、特別な事業を企画する者は、遠隔地からでも出向いて喜捨を求めた。勧進者たちはいわば信仰の営業マンであった。中世社会は、荘園公領支配をめぐる俗のネットワークによって運営されるとともに、聖たちの活動と情報・物流の網に覆われていた。宗教的な安心や極楽往生の確信と引き換えに、大量の富が神仏の所有へと移っていったのである。

先に私は、院政期の潮流のひとつとして地方から中央への富の移動を指摘したが、鎌倉時代には、俗から聖への富の転換が社会の底流をなしたといえよう。それを支えたのは、極楽を希求し、神仏を畏《おそ》れる素朴な信仰だったのである。

13

◉長者の屋敷の門前
長者の家を訪れる童の行者。警護の従者が応対している。勧進者たちは、このように有力者の屋敷を訪ね、時に招き入れられ、時に追い払われたのだろう。(『粉河寺縁起《こかわでらえんぎ》絵《え》巻《まき》』)

第八章

文永・弘安の役と幕府支配の転換

1

蒙古襲来前夜

得宗の成立

宝治《ほうじ》合戦で三浦《みうら》氏を滅ぼした直後、執権北条時頼《しっけんほうじょうときより》は、一八年にわたって六波羅探題《ろくはらたんだい》をつとめた北条重時《しげとき》を呼び戻した。重時は時頼の祖父泰時《やすとき》の弟で、当時五〇歳。若き執権を連署《れんしょ》として補佐することになった。北条氏は拡大を続けており、重時の極楽寺《ごくらくじ》流は、執権を支える家という位置に落ち着いたようである。北条政村《まさむら》のように、いったん対抗勢力として粛清され、執権を脅かす危険性を抜かれたうえで、政権の中枢に復帰した者もいる。北条氏の各門流にも、序列や役割分担ができあがりつつあった。重時の娘は時頼に嫁ぎ、彼女の産んだ時宗《ときむね》が家督を継ぐことになる。

重時は二種類の家訓を残している。「どれほどの利益が期待できようとも、世間の聞こえが悪いことをするべきではない。百千の利潤を捨てても、人聞きのよいほうをとるべきである」など、世間的な評価に配慮し、他人に悪くとられないようにせよという教えが柱となっている。彼の中庸を得た人柄を知ることができるが、同時に、政権のナンバー2ともあろう者が細かいことを気にしすぎのようにも感じられる。「壁に耳、天に目の用心なり。油断あるべからず」「事に触れて、世間に憚《はばか》りふるまうべし」——周囲から浮かないよう、無駄な誤解を招かぬよう、ほとんど卑屈といえるほ

◉馬上の北条時宗
山内《やまのうち》（現在の北鎌倉）の別邸に向かう北条時宗。巨福呂坂《こぶくろざか》を越えて鎌倉に入ろうとする、時宗《じしゅう》の開祖一遍《いっぺん》（左）の一行と出会った場面。（『一遍聖絵』） 前ページ図版

どである。御家人《ごけにん》の頂点に立つには見劣りする北条氏の出自、重時自身の、執権に取って代わりうる立場という二重の不安材料が、このような処世術を要求したのだろう。

『徒然草《つれづれぐさ》』は、時頼が小皿に入れた味噌《みそ》だけを肴《さかな》に酒を飲んだとか、彼の母の松下禅尼《まつしたぜんに》（安達景盛《あだちかげもり》の娘）が障子の破れたところだけをつくろって、息子に倹約を教えたなどの話を載せている。時頼自身も、清廉なイメージを打ち出そうとしていたことから、このような逸話が生まれたのだろう（吉田健一《よしだけんいち》は「酒と肴」という随筆のなかで、よい日本酒は肴を必要としないと述べ、時頼の味噌の話は倹約というより、北条家に上等な酒があったことを示すのではないかと書いている。一流の酒飲みの意見として傾聴すべきだろうか?）。北条氏にとっての〝あるべき施政者の姿〟は、必要以上に細心で謙虚で、息苦しい感じがするほどである。

康元《こうげん》元年（一二五六）、流行病にかかった時頼は執権を辞任する。続いて就任したのは重時の息子長時《ながとき》だが、彼は時宗が成長するまでの中継ぎで、幸いに病が癒《い》えた時頼が実権を保持することになった。ここに執権ポストとは別に、「得宗《とくそう》」と呼ばれる北条氏家督が政権を握る体制が生まれるのである。

北条氏・安達氏関係図

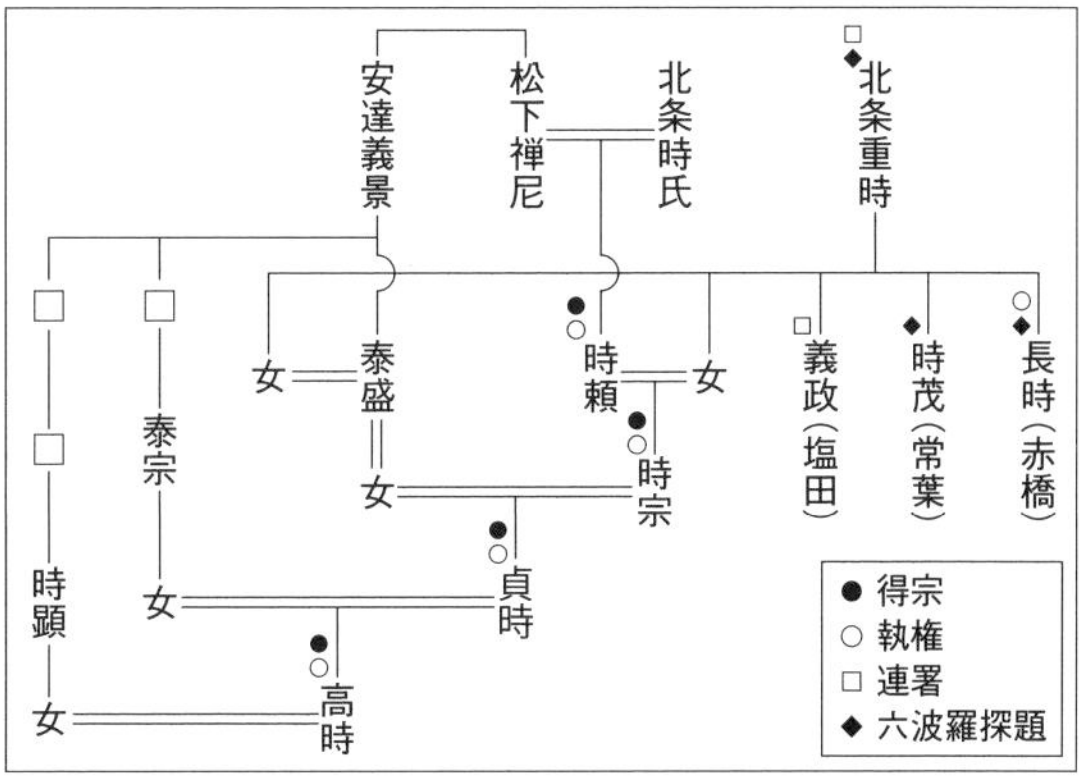

東西の撫民

北条重時《ほうじょうしげとき》の家訓を、彼の政治的地位から離れて、一個人の到達した境地としてみると、また異なった見方ができる。

「道理のなかに僻事《ひがごと》（間違い・不都合）があり、また僻事のうちに道理がある。相手の生死がかかっているほどの大事において、道理ばかりを主張して相手を追いつめるのは〝道理のなかの僻事〟である。逆に、相手に理がなくとも、それに眼をつぶって救ってやるのが〝僻事のなかの道理〟である。このように心得て、世も民も助かるように計らってやれば、誰もが好感をもつであろう」

「むやみに命を奪ってはならない。折に触れて生あるものに対する憐《あわ》れみの気持ちを新たにしなさい。卑《いや》しい虫けらでも、命を惜しむことは人と変わらないものだ」

「罪つくりなことをしてはいけない。人の煩い・嘆きになるようなことをしてはならない。嘆きというのは、たとえば農作物に損害を与えるようなことである」

「祖先の供養のために堂塔を建てるような場合にも、人の煩いになるようなことは一切してはいけない。〝長者の万灯よりも貧者の一灯〟という言葉を覚えておきなさい」

2

◉円覚寺舎利殿
北条氏は時頼以来、禅宗への傾斜を強めていく。時宗は無学祖元《むがくそげん》を招いて、円覚寺《えんがくじ》を創建した。舎利《しゃり》殿《でん》は他寺から移築されたものだが、禅宗様建築の代表的な遺構。

ここには、道理の柔軟な運用や、あらゆる生あるものに対する慈愛の教えが述べられている。卑しい虫けらと自分自身の生命との対比、〝人の煩い〟を戒めるにあたって、御家人《ごけにん》社会の構成員だけでなく、搾取される立場の者までを視野に入れていることなど、非常に成熟した憐憫《れんびん》主義というべき姿勢を見てとることができるだろう。

以上のような重時の主張は、建長《けんちょう》五年（一二五三）に出された一連の幕府法に反映されている。諸国の地頭代《じとうだい》（地頭の代官）に対し、検断《けんだん》にあたっての基準を示したもので、領民に対する苛政《かせい》を阻止しようとする意図は明らかである。刑事事件の捜査・断罪（検断）は地頭の職務であり、既存の法令にも定められているところではあるが、荘園《しょうえん》支配の現場においては地頭代の恣意《しい》的な処断が行なわれていた。犯科人への拷問や、親類・従者への処罰の拡大、身柄の拘禁や資財没収など、さまざまな罪科や年貢対捍《たいかん》（年貢を規定どおりに納めないこと）に事寄せて、地頭代の横暴は苛烈《かれつ》を極めていたようである。法令は「もっぱら撫民《ぶみん》の計らいを致し、農作の勇を成すべし」と、撫民を提唱する。地頭の向こうに農業に携わる「土民《どみん》」の姿を意識し、これを撫育《ぶいく》しようとするのは、幕府の視野の拡大を表わすものであり、執行部にはぐくまれた撫民思想の成果といえよう。同時に、農民とその家産が、守り育てるべき耕作の単位として成長してきたことを反映しているに違いない。

幕府は、撫民政策を朝廷にも要求し、それは弘長《こうちょう》三年（一二六三）の公家《くげ》新政として実現した。そのなかには「土民を優恤《ゆうじゅつ》すべきこと」という一条があり、公家政権の目線が農民にまで及んだことを示している。この点がより明らかになるのは、同年に摂津《せっつ》広田《ひろた》社に出された神祇官下文《じんぎかんくだしぶみ》の、検断にあたっての量刑の遵守を求めた部分である。また、起請文《きしょうもん》（宣誓書）提出の際に、領主が祭物料などを要求することを戒めた条項も注目される。在地では、犯罪容疑者に、潔白を証明するために神に起請文を捧げさせ、その際に領主が一定の金銭を徴収することが行なわれていた。神のために祭壇や供物《くもつ》を整えるのを領主が代行するための経費が、しだいに検断に付随する領主の得分《とくぶん》と化したのだろう。領民―領主―神の関係が、いつのまにか領民―領主＝神にすりかわり、領主は神と一体化して領民を裁き、祭物料を徴収するに至ったと考えられる。民衆と支配者との関係に一定の節度を立てることこそが、朝廷をも巻き込んで幕府が企図したところであった。

得宗《とくそう》専制体制の確立と、撫民政策との両面での展開が進められるなか、弘長元年に重時は没し、文永《ぶんえい》元年（一二六四）に執権長時《しっけんながとき》も没、連署《れんしょ》の北条政村《まさむら》が執権に、一四歳の時宗《ときむね》が連署に就任した。文永三年には将軍宗尊《むねたか》親王が京都に送り返される。将軍の周囲で起こった醜聞が直接の原因といわれるが、頼経《よりつね》の場合と同じく、二〇代なかばに達した将軍が、反得宗勢力を招き寄せる危険な存在となったことがほんとうの理由だろう。このあとも、将軍のほぼ二〇年ごとの京都送還という図式は繰り返される。

ユーラシア世界と日本

一二〇六年、テムジンは遊牧民諸集団を統合して、アジアの内陸草原に「大モンゴル国」を築き、即位してチンギス・ハーンと名のった。彼と彼の子孫はユーラシア各地に勢力を伸ばし、東は日本海から西はドナウ河口に至るまで、世界史上最大の版図《はんと》を実現した。杉山正明《すぎやままさあき》は、「大モンゴル国」の出現によって、世界がはじめて地域・文明圏を超えてひとつの全体像としてとらえられるようになったとし、「モンゴル時代」を世界史の画期と位置づける。モンゴル政権による国家的編纂《へんさん》物としてペルシャ語で叙述された世界史『集史《しゅうし》』の成立、東西で連動して作成された世界地図などが、人類の歴史が新たな段階に入ったことを示しているという。ユーラシア全体を巻き込んだ歴史の大転換が日本にまで及んだのが、文永《ぶんえい》一一年（一二七四）・弘安《こうあん》四年（一二八一）の二度にわたる蒙古《もうこ》襲来だった。

日本を襲った蒙古・高麗《こうらい》の連合軍に対する恐怖は、恐ろしいもの・理不尽なことを意味する「むくりこくり」（蒙古・高句麗《こうくり》）という言葉として伝えられ、泣く子を黙らせるために「むくりこくりの鬼が来るぞ」と脅《おど》すなど、現在でも方言のなかにその記憶を

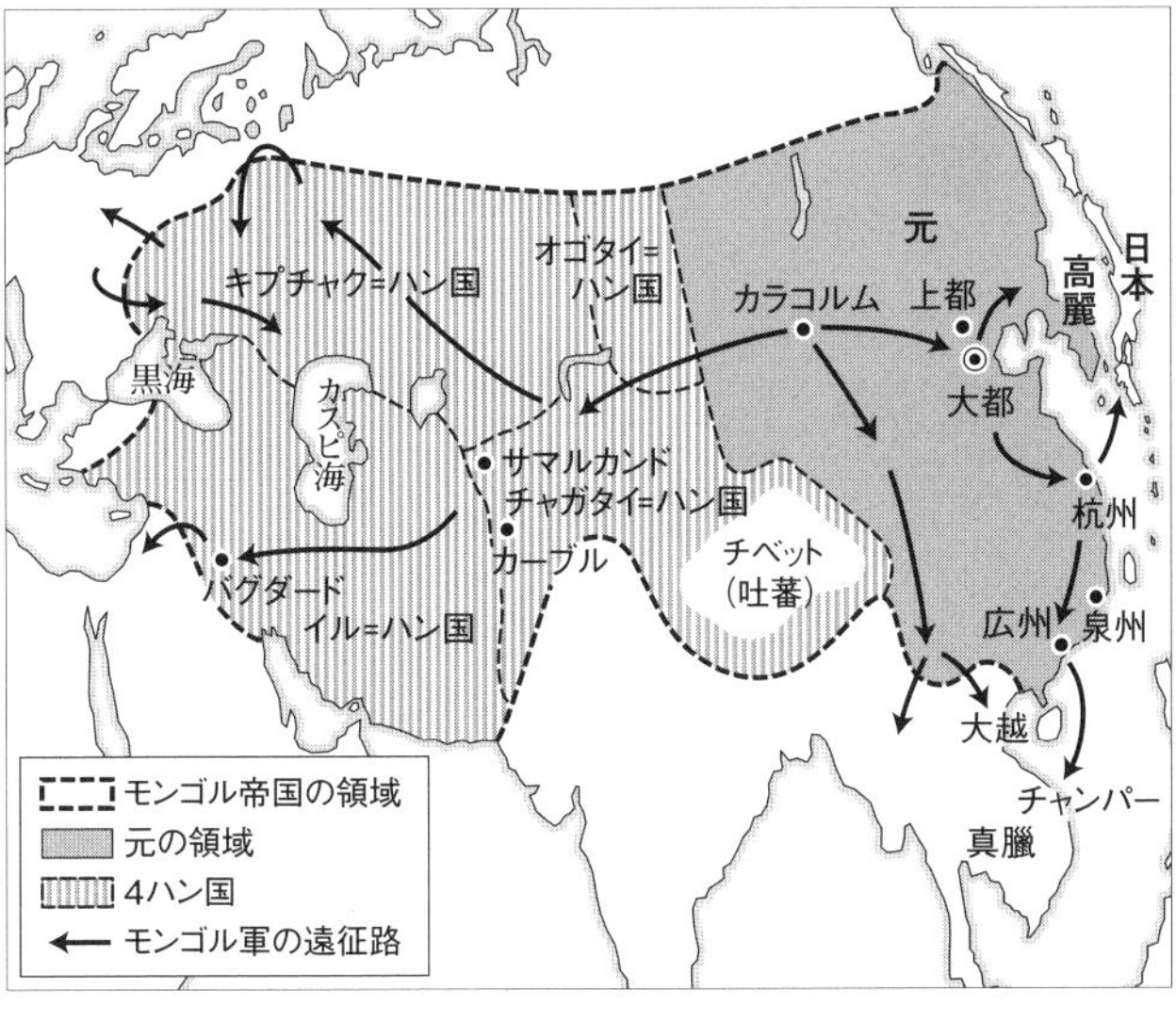

●モンゴル帝国の版図
アジアの片隅に生まれた遊牧民の国は、またたくまに支配権を拡大し、ユーラシア全体を影響下に置いた。新しく出現した「世界」に、海に囲まれ、外圧をこうむることのなかったわが国も参加を強いられる。

とどめている。井伏鱒二《いぶせますじ》の『黒《くろ》い雨《あめ》』は、広島への原爆投下の際のいわゆるキノコ雲を、人々が「ムクリコクリの雲」と呼んだと記す。外部からもたらされた得体の知れないものが、すなわち「むくりこくり」だった。

四方を海で囲まれたわが国は、他国から攻められた経験そのものが乏しく、寛仁《かんにん》三年（一〇一九）の刀伊《とい》（女真族《じょしん》）の来寇《らいこう》があるくらいだろう。それとても規模が小さく、大宰府《だざいふ》官人《かんじん》の奮戦によって撃退された。蒙古襲来は、日本全土から兵士を動員し、大規模な祈禱《きとう》によって考えられるかぎりの神仏の加護を求める、神と人とを巻き込んだ総力戦となり、日本史上、ほかに比べるもののない経験となったのである。

チンギスは一二一一年から五年にわたりマンチュリア（中国東北地方）と華北《かほく》の金《きん》帝国を攻撃し、一二一九年からの西征で中央アジア・中東で最強のホラズム・シャー帝国を解体させ、西夏《せいか》を滅亡に追い込んだ。彼の死後は、その後継者たちがユーラシア規模の軍事活動を展開し、東では金を滅ぼして南宋《なんそう》に侵攻し、西はロシアから東欧までを席巻した。第四代皇帝モンケは世界制覇を視野に入れていたが、南宋攻略の戦略について弟クビライと対立、内紛の末、一二六四年にクビライが帝位を掌握した。ここにモンゴル帝国は、宗主国であるクビライの東方帝国を中心に、ほかの三つのブロックを統合してユーラシアを支配する世界連邦を形成することになった。クビライは帝都として大都《だいと》（北京《ペキン》）を建設し、陸上帝国に加えて、海上帝国の実現をめざしたとみられるという。日本への接触は彼の海上進出政策の一環であった。

大蒙古国皇帝、書を日本国王に奉る

「上天眷命《じょうてんけんめい》せる（天の慈しみを受けた）大蒙古《もうこ》国皇帝、書を日本国王に奉る」——一二六六年八月、クビライは日本宛《あて》国書をしたためて、使節を任命し、高麗《こうらい》に命じて日本までの案内人をつけさせた。だが一行は巨済島《コジェド》から対馬《つしま》をのぞみながら、荒れた海に恐れをなして引き返した。クビライは激怒し、翌年ふたたび使節が送られた。文永《ぶんえい》五年（一二六八）正月、今度は無事に大宰府《だざいふ》に到着、これを迎えた鎮西《ちんぜい》奉行少弐資能《しょうにすけよし》は、ただちに鎌倉にこの国書を送り、その写しは鎌倉から京都の西園寺実氏《さいおんじさねうじ》（関東申次《かんとうもうしつぎ》）のもとにも伝えられた。東使《とうし》（鎌倉幕府の使者）が到着する前から、都は「異国賊徒」のうわさでもちきりだったという。

クビライが日本に送った国書は『元史《げんし》』や『高麗史《こうらいし》』などの大陸側正史に収録されているが、日本では、東大寺《とうだいじ》の碩学宗《せきがくそう》性《しょう》（二〇〇ページ参照）の書写にかかる『調伏異朝怨敵抄《ちょうぶくいちょうおんてきしょう》』によって伝来する。国書が京都に伝達されてまもないころ、宗性が亀山殿《かめやまどの》で法会を行なった際に、その写しを見る機会があり、

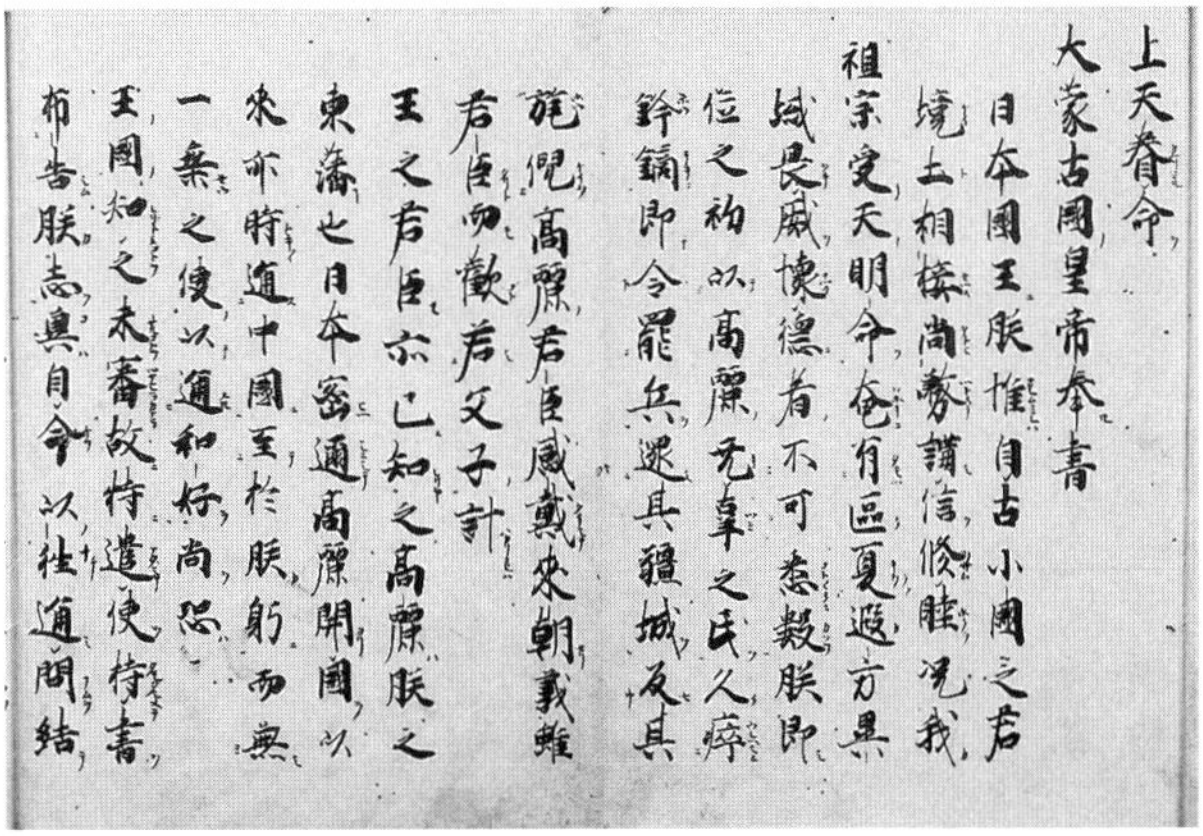
上天眷命
大蒙古國皇帝奉書
日本國王朕惟自古小國之君
境土相接尚務講信修睦况我
祖宗受天明命奄有區夏遐方異
域畏威懷德者不可悉數朕即
位之初以高麗無辜之民久瘁
鋒鏑即令罷兵還其疆域反其
旄倪高麗君臣感戴來朝義雖
君臣而歡若父子計
王之君臣亦已知之高麗朕之
東藩也日本密邇高麗開國以
來亦時通中國至於朕躬而無
一乘之使以通和好尚恐
王國知之未審故特遣使持書
布告朕志冀自今以往通問結

3

◉蒙古国書
一二六六年八月付のクビライの国書の写し。幕府は、受領後ただちに、西国御家人に向けて、蒙古よりの侵略の可能性を報じ、警戒を促した。（『調伏異朝怨敵抄』）

書き取っておいたのだという。その内容は、高麗を従属させたことを報じ、日本との友好を求めるもので、書式・用語とも比較的穏当と評価できる。ただ最後に「兵を用いるに至りては、夫《そ》れ孰《たれ》か好むところならん」（誰が戦争を好むであろうか、戦争になったら困るだろう）と記してあるのが、とりようによっては脅《おど》しのように感じられるところである。

朝廷では、届けられた二通の牒状《ちょうじょう》（蒙古からの牒状と、それを伝達する高麗の牒状。牒状は日本側での呼称。「牒」は公文書の様式のひとつで、外交文書に用いられた）をめぐって、連日評定《ひょうじょう》が開かれた。とりあえず決まったのは伊勢《いせ》神宮への公卿《くぎょう》勅使派遣（相変わらずの対応である）と神事興行を内容とする徳政《とくせい》の実施で、返書を出すべきかどうかも議論されたが、結局は見送られた。幕府は西国御家《ごけ》人《にん》に対して、蒙古よりの牒状の到来を知らせ、警戒を求める簡潔な命令を発した。また、執権北条《しっけんほうじょう》政村《まさむら》が連署《れんしょ》に退き、一八歳になった時宗《ときむね》を執権に就任させて、名実ともに得宗《とくそう》を戴《いただ》く体制を整えた。使節らは五か月も大宰府《だざいふ》に留め置かれたあげく、むなしく送り返された。

クビライが三度目に派遣した使節は、文永六年二月に対馬に到着。しかし日本側に取りあってもらえず、島民二人を連れ帰った。同年六月、この二人を返還するという名目で、四度目の使節がやってきた。このときは、蒙古・高麗両国に宛てた返牒が作成されている。朝廷の学者菅原長成《すがわらのながなり》による二通が『本朝文集《ほうちょうもんじゅう》』に収録されているので、内容を知ることができる。蒙古宛には神国思想に基づいた通交拒否だが、高麗には、これまでの交流の実績をふまえた好意的な調子となっている。しかし幕府が返答の要なしと判断したため、いずれも用いられることはなかった。この事実は、外交の実権を幕府が握っていたことを示す。だが、朝廷が返牒を作成することが自然な流れとして認識されていた点も見逃すべきではなく、国家を主導する力は、現実的なものと形式的・様式的なものとに分裂していたといえよう。

三別抄と日本

文永《ぶんえい》八年（一二七一）九月、左少弁吉田経長《さしょうべんよしだつねなが》は、その日記『吉続記《きちぞくき》』につぎのように記した。

「鎌倉からの使者が高麗《こうらい》の牒状《ちょうじょう》を携えて、関東申次《かんとうもうしつぎ》の西園寺《さいおんじ》大納言《だいなごん》の屋敷に到着した。大納言は院のもとに参上し、この旨を申し上げたということだ」

この牒状は、蒙古《もうこ》兵が日本に攻め込もうとしていると告げるほかに、「食糧と救援の兵を乞う」と記しており、どう解釈すべきか意見が分かれたという。

東京大学史料編纂所《しりょうへんさんじょ》には「高麗牒状不審条々《こうらいちょうじょうふしんのじょうじょう》」と題した文書が所蔵されている。文永五年に日本にもたらされた高麗牒状と、この文永八年の牒状とを比較して、疑問に思われる点を箇条書きにしたものである。そのなかに「前の状には『蒙古の徳に恐れ入り、君と仰いでいる』とあったが、今回の状には『江華島《カンファド》に本拠を移してはや四

4

◉江華島の石垣
江華島は開京の南約三〇kmのところにある。反蒙古闘争の拠点となった四〇年ほどの間に、要塞化された。石垣の下の部分が一三世紀の遺構。

〇年となる。まことに蛮族は憎むべきである。このたびわれわれは珍島《チンド》に都を移したところだ』と書かれている」という一条が見える。前状ではその徳を称《たた》えたのに、後状では蛮族と罵《ののし》っており、蒙古に対する評価に明らかな矛盾があることの指摘である。さらに江華島から珍島への遷都とは何か。

　蒙古の侵攻を受けた高麗は、一二三二年に都を開京《かいきょう》から江華島に移す。蒙古による容赦ない侵略は約四〇年にわたって続けられた。この間に国土防衛・反蒙古の戦闘を展開したのが三別《さんべつ》抄《しょう》である。別抄とは国軍の精鋭で編成された軍隊を指し、左右二部隊の夜別抄と神義軍をあわせた三別抄は、私兵集団なども取り込んで抵抗を続けた。ユーラシアの政権がつぎつぎと屈していくなか、これほど長期にわたって抵抗した勢力は、ほかにみることができない。だが、鎌倉幕府と同じころに成立した崔氏《さいし》武人《ぶじん》政権は一二五七年に滅び、国王高宗《こうそう》は蒙古に服属した。服属を完全なものにするため、一二七〇年、高宗の子元宗《げんそう》は江華島から開京への還都を決意。三別抄は還都に反対して「反蒙救国」の反乱軍と化し、朝鮮半島西南端に浮かぶ珍島に本拠地を移した。

◉三別抄の乱関係地図
貿易や、禅僧の往来などを通じて、日本と大陸との交流は少なからず行なわれていた。だが、そこから外交上の情報を得るという発想が、日本の施政者たちには欠けていたようである。

　以上の高麗側の事情をふまえれば、日本で不審とされた点の由来は明らかだろう。すなわち、文永五年の牒状が蒙古の意を受け、いわば蒙古におもねって書かれたのに対し、文永八年のそれは、反蒙民族闘争のただなかにある三別抄が、日本に援助を求め、また自分たちの抵抗の経緯や蒙古の日本侵攻の意図を伝えて、協調を呼びかけたものだったのである。この牒状の到来と前後して、蒙古は趙良弼《ちょうりょうひつ》を使者として日本に派遣し、第五次の日本招諭《しょうゆ》を行なう。このたびは、高麗へ駐屯軍を置いて日本遠征の基地づくりを試みるなど、具体的な派兵準備を伴っていた。蒙古の日本遠征計画は、船の供出・建造、軍兵の調達など、高麗にかなりの負担を強《し》いる内容で、三別抄の乱は計画の進行にとって大きな障害となった。

三別抄はいったんは勢力を伸ばしたが、高麗政府軍および蒙古軍の攻撃を受けて、さらに南方の耽羅《たんら》（済州島《チェジュド》）に逃げ込んだ。その後、半島の沿岸部を脅かしながら開京をうかがうに至ったものの、一二七二年ついに敗北。珍島・耽羅を攻めた三別抄掃討戦は、蒙古軍に本格的な海戦の経験をもたらすと同時に、このあと日本攻撃の先鋒《せんぽう》を強いられる高麗軍を疲弊させた。前年「元《げん》」の国号を建てた蒙古は、この勢いに乗じて、日本への攻撃に乗り出した。

中世日本の対外意識

民族的抵抗のさなかにある三別抄《さんべつしょう》からの呼びかけに対して、中世日本人は、どのようにこたえただろうか。端的にいって、彼らは何ひとつこたえなかった。二通の牒状《ちょうじょう》を比べて、疑問点を書き上げながら、彼らは三別抄が民族的情熱と希望を託した文書の意味を、結局のところ理解しなかったのである。
吉田《よしだ》経長《つねなが》は日記に記す。

九月三日、高麗《こうらい》牒状について、後嵯峨《ごさが》院のもとで評定《ひょうじょう》が行なわれた。左大弁日野《ひの》資宣《すけのぶ》が牒状二通を読み上げた。

四日、今日は出仕せず。昨日の牒状の内容は、蒙古《もうこ》兵が日本に攻めてくる、食糧と救兵を頼むというものだった。どのような意味か意見が分かれた。

五日、文章博士藤原茂範《もんじょうはかせふじわらのしげのり》が亀山《かめやま》天皇の御前で牒状二通を読み上げた。よどみなく読み通して、立派である。再度、院のもとで評定を行なうので、出席者には牒状の写しが配られた。

六日、文章博士茂範が来訪。牒状のなかに〝貼〟という文字があるが、それでは意味が通らないので、〝貼〟(「うかがう」の意)の間違いではないだろうか。『唐韻《とういん》』によれば、この字の釈は……といろいろ蘊蓄《うんちく》を聞かされて、意見を求められた。

七日、院で評定が開かれた。参議菅原長成《すがわらのながなり》が牒状を読み上げた。三日に日野資宣が読んだときには、うまく意味がとれていないようだった。資宣はあまり優秀でないという評判で、信用できない。

朝廷で外交文書の解釈・起草などを担当したのは、儒学・文章道などを修めた学者の家柄の者であった。『吉続記《きちぞくき》』の記事を見るかぎり、貴族社会の興味は、牒状の訓読の方法や字面の解釈に限られており、その背後の国際的状況に踏み込もうとする意識は感じられない。「高麗牒状不審条々《こうらいちょうじょうふしんのじょうじょう》」という文書も、学者や官人《かんじん》の誰かが、字句の解釈や先例を検討する途中でメモしたものだろう。文永《ぶんえい》八年（一二七一）牒状の意図や背景は〝不審〟なまま終わってしまった。

　このあと、朝廷は異国調伏《ちょうぶく》のための仁王経法《にんのうきょうほう》を行なった。彼らにとって、蒙古侵攻の可能性は、外交や国際上の問題というよりも、地震や洪水のような天災に類するものであった。情報収集や分析、政治的対応の対象とは考えられていなかったのである。

　鎌倉幕府は、この年九月一三日付で九州に所領をもつ御家人《ごけにん》に関東御《み》教書《ぎょうしょ》を発し、所領に下向《げこう》し、異国防禦《ぼうぎょ》と領内の秩序維持にあたるように命じた。朝廷の祈禱《きとう》に対し、幕府の武力発動は規定の役割分担であった。動員される御家人たちも、国土や民族の防衛よりも、幕府に対して忠節と戦功をアピールして所領を獲得することが目的であって、視線は敵よりも味方に向いている（このあり方は、太平洋戦争時の日本軍にも通じるであろう）。昨今の中世史研究では、活発な対外交流や出土する大量の輸入陶磁器などが強調されるが、当時の社会には、通交はあっても外交はなく、対外意識もごくお粗末であったといわざるをえない。

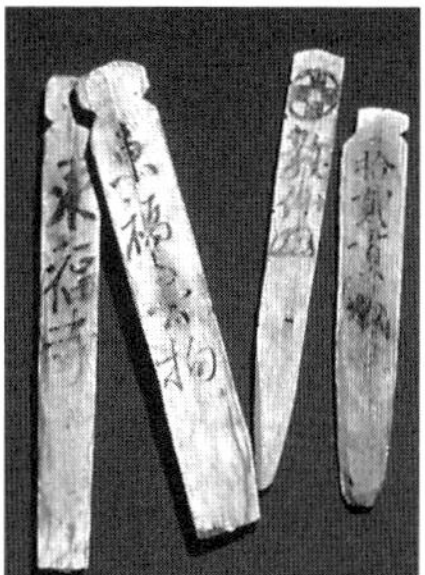

5

6

◉新安沈没船の引き揚げ品
韓国新安沖に沈んだ鎌倉時代末の貿易船の遺物。大量の陶磁器や銭などとともに、積み荷につけられていた木簡（木札）が発見された。「東福寺《とうふくじ》」などの文字が見える。

『徒然草《つれづれぐさ》』のなかで兼好法師《けんこうほうし》は「唐の物は薬のほかはなくても事欠くまじ」（大陸からの輸入品は、薬品以外は不要不急である）と述べたが、ここで彼は〝銭《ぜに》〟という重要な輸入品を忘れている。貨幣（現銭）の輸入や流通は、金融業者や商人、一部の主体的に経済に関与している権力者以外には、ほとんど関心のない事象であって、貴族社会の末端に連なる兼好にしてみれば、対外貿易といえば「唐物《からもの》」と呼ばれる珍奇な奢侈品《しゃし》しかイメージできなかったのだろう。

　鎌倉時代の人々の対外意識の未熟を指摘することは簡単だが、それは切迫した国際経験がなかったことに加え、朝廷・幕府を問わず、施政者層と社会や通商との関係になんらかの偏向や欠落があることの必然的な帰結だったのである。貿易や僧侶の往来など、大陸との交流はさかんに行なわれていたはずだが、それらが必要な情報や認識をもたらさなかった――そのような性格の交流であったという事実を受け止め、解明することが今後の課題であろう。

日蓮の予言

「禅は天魔、真言は亡国の法、極楽寺《ごくらくじ》の忍性《にんしょう》は国賊、浄土宗《じょうどしゅう》は無《む》間《けん》大阿《だいあ》鼻《び》地《じ》獄《ごく》、そのほかいずれの宗派も地獄に堕《お》ちるべきである。間違った教えを捨てて、一心に法《ほ》華経《けきょう》に帰依しないならば、自界叛逆《はんぎゃく》（内乱）・他国侵逼《しんぴつ》（外国からの侵略）の事態が起こるであろう」

　日蓮《にちれん》が御《み》内人《うちびと》（得宗《とくそう》の家人）宿屋入道最信《やどやにゅうどうさいしん》を通じて、『立正安国論《りっしょうあんこくろん》』を晩年の北条時頼《ほうじょうときより》に上呈したのは、文応《ぶんおう》元年（一二六〇）のことであった。

彼はみずからの出自を「賤民《せんみん》が子」「旃陀羅《せんだら》（インドの被差別民）が子」などと言い放ってはいたが、これは法華経の偉大さを強調するためのレトリックで、事実は太平洋に面する安房国東条御《あわのくにとうじょうのみ》厨《くりや》の在地有力者の子弟「海人《あま》が子」だった。鎌倉を拠点として法華経信仰を広めており、関東の御《ご》家人《けにん》や御内人たちにも熱心な信者が多かった。だが他宗を呪《のろ》い、怪しい予言を吐く彼の言説はあまりにも過激で、たびたび法難をこうむっている。『立正安国論』脱稿翌年には、名越松葉谷《なごえまつばがやつ》の草庵が暴徒に襲われ、からくも脱出するが（白い猿が導いてくれたといわれる）、直後に幕府の弾圧を受けて伊豆《いず》に流された。

しかし日蓮の予言は当たった。文永《ぶんえい》五年（一二六八）には蒙古《もうこ》から国書が到来し、同九年二月には、鎌倉の名越時章《なごえときあき》・教時《のりとき》兄弟および六波羅探題南方《ろくはらたんだいみなみかた》の北条時輔《ときすけ》（時宗《ときむね》の庶兄）が討たれる二月騒動《にがつそうどう》が起こったのである。名越氏は一貫して執権《しっけん》・得宗との関係が不安定であった。頼経《よりつね》の時代から将軍に近侍《きんじ》して、親将軍・反執権と疑われがちな位置づけだったのである。宗尊《むねたか》親王追放の際も、名越教時が宗尊を慕う様子を見せたといわれている。一方の時輔は、正室の子でないため弟の時宗《ときむね》の後塵《こうじん》を拝することになり、

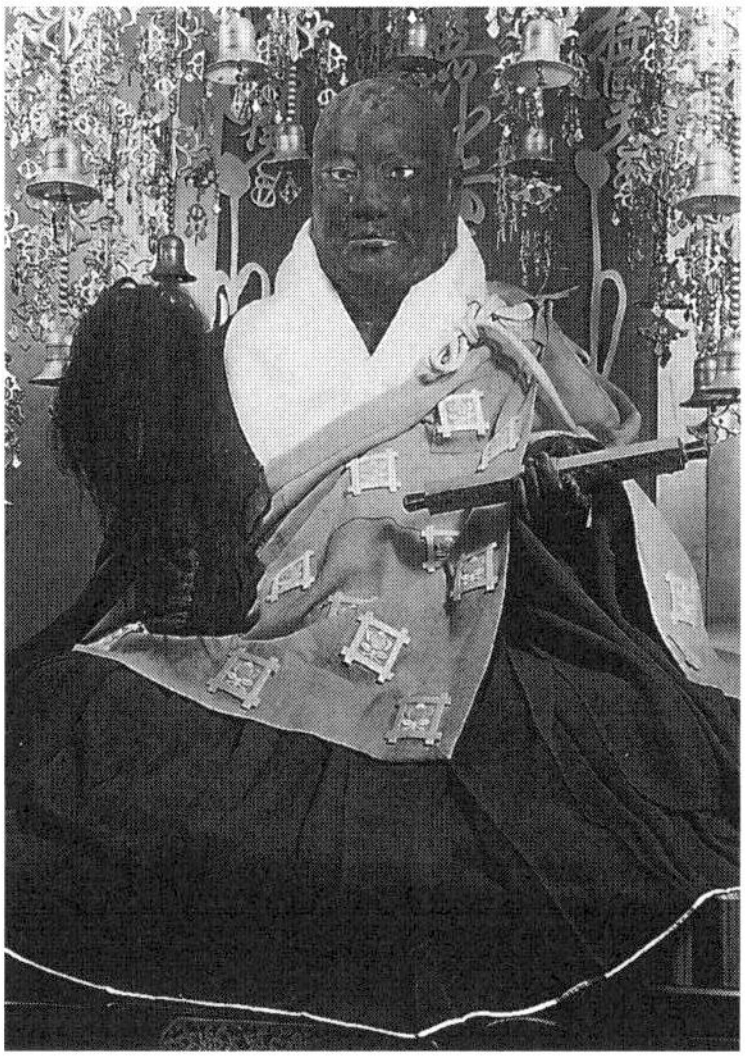
7

◉日蓮坐像
身延山久遠寺《みのぶさんくおんじ》・中山法華経寺《なかやまほけきょうじ》とともに日蓮宗三頭と呼ばれた池上本門寺《いけがみほんもんじ》に伝わる像。日蓮七回忌にあたる正応《しょうおう》元年（一二八八）に造立されたもの。

京都にいわば厄介払いされていた。蒙古問題が生じたため、六波羅探題の重要性は高まり、時輔は朝廷と鎌倉との間に立って奮闘したが、それが逆に危険視されたようである。

二月騒動は北条得宗家が、同族のなかで障害になりそうな者を排除した事件であった。明らかな謀叛《むほん》や陰謀が喧伝《けんでん》されたわけではなく、逆に討手として手を下した者が、早まって罪のない者を殺したとして処罰された。ほかの北条氏メンバーに対する得宗の警戒や不信が、蒙古襲来前夜の不安な情勢で増幅され、粛清となったと考えられる。

「日蓮は日本国の棟梁《とうりよう》である。私を失うことは日本国の柱を倒すことである。自界叛逆の難として同士討ちが起こり、他国侵逼の難として、わが国の人々が異国のために打ち殺されたり、生け捕りにされたりするであろう。一切の念仏者や禅僧の寺を焼き払い、やつらの首を由比ヶ浜《ゆいがはま》で斬らなければ、日本国は必ず滅ぶであろう」

日蓮が内管領《うちかんれい》（得宗の家令）平頼綱《たいらのよりつな》にこう語ったのは文永八年のことで、今度は佐渡《さど》に流された。日蓮の宗教的熱狂と想像力は、なぜか「日本国」のイメージと連動している。そして文永一一年、ついに元《げん》・高麗《こうらい》連合軍が姿を現わしたのであった。

蒙古襲来

文永の役

二月騒動と前後して、ようやく九州の防衛が本格化した。文永《ぶんえい》九年（一二七二）二月には、九州諸国に向けて、地元在住の御家人《ごけにん》を動員し、筑前《ちくぜん》・肥前《ひぜん》を防衛するよう命令が発せられた。異国警固《けいご》番役《ばんやく》の開始である。また一〇月には、各国守護《しゅご》に対して大田文《おおたぶみ》の調進が命じられた。大田文は、国内のすべての荘園《しょうえん》・公領について、所領の規模や領主の名前を書き上げたものである。国役賦課の根拠とされるが、このたびは軍勢動員のための基本台帳として必要であった。

九州の御家人はただちに指定された警固地に出立した。薩摩国《さつまのくに》御家人成岡忠俊《なりおかただとし》は、父忠恒《ただつね》にかわって博多《はかた》に赴いたが、出発に先立って幼い息子熊寿丸《くまじゅまる》（くますまろ）に譲状《ゆずりじょう》をしたためた。

「異国の人が襲来するというので、関東からの命令に従って軍役をつとめてくる。万が一の場合には熊寿丸を嫡子として、相伝の所領を譲り与える」

幸い忠俊は所定の役をつとめあげ、「四月一七日から五月一六日まで、博多津《はかたのつ》において、たしかに番役を勤仕した」という鎮西《ちんぜい》奉行少弐資能《しょうにすけよし》（覚恵《かくえ》）の覆勘状《ふくかんじょう》（証明書）を取得した（『延時文書《のぶときもんじょ》』）。

文永一一年一〇月五日、対馬《つしま》西岸の佐須浦《さすうら》（長崎県厳原町《いずはらちょう》）に、元《げん》・高麗《こうらい》連合軍三万余が来襲した。彼らは浦を焼き払い、壱岐《いき》を制し、二〇日にはついに博多湾から上陸してきた。日本軍は合戦の作法にのっとって、大将少弐資能の孫の若武者を出し、矢合《やあわせ》のための鏑矢《かぶらや》を射させた。両軍から鏑矢を射合って、開戦の合図とする習わしなのだが、敵軍はこれをまったく理解せず、どっと笑ったという。武士の誕生以来営々と受け継がれてきた約束事が通じず、日本軍は戦法の違いにおおいに悩まされた。

元軍は太鼓や銅鑼《どら》をたたき、紙砲《しほう》・鉄砲《てつぽう》（火薬利用の飛び道具の類）などを撃って、鬨《とき》の声を上げる。日本軍の馬は、この騒ぎに脅《おび》えて立ちすくんでしまう。いっせいに毒矢を射かけ、集団で鉾《ほこ》を振るう。軽い鎧《よろい》を着て身軽に馬を乗りまわし、勇猛で命を惜しまない。太鼓の指示に従って、攻めたり引いたりする。逃げるときには鉄砲を飛ばすので、追手《おって》は音や煙にひるんで進めなくなってしまう。

一騎打ちによって功名を立てることを目的とする日本の戦法に対し、元軍は完全な集団戦法だっ

8

9

◉蒙古の兵装（復元）と「てつはう」
華麗な大鎧《おおよろい》を着けた日本の武士に対し、蒙古兵は軽装であった。長崎県鷹島《たかしま》の海底からは、投石器の石弾や、火薬や鉄片を詰めた陶製の炸裂弾（てつはう）などの、蒙古側の武器が引き揚げられている。

た。日本の武士たちも奮戦したが、元軍優勢でその日は暮れ、日本軍は大宰府《だざいふ》まで退却した。誰もが明日は惨敗するのではないかと恐れながら寝に就いた。ところが、夜が明けてみれば敵の船団は消え失せている。元軍は一夜のうちに撤退したのである。京都では「にわかに逆風が吹き来たって、元軍を本国に吹き帰した」と伝えられたが、はっきりした根拠はない。

杉山正明《すぎやままさあき》によれば、第一回襲来時の元の目的は、日本に対する威嚇《いかく》・牽制《けんせい》および偵察であり、撤退は意図的なものだったという。『高麗史』など大陸側史料によれば、女真人《じょしん》（中国東北地方から沿海州方面のツングース系民族）の著名な武将劉復亨《りゅうふくこう》が流れ矢に当たるなど、日本軍が意外に手ごわいことを認識した元軍は、せっかく獲得した陸上拠点を捨てて船に戻り、撤収したのである。

戦闘の経過は、石清水八幡宮《いわしみずはちまんぐう》の神官が著わした『八幡愚童訓《はちまんぐどうくん》』によるものである。日本軍劣勢の理由を、個人戦と集団戦の違いとするなど、同書の分析は的確である。ただし、「八幡神の霊験《れいげん》による勝利」を主題として記述されているので、多少の潤色が施されている可能性がある。「神風による元軍撤退」説も、「神国日本」観と相まって強調されてきた経緯があり、文永の役の真相については、少なからぬ問題が残されている。

竹崎季長の奮闘――弓箭の道、先をもって賞とす。ただ駆けよ

『八幡愚童訓《はちまんぐどうくん》』と並んで、蒙古《もうこ》合戦の様子を伝えてくれるのが『蒙古襲来絵巻《もうこしゅうらいえまき》』である。肥後国益《ひごのくにまし》城《き》郡竹崎《たけざき》（熊本県宇城《うき》市松橋《まつばせ》町）を本拠とする御家人竹崎五郎兵衛尉季長《ごけにんたけざきごろうひょうえのじょうすえなが》が、みずからの奮戦の次第を絵と詞書《ことばがき》で記録したもので、一御家人による実録としてたいへん貴重である。

このとき季長は所領をもたない「無足《むそく》の御家人」で、元《げん》軍の上陸地点のひとつ博多息浜《はかたおきのはま》（福岡市博多区須崎《すさき》町から蔵本《くらもと》町にわたる一帯）に駆け付けた。主従わずかに五騎という小勢で、戦功を上げて恩賞にあずかるしか立身の道がないことは明らかである。彼のような立場の者にとって、異国来襲という大規模な戦闘は、またとない好機ととらえられたであろう。彼は「弓箭《きゅうせん》の道、先《さき》をもって賞とす。ただ駆けよ」と呼ばわりつつ戦場を駆け、奮戦した。

季長は首尾よく戦功を上げたが、それを幕府に認めてもらい、恩賞を手にするまでが彼の戦争である。だが彼が執着した一番駆けの功は幕府の調査対象となっていなかったらしく、感状《かんじょう》（戦闘指揮官が戦功を認定した文書）に記載されていなかった。季長はおおいに不服であり、鎌倉に赴いて直訴することを決意する。建治《けんじ》元年（一二七五）六月、馬や鞍《くら》を売り払ってつくったわずかな路銀を頼りに、鎌倉をめざして出立したのである。

やっとの思いで鎌倉に到着した、みすぼらしい風体の季長の訴えを受

10

◉蒙古兵と戦う竹崎季長
『蒙古襲来絵巻』は、文永・弘安の役の基本史料だが、傷みが激しく、書誌的に問題が多い。季長を攻撃する蒙古兵と「てつはう」は江戸時代に描き加えられたもの。

け入れてくれたのが、幕府の御恩奉行《ごおんぶぎょう》安達泰盛《あだちやすもり》であった。泰盛は肥後《ひご》国海東郷地頭職《かいとうごうじとうしき》を与える旨を記した将軍家政所下文《まんどころくだしぶみ》と見事な馬を贈ってくれたのである。恩賞と戦功、すなわち御恩と奉公は主従関係の要《かなめ》であり、これを差配する御恩奉行は将軍権力の代行者であった。季長は泰盛に対する恩義を忘れず、『絵巻』作成も、泰盛に対する感謝を示すことが動機のひとつだったと考えられている。異国合戦という未曾有《みぞう》の危機のなかで、正統的な主従関係が復活した感がある。しかし、蒙古襲来の影響は社会全体に及んだ。季長は例外的に幸運なケースとなり、泰盛は時代の転換の波に呑《の》まれることになる。

異国警固番役と本所一円地住人

日本軍辛勝の報がまだ届いていない文永《ぶんえい》一一年（一二七四）一一月一日、幕府は安芸国守護《あきのくにしゅご》に対して執権《しっけん》・連署《れんしょ》が署名する鎌倉幕府御教書《みぎょうしょ》を発した。蒙古《もうこ》軍に抵抗するため、自分の領国に帰り、国中の地頭《じとう》御家人《ごけにん》・本所領家《ほんじょりょうけ》一円地の住人を催促して禦《ふせ》がせるようにとの命令である。守護といっても、必ずしも領国に駐在しているわけではなく、文永の役《えき》の段階では、九州の守護で在国しているのは少弐《しょうに》・大友《おおとも》の両氏だけで、幕府開創期から薩摩《さつま》国を領していた島津《しまづ》氏も、建治《けんじ》元年（一二七五）にはじめて惣領《そうりょう》（当主）が下向《げこう》したという。したがって、本格的な軍事態勢を整えるために、まずは指揮官を現地に配することが必要だったのである。

幕府はいうまでもなく御家人のための組織である。御家人は平時なら京都大番役《おおばんやく》や鎌倉番役をつとめ、戦時には馬に乗り武器を取って駆け付ける。これらの奉公と引き換えに、御恩として所領給付や、ほかのさまざまな優遇措置が図られる。

　これに対して本所一円地とは、地頭《じとう》を置かず、荘園《しょうえん》領主が掌握する所領を指す。こちらは幕府の支配や裁判権などの管轄外となる。しかし蒙古への備えを固めるために、幕府は本所一円地の住人にも軍事動員をかける決断をしたのである。これをもって幕府権限の対象は、御家人と武家地という限られたものから、全国の非御家人と荘園・公領に拡大した。権限の拡大は、本所一円地住人に対する保護や恩賞供与の義務を伴う。戦闘態勢の継続と新たな負担は、それが外圧によってもたらされたものだけに、幕府に重くのしかかることになったのである。

　日蓮《にちれん》は異国警固に動員される人々について、つぎのように記した。

「家族や故郷を離れ、見知らぬ海を護《まも》り、雲が見えれば敵軍の旗かと疑い、釣り船が見えれば兵船かと生きた心地がしない。一日に一、二度は山に登って敵の来ないことを確かめ、夜になれば、一晩のうち三、四度は、敵が攻めてきたかと馬に鞍《くら》を置く」

日本全体が、このような不安な空気に覆われていたに違いない。

　文永一二年四月、元《げん》からの六度目の使者が、長門《ながと》国室津《むろつ》（山口県豊浦《とようら》町）に到着した。五人の使節は鎌倉まで召し出されたが、それは謁見のためではなく、幕府は彼らを竜口《たつのくち》で斬首《ざんしゅ》した。大陸では

11

●元使塚
神奈川県藤沢《ふじさわ》市の常立寺《じょうりゅうじ》境内に残る五基の五輪塔。文永一二年に来日し、斬首された杜世忠《とせいちゅう》以下五人の元使の墓と伝えられる。

元が着々と版図《はんと》を広げ、一二七六年に南宋《なんそう》の首都臨安《りんあん》に侵攻、実質的に中国を統一した。幼い王子を担いで逃れた抵抗勢力も一二七九年には打ち破られ、元は江南の富と活力を手中にし、海上への本格的な発展を視野に入れるに至った。その視線の先にある目的のひとつが日本への進出であり、一二七九年、七度目の使節が派遣されて、今度は博多で斬られた。元は高麗《こうらい》に戦艦九〇〇艘《そう》の建造を命じ、第二次日本遠征の準備にかかったのである。

異国征伐計画と石築地建造

日本も脅《おび》えてばかりいたわけではなかった。建治《けんじ》元年（一二七五）末ごろより、幕府は積極的な「異国征伐」を念頭に置き、守護《しゅご》を大幅に入れ替えた。北条《ほうじょう》氏一門を中心に任命して現地に下らせ、軍事指揮権強化を図ったのである。長門《ながと》・周防《すおう》に北条宗頼《ほうじょうむねより》（時宗《ときむね》の弟）、筑後《ちくご》に塩田義政《しおだよしまさ》（極楽寺重時《ごくらくじしげとき》の息子）、豊《ぶ》前《ぜん》は金沢実時《かねざわさねとき》（金沢は北条義時の息子実泰《さねやす》を祖とする一流。名代として実時の息子の実政《さねまさ》が下向《げこう》）、肥後《ひご》に安達泰盛《あだちやすもり》（同じく息子の

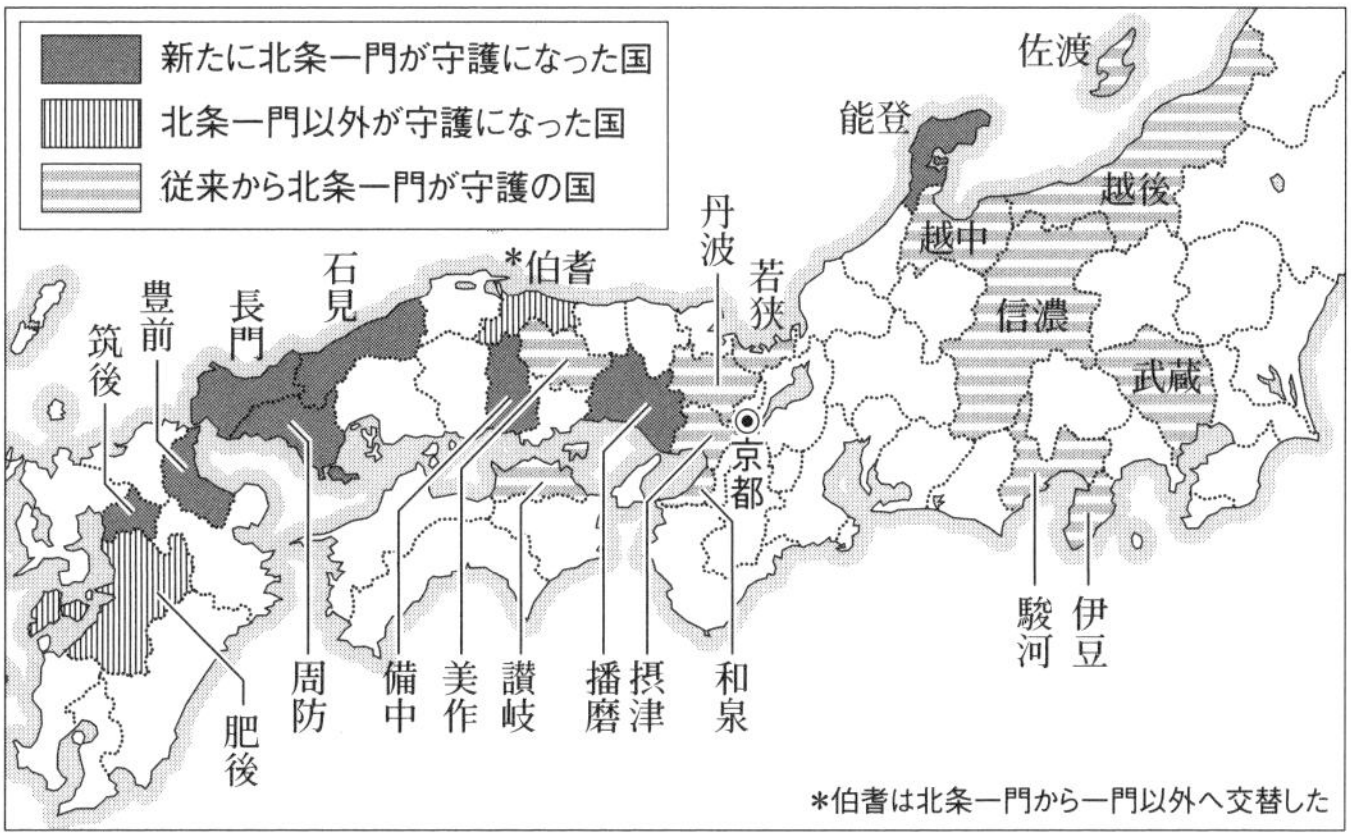

●北条氏の守護国
蒙古に対抗するために、幕府は大幅に守護を入れ替え、指揮権の強化を図った。九州・中国地方を中心に北条一門や関係諸氏を配し、積極的な軍事政策を展開した。

盛宗《もりむね》が下向）などで、北条氏は一気に守護国を増やし、専制的権力を拡大した。京都についても体制が強化され、空席だった六波羅探題南方《ろくはらたんだいみなみかた》に佐助時国《さすけときくに》を配置し、その後見として祖父時盛《ときもり》を派遣、引付衆《ひきつけしゅう》（訴訟の審理を担当する役職）三名を送り込んで六波羅評定衆《ひょうじょうしゅう》に加えた。内裏《だいり》大《おお》番役《ばんやく》に本所《ほんじょ》支配下の職人を動員するなど、非御家人《ごけにん》の起用もみられる。

九州・中国・四国地方では、海岸地方に所領をもつ地頭《じとう》御家人や本所一円地住人に対して、梶取《かんどり》・水手《かこ》などの船舶要員の手当てが命じられている。翌年三月には、肥後国で守護による兵力調査が行なわれ、御家人・地頭・荘園《しょうえん》預所《あずかりどころ》などが、自分の年齢、乗馬や従者の数、武器・武具などを答申した。守護の要請に対して、ほぼ即答といってよいタイミングで請文《うけぶみ》（回答や報告、あるいは要請を確実に履行することを約する文書）が出されているのは当時としてはめずらしいことで、事態の切迫の度合いを物語っている。

同じころ、防禦《ぼうぎょ》のために博多湾岸に石築地《いしついじ》の建造が始められた。しだいに「異国征伐」は立ち消えになり、防衛に専念する方向に進んでいったようである。『八幡愚童訓《はちまんぐどうくん》』によれば、石築地は高さ一丈（約三・〇三メートル）以上、海側は垂直に近く積むが、陸側は傾斜が緩く、馬に乗ったまま駆け上って、眼下の敵に矢を射かけることができるようになっていたという。弘安《こうあん》の役の際は、おおいに威力を発揮し、元《げん》軍の上陸を阻んだ。

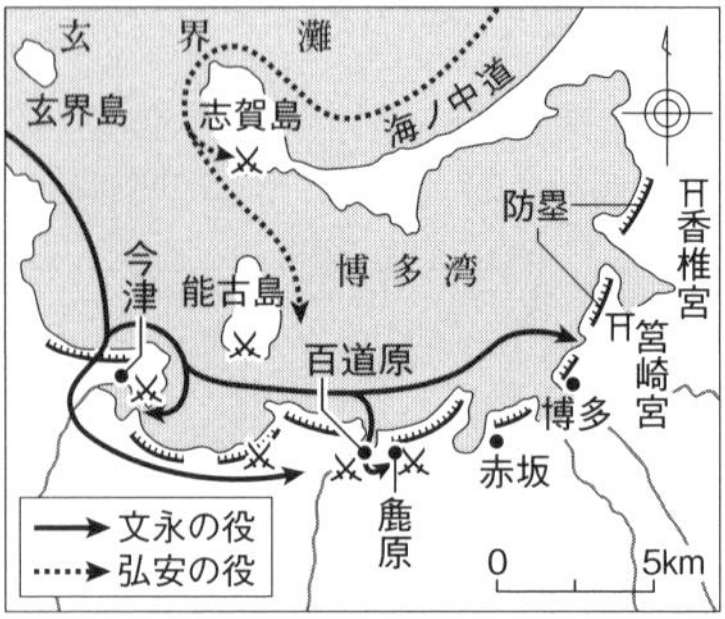

●文永・弘安の役の元軍侵攻図
文永の役では元軍は博多湾沿いに東進し、つぎつぎに上陸・攻撃したが、弘安の役では防塁に阻まれた。

弘安の役

南宋《なんそう》を接収した元《げん》は、ふたたび日本に向かった。朝鮮半島から発する約四万の東路軍《とうろ》と、兵士一〇万・兵船三万一五〇〇艘《そう》の江南軍《こうなん》の巨大船隊である。江南軍は、旧南宋軍の職業軍人を吸収して構成され、征服後の日本へ入植するために農具なども携えていたという。だが文永《ぶんえい》の役《えき》のころに比べると日本側の防戦態勢も整っており、海岸には延々と続く石築地《いしついじ》が築かれていた。

弘安《こうあん》四年（一二八一）、東路軍は五月三日に合浦《がっぽ》を出発、対馬《つしま》・壱岐《いき》を襲ったのち、六月六日に博《は》多《か》湾《た》東端の志賀島《しかのしま》に到達、日本軍と戦闘を重ねつつ、江南軍の到着を待った。江南軍は六月一八日に慶元《けいげん》（寧波《ねいは》）を出発し、七月二七日に両軍はようやく肥前鷹島《ひぜんたかしま》付近の海上で合流した。ところが晦日《みそか》の夜半から強い風が吹き、翌閏《うるう》七月一日には大風のため船団は壊滅、多くの溺死者《できし》が出た。日本軍は壊走する敵船を追撃し、船を失った者を捕らえた。

主要な戦力である東路軍は、石築地に阻まれて上陸できず、博多湾をのぞみながら立ち往生した。『蒙古襲来絵巻《もうこしゅうらいえまき》』も、容易に上陸を許した文永の役では陸上戦を描くが、弘安の役では海上戦の様子が見せ場となっている。また大船団を組んだ江南軍は、兵士というよりは移民の集団で実戦力に疑問があり、規模の大きさが仇《あだ》になって集結に手間どった。「神風」がなくとも、侵攻軍はいずれ崩れる状況だったと考えられている。船を失って溺死したり、捕らえられたりした者の多くは江南軍の入植要員で、将官たちが乗り込んだ大艦は、あまり損害をこうむることなく帰国したという。

文永・弘安の役は、このようにして、日本に決定的な損害を与えることなく終わったが、元の脅威が去ったわけではなかった。異国警固の態勢は、鎌倉幕府滅亡まで継続する。また、弘安の役の最中に幕府は、六波羅《ろくはら》探題《たんだい》を通じて関東申《かんとうもう》次《しつぎ》に、鎮西《ちんぜい》九か国および因幡《いなば》・伯耆《ほうき》・出雲《いずも》・石見《いわみ》について、本所《ほんじょ》一円地の年貢・富裕の輩《ともがら》の米穀を、兵粮《ひょうろう》として供出させるよう申し入れた。さらに、寺社権門領・本所一円地の荘官《しょうかん》に対し、武家の指揮に従って戦場に向かうよう、朝廷の宣下《せんげ》が求められたという。元軍が退散したため、この案は実現せず、その後の経過も不明だが、守護《しゅご》による直接の動員だけでなく、朝廷の公式の命令によって、本所一円地を指揮下に組み込むことも考えられていたことがわかる。

元軍の敗走直後には、ふたたび異国征伐が企てられたが、八月末には延期が指令された。クビライも日本征討をあきらめたわけではなく、正《しょう》応《おう》五年（一二九二）、またも元・高麗《こうらい》の牒状《ちょうじょう》がもたらされた。幕府では、北条兼時《ほうじょうかねとき》・名越時家《なごえときいえ》を「異国討手大将軍《いこくうってたいしょうぐん》」として、九州に向かわせた。彼らは九州全域にわたって軍事指揮権を行使し、また訴訟を受け付けて、鎮西探題の嚆矢《こうし》となる。彼らが永仁《えいにん》三年（一二九五）に鎌倉に召還されると、かわって金沢実政《かねざわさねまさ》が派遣された。実政は九州の御家人《ごけにん》訴訟についての裁判権を与えられており、ここに鎮西探題としての地位と権限が明確化したといえる。異国警固の指揮とあわせてその使命は重く、鎮西探題を通じて得宗《とくそう》権力は九州に浸透していったのである。

12

◉蒙古兵を討ち取る竹崎季長　敵の大型軍船に乗りこみ、奮戦する季長。出陣を急いだために兜《かぶと》を着けておらず、脛当《すねあて》で代用した。彼の顔の前に、落下する脛当が描かれている。（『蒙古襲来絵巻』）

社会体制の転換

御家人の恩賞

蒙古《もうこ》襲来は日本社会の歴史を大きく転換させた。もちろん、外圧がなくとも歴史は動くべくして動いたであろうが、蒙古襲来はその流れを加速させ、一気に時代の舵《かじ》を切ったのである。

竹崎季長《たけざきすえなが》に限らず、戦闘に参加した武士たちに恩賞が必要なことはいうまでもない。だが、異国による侵攻では恩賞にあてるべき没収地が発生しないわけで、御恩と奉公の原則をまがりなりにも貫くために、幕府は難しい立場に立たされた。文永《ぶんえい》の役《えき》の恩賞配分は翌建治《けんじ》元年（一二七五）には行なわれたが、弘安《こうあん》の役については五年後の弘安九年（一二八六）から数次にわたり、多くが非常に事務的な操作として行なわれた。

正応《しょうおう》元年（一二八八）一〇月三日、同二年三月一二日付の文書は、その典型的な例を伝えている。前者は五通、後者は一一通が伝来しているが、鎮西西方《ちんぜいにしかた》奉行少弐経資《しょうにつねすけ》・同東方《ひがしかた》奉行大友頼泰《おおともよりやす》の発給による、「弘安四年蒙古合戦勲功の賞〇〇配分の事」と書き出される同形式のものである。「〇〇」には恩賞地の地名が入り、前者は筑前国早良《ちくぜんのくにさわら》郡内の諸郷、後者は肥前《ひぜん》国神崎荘《かんざきのしょう》などの田地・屋敷・畠地が、勲功のあった御家人《ごけにん》に与えられている。田地の規模は、一〇町・五町・三町の三種類で、「孔子《くじ》について配分かくのごとし」と記してある。つまり、荘園《しょうえん》や郷内の田地を三等級に分割し、勲功の大きさにあわせて、籤《くじ》引きであてがっていったのである。神崎荘は三〇〇〇町余の規模を誇る後院《ごいん》領荘園で、承久《じょうきゅう》の乱《らん》後に三浦《みうら》氏が地頭《じとう》に補され、同氏が宝治《ほうじ》合戦で滅んで以後は、地頭が欠員になっていたと思われる。幕府は、このようないわば空家になっている所領（闕所地《けっしょち》）を、恩賞として用いたのである。機械的な分割と籤引きによる決定は、それなりに公正ではあり、幕府執行部の苦慮の結果と思われるが、経営の利便性からはほど遠かったであろう。

　これらの恩賞地のなかには、九州各地の寺院に寄進されたものも多い。北条《ほうじょう》氏が神崎荘内に建立した律宗《りつしゅう》寺院東妙寺《とうみょうじ》に伝わる、建武《けんむ》二年（一三三五）の寺領注進状には、三七人に及ぶ寄進者と寄進地が書き上げられている。その多くが蒙古合戦勲功による恩賞地である可能性を相田二郎《あいだにろう》が指摘している。管理に不便な恩賞地をもてあます御家人と、周辺の土地を集積したい東妙寺の意向とが一致したために、このような結果が生まれたと考えられる。先祖の勲功の証明であるから、御家人たちは恩賞地をおおむね大事にした。だが、神仏に捧げるのなら立派に申し訳が立つし、寺社側も、寄進者の記録を残すなどの約束をして、勧

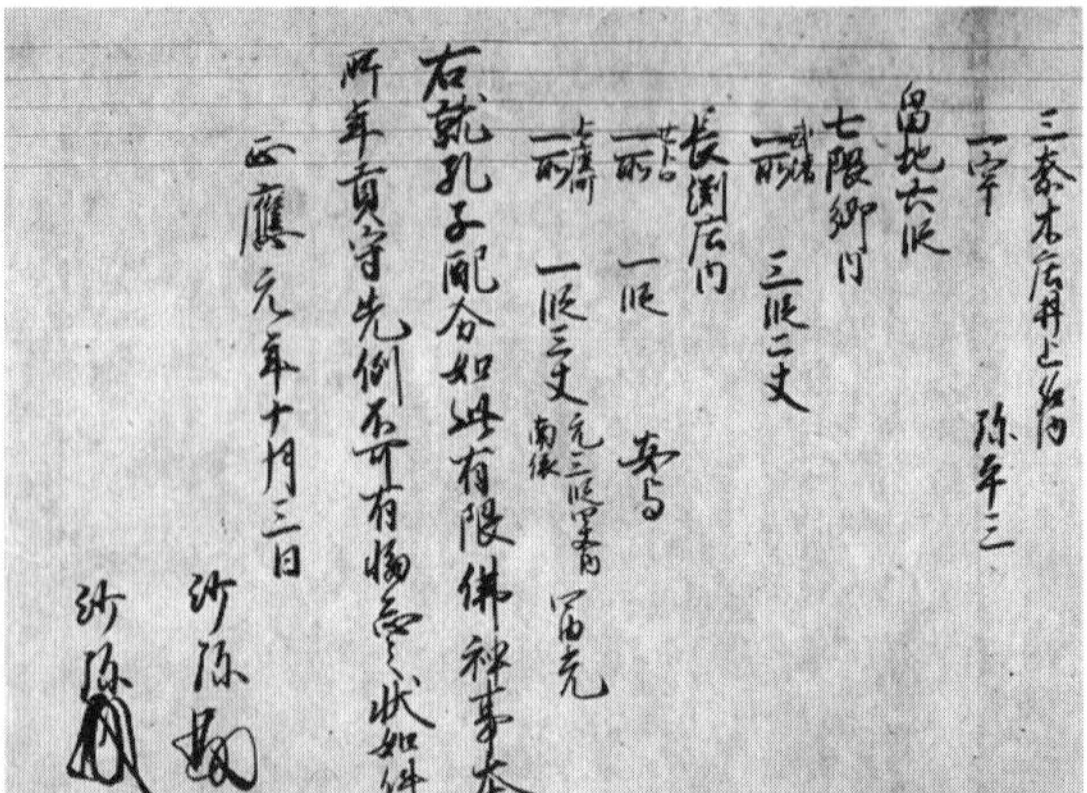

13

◉蒙古合戦勲功賞配分状（部分）
薩摩国御家人の武光師直《たけみつもろなお》に、恩賞として田地三町・畠地六段などを与えたもの。「孔子について配分かくのごとし」と記され、少弐経資・大友頼泰が花押《かおう》を据える。（『入来院家文書《いりきいんけもんじょ》』）

誘に努めたのだろう。幕府・御家人ともに、苦労して働き戦った結果、肝心の利は寺社にさらわれるという現象は、ほかにもみられた。

このほか、警固《けいご》番役《ばんやく》の勤仕にあたっては、さまざまな問題が生じた。大友氏の支族で、豊後《ぶんご》国大《おお》野荘志賀《ののしょうしが》村（大分県緒方《おがた》町）を領した志賀氏では、僧禅季《ぜんき》が兄志賀泰朝《やすとも》の差配を離れて、一族の惣《そう》領《りょう》で豊後国守護《しゅご》である大友頼泰の直接の指揮に従いたいと願った（『肥後志賀文書』）。大隅《おおすみ》国でも、禰寝荘南俣佐多《ねじめのしょうみなみまたさた》村（鹿児島県南大隅町）地頭の佐多親治《ちかはる》と弟の宗親《むねちか》の間で、対立が起こっている（『禰寝文書』）。宗親が「格別御家人《かくべつごけにん》」（自立した御家人）であることを主張して、独立して警固番役を勤仕しようとしたのに対し、嫡流の親治が統制を加えようとしたらしい。この例では、宗親が幕府から所領安堵《あんど》の下文《くだしぶみ》を単独で拝領していたことが認められて、格別勤仕が許可された。ほかに、一族のなかでの所領の配分や公事《くじ》勤仕の取り決めが見直されている例も多い。

異国警固番役という緊急性の高い賦課を契機として、一族結合や所領経営にかかわる不満が表面化した。これを好機として独立をねらう庶子、統制を強めようとする惣領《そうりょう》——幕府創立以来の歴史のなかで生じていた問題が、一気に活性化したのである。

神仏・非御家人への褒賞

合戦で働いたのは武士だけではない。幕府は、異国調伏《ちょうぶく》の祈禱《きとう》を行なった全国の寺社に対しても報いなければならなかった。はやくも文永《ぶんえい》の役《えき》の翌年、薩摩国天満宮国分寺《さつまのくにてんまんぐうこくぶんじ》は、勝利は「霊神の征伐、観音の加護」によるものと主張し、宮寺の造営を要求した。各地の寺社は祈禱の功績を訴え、神託や怪異をつくりだし、所領や権益の拡大を求めた。武士の奉仕のように実体を伴うものでないだけに、寺社のさまざまなアピールは、滅亡に至るまで幕府を悩ませつづけたのである。

弘安《こうあん》の役《えき》を終結させた暴風は、大宰府《だざいふ》からの飛脚でただちに京都に知らされ、「神明仏陀《しんめいぶつだ》」の加護と受け止められた。対外戦争から生まれた国家意識は、神国観と一体になり、さらに施政者には自身の徳と、国のこうむる福禍を一体のものと認識する徳治《とくち》思想が現われた。危機感からくる高揚と宗教界の働きかけが、国家や王権の自意識に明確な形を与えたとみることができよう。

14

◉筥崎宮
筑前国の一宮《いちのみや》。文永の役では直接戦火をこうむり、また、弘安の役に際しては、亀山《かめやま》院が国家安泰を祈念して「敵国降伏」と記した宸翰《しんかん》を奉納したという。

弘安七年（一二八四）、幕府は九州の神領・名主職《みょうしゅしき》を対象に以下のような法令を発した。

①売却や質入れによって甲乙人（不特定多数の者を、否定的な評価を込めて指す語。この場合は神社に所縁《ゆかり》のない非御家人《ごけにん》）が知行している神領を、もとのとおり神社に返却すること。

②御家人役を勤仕した者について、名主職を安堵《あんど》すること。また、不知行になってから二〇年以

内なら、名主職の取り戻しを認める。

幕府は鎌倉から三人の奉行人を九州に派遣し、大友頼泰《おおともよりやす》・少弐経資《しょうにつねすけ》・安達盛宗《あだちもりむね》らの守護《しゅご》とともに、実施にあたらせた。九か国を三か国ずつに分け、二人ずつの担当者を定めるなど、非常に具体的な指示を与えており、きわめて積極的な姿勢を見てとることができる。この組織を、研究者は「鎮西《ちんぜい》特殊合議機関」と呼んでいる。

さて、法令の①②とも蒙古《もうこ》襲来の恩賞であり、新たな恩賞地を与えるのではなく、旧来の所領を回復させ、安堵することによって、知行地の拡大や経営の安定を実現しようとしたのである。対象とされる神領・名主職（この場合は本所《ほんじょ》一円地における支配・経営権の総称）は、いずれも本来は幕府の管轄下にはない権益で、神社・本所一円地住人の動員という、既存の枠組みを超えた措置が、恩賞にまで及んだのであった。さらに②は、軍役をつとめたという実績をもって、名主職所有者を御家人化することを意味する。蒙古への対抗の必要から、御家人に対する一元的支配という幕府の支配理念が拡大を余儀なくされ、寺社や非御家人までを対象に含み込むことになったのである。これを幕府権力発展の好機ととらえるか、逆に過度の負担とみるかは、幕府自身にとっても難しい問題だっただろう。しかし、恩賞の配分は急務であり、幕府が待ったなしの状況と理解していたことだけは間違いない。

弘安徳政

弘安《こうあん》七年（一二八四）四月、北条時宗《ほうじょうときむね》が三四歳で亡くなった。嫡子貞時《さだとき》は一四歳で、七月七日に執《しっ》権《けん》の地位を継承した。空白期間である五月二〇日に、三八か条からなる法令が制定されている。前半一八か条は将軍惟康《これやす》および執権となるべき貞時に対する訓戒、後半は幕府の政策の基調をまとめたものである。学問や武道を重んじる施政者に率いられる、公正と倹約を旨とする政府が描かれ、元《げん》の脅威を反映して、九州の神領や守護《しゅご》への配慮が示されている。これに始まる一連の立法と政治改革の試みを「弘安徳政《とくせい》」と呼ぶ。

時宗とともに蒙古《もうこ》合戦を戦い抜き、弘安徳政を主導したのが安達泰盛《あだちやすもり》である。安達家の祖盛長《もりなが》は、源頼朝《みなもとのよりとも》の流人時代から仕え、頼朝が、東は外ヶ浜《そとがはま》、西は鬼界ヶ島《きかいがしま》を両足で踏まえるという吉夢を見た（と称した）人物である。幕府成立後は、上野《こうずけ》・武蔵《むさし》・出羽《でわ》などに勢力を伸ばし、当主が秋田城介《あきたじょうのすけ》の官を帯びるのを通例とした。出身の詳細は不明で、頼朝の側近として成長してきた一族である。宝治《ほうじ》合戦では、国衙《こくが》在庁出身の名族御家人《ごけにん》の代表である三浦《みうら》氏を滅ぼし、以後は得宗《とくそう》のかたわらで重要な地位を占めた。安達泰盛の娘（妹を養女にしたもの）は北条時宗に嫁いで貞時を産んでおり、彼は得宗家の外戚《がいせき》の立場にあった。また『蒙古襲来絵巻《もうこしゅうらいえまき》』が、所領を与えてくれた泰盛を顕彰しているように、御恩奉行《ごおんぶぎょう》として、戦功のあった者たちへの処遇に心を砕いたのである。

蒙古襲来への対応を通じての課題は、西国・九州諸国の所領や知行者の把握、軍役の割り当て、恩賞の付与などだが、もっとも劇的だったのは、幕府の指示・命令が、これほど広範に、これほど迅速・確実に実現されたことはなかったという点である。日本全土を覆った危機感や国家意識の高揚のうえに、鎮西《ちんぜい》奉行や守護による支配・管理体制を強化したことの成果であろう。

しかしそれ以上に大きかったのは、武士や寺社が、所領や御家人身分の獲得・長年にわたって抱えてきた不満の解消など、いわばアイデンティティ確立の絶好の機会として異国警固活動に参加したことではなかったろうか。蒙古襲来をめぐる動きは、支配者からの働きかけも強力であったが、御家人や寺社・本所《ほんじょ》一円地住人など、動員される側のエネルギーは、それを上まわっていた。だからこそ、幕府の発する法令は、従来とは比べものにならないほどの影響力をもったのである。弘安徳政の一連の立法は、たんなる政見方針ではなく、即座に社会を動かす力をもったと考えてよかろう。そして朝廷でも、亀山《かめやま》院政がこれに連動した公家《くげ》新政を発し、公家・武家一体となった改革が行なわれようとしていたのである。

弘安七年五月から一年半ほどの間に、幕府は九〇余の法令を発した。もっとも革新的なのは前項であげた、神領興行（神領の回復・振興）・名《みょう》主職安堵《しゅしきあんど》を定めたものだろう。ほかには、年貢や知行者の洗い出しによる関東御領《かんとうごりょう》（幕府直轄領）の充実、通行税の禁止ほか流通経済の統制、

15

●安達泰盛と竹崎季長
竹崎季長は鎌倉の安達泰盛邸を訪ね、戦功を訴え、恩賞を願った。泰盛は中小御家人の庇護者として描かれている。（『蒙古襲来絵巻』）

訴訟の興行《こうぎょう》（迅速・公正な裁判の督励）などである。恩賞の配分や、それにかかわる大量の申し立てに応じるために、幕府は、手持ちの物的・人的資産を整備・充実させなければならなかった。また、通行税（河手《かわて》・津泊市津料《つのとまりいちのつりよう》）の禁止は、全国的な武士や物資の移動を円滑にするための措置と考えられる。いずれも、従来の管掌範囲を超える動員の責任をとるために、必然的に生じた施策であったといえる。ただし、これらを一気に行なうのはあまりにも急であった。

霜月騒動

弘安《こうあん》八年（一二八五）一一月一七日、安達泰盛《あだちやすもり》は、得宗貞時《とくそうさだとき》の内管領《うちかんれい》（家令）平頼綱《たいらのよりつな》の攻撃を受けて滅ぼされた。これを霜月騒動《しもつきそうどう》という。得宗権力の伸長に伴い、御内人《みうちびと》と呼ばれる得宗の被官人《ひかんにん》は活動の範囲を広げ、なかんずく筆頭である内管領は、得宗の分身として大きな力をもつに至った。日蓮《にちれん》は頼綱を「当時天下の棟梁《とうりよう》なり」と評している。彼は北条時宗《ほうじょうときむね》没後の幕府のなかで、安達泰盛と並ぶ勢威を誇っていたのである。

泰盛の嫡男で、秋田城介《あきたじようのすけ》の官途を継いだ宗景《むねかげ》が、曾祖父景盛《かげもり》は源頼朝《みなもとのよりとも》の胤《たね》だと言い出し、源氏を名のって将軍になろうとした――というのが、安達一族が追討を受けた理由とされている。安達氏のほか、支族の大曾根《おおそね》氏、伴野《ともの》長泰《ながやす》・二階堂行景《にかいどうゆきかげ》・武藤景泰《むとうかげやす》などの有力御家人《ごけにん》五〇〇人余および武蔵《むさし》・上野国《こうずけのくに》の御家人多数が、あるいは討たれ、あるいは自害した。

霜月騒動は九州にも波及した。筑前守護《ちくぜんしゅご》の少弐経資《しょうにつねすけ》と、その弟の景資《かげすけ》・肥後《ひご》守護代安達盛宗《もりむね》が筑前国岩門《いわと》で戦い、後者が敗北した。景資は蒙古《もうこ》合戦の大将、盛宗は父泰盛の代官として肥後国に下《げ》向《こう》して異国警固体制下で活躍していた人材である。少弐氏の嫡庶争いと、安達氏排斥の動き、恩賞問題などをめぐる御家人の不満が結びついた結果であった。まことに皮肉なことに、岩門合戦で生じた闕所地《けつしょち》は、弘安の役の恩賞地として有効に用いられることになったのである。

霜月騒動は、蒙古襲来にかかわる革新的な政策のひとつの帰結であり、本格的な得宗専制体制の出発点とみられることから、どのように評価すべきかについて、さまざまな説が出されている。古典的な説は、佐藤進一《さとうしんいち》による、御家人代表の泰盛と御内人勢力頼綱との対決というものだろう。これに対し村井章介《むらいしょうすけ》は、両者は異なった背景をもっているわけではないとする。泰盛の権力の源泉は得宗の外戚《がいせき》である点に求められるし、御内人の多くは御家人である。全武士階級を幕府配下に収めるために、家柄の劣る得宗北条氏を廃し、将軍権力を確立しようとした泰盛と、得宗権力を守る頼綱との対立とみるべきだという。本郷和人《ほんごうかずと》は、極楽寺重時《しげとき》の撫民《ぶみん》路線を継承し、あえて御家人の不利益をも甘受する統治派の泰盛と、御家人利益代表の頼綱との対立という図式を描く。さらに、建治《けんじ》三年（一二七七）に極楽《ごくらく》寺《じ》流の塩田義政《しおだよしまさ》が、突然出家して信濃《しなの》国塩田荘《しおだのしょう》に隠棲《いんせい》した事件（同国は極楽寺流の守護国であり、塩田平《しおだだいら》は政治・文化の中心地として、信州の鎌倉

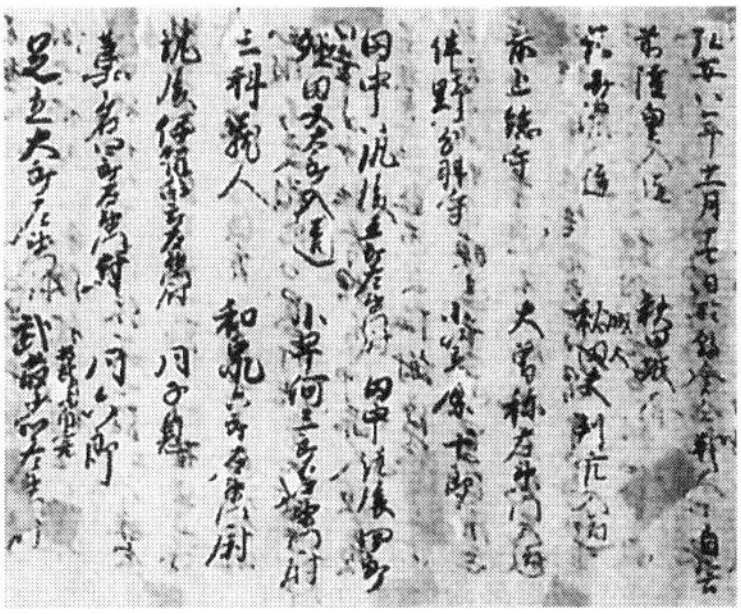

16

◉霜月騒動自害者注文
泰盛方の陣容を伝える、ほとんど唯一の史料。二〇二ページ参照。（『平成一六年度古典籍展観大入札会目録』より転載）

と呼ばれる）などを、霜月騒動の前哨戦《ぜんしょうせん》とみて、泰盛与党の極楽寺流北条氏や源氏一門の信濃小笠原《おがさわら》氏本流の伴野氏と、かつて頼朝の乳母《めのと》や頼家の妻を出した比企《ひき》氏や平賀《ひらが》氏の勢力圏の一致に言及する。武蔵・上野・信濃は北条氏の執権《しっけん》権力確立過程において、強力な対抗勢力を生んだ地域であり、今度もまた安達泰盛を中心として、得宗権力を脅かす結合をなしたとみるのである。

霜月騒動の本質をどのようにとらえるかは難しい問題で、私も確たる結論を出すことはできない。だが、蒙古《もうこ》の脅威に対して、本所《ほんじょ》一円地住人や寺社など、従来の幕府の支配範囲を超える動員を行なったことの責任をとろうとすれば、泰盛のとった政策は論理的に妥当な選択であった。幕府の伝統的な方針である、道理や理非による裁定、公正で謙虚な姿勢にそった方法であることは間違いない。ただ異なっていたのは、これまでの幕府法が、一般への周知を前提とせず、法令の保存すら行なわれず、確たる強制力ももっていなかったのに対し、異国警固に関する命令・法令はすぐれて現実的で、鎮西《ちんぜい》特殊合議機関の設置ほかの施策が伴っており、何より、異国警固に参加したすべての人々が、これを待ち望んでいたという点である。村井は〈蒙古襲来後の九州というのは、ある意味で従来の国制の枠組を突き崩す実験場であ〉ったと述べたが、それは〝鎌倉時代の社会における法の発令と実施〟の実験場でもあったのではないか。安達泰盛は弘安徳政《とくせい》によって、幕府の呼びかけに応じた人々に対する公正な処遇を実現しようとした。しかし対象となる広範な人々は、互いに矛盾する内実をもつ〝私にとっての徳政〟を期待し、いずれもなんらかの形で裏切られた。霜月騒動は、その必然的な帰結だったのである。

平禅門の乱

霜月騒動《しもつきそうどう》で安達《あだち》氏とその与党を一掃し、平頼綱《たいらのよりつな》は幕政を一手に握った。彼は安達泰盛《やすもり》の政策を全否定したわけではない。元《げん》の脅威が去らない以上、それは不可能であった。異国警固番役《けいごばんやく》は、地頭《じとう》御家人《ごけにん》および本所《ほんじょ》一円地住人を対象に継続して賦課されており、前述したように、岩門《いわと》合戦の闕所《けっしょ》地《ち》や関東御領《かんとうごりょう》が恩賞として配分された。

もっとも大きな転換は、神領興行・名主職安堵《みょうしゅしきあんど》の撤回である。弘安《こうあん》九年（一二八六）には、鎮西《ちんぜい》神領・名主職について「日ごろのごとく相違なくおのおの領掌すべし」、すなわち当知行《とうちぎょう》（現在の知行の状況）を認め、そのまま動かすなという法令が出されている。押領《おうりょう》などがある場合には、少弐経資《しょうにつねすけ》・大《おお》友頼泰《ともよりやす》・宇《う》都宮通房《つのみやみちふさ》・渋谷《しぶや》重郷《しげさと》による究明が命じられており、この四人の守護《しゅご》らによる組織を鎮西談議《だんぎ》所《しょ》と呼ぶ。

また正応《しょうおう》四年（一二九一）には、鎮西の主要な神社の修造が命じられた。肥前国河上《ひぜんのくにかわかみ》社は、一国平均役《いっこくへいきんやく》を徴収して社殿の造営を行なうことを申請した。その少し前に、九州における軍功注進や訴訟の裁定への不満を受け付けるために、尾《び》藤内左《とうないさ》衛《え》門《もん》入道・小《お》

幕府のおもな内紛

正治2	1200	梶原景時、上洛を企て討たれる
建仁3	1203	阿野全成（頼朝の弟）殺害される 比企能員討たれる（比企氏の乱）
元久1	1204	源頼家殺害される
2	1205	畠山重忠討たれる 北条時政、平賀朝雅の将軍擁立を謀るが失敗
建暦3	1213	和田義盛、挙兵するが敗死（和田合戦）
建保7	1219	源実朝、甥の公暁に殺害される
貞応3	1224	伊賀光宗ら、一条実雅の将軍擁立を謀るが失敗
寛元4	1246	名越光時ら、執権時頼を除こうとするが失敗 前将軍頼経、京都に送還される
宝治1	1247	三浦一族、千葉秀胤ら討たれる（宝治合戦）
建長4	1252	将軍頼嗣、京都に送還される
文永3	1266	将軍宗尊親王、京都に送還される
9	1272	六波羅南方の北条時輔討たれる（二月騒動）
弘安8	1285	安達泰盛一族、平頼綱に滅ぼされる（霜月騒動）
嘉元3	1305	連署時村、北条宗方により暗殺される 宗方、大仏宗宣らに討たれる
正中3	1326	北条泰家、金沢貞顕の執権就任に怒り出家
元徳3	1331	執権高時、内管領長崎高資を討とうとして失敗

野《の》澤亮次郎《さわりょうじろう》入道の二人が派遣されており、神社修造についても彼らの働きが期待されていた。ここで厳しい時期の一国平均役という矛盾した状況が、またも生じていることは明らかであろう。神領興行を白紙に戻した見返りは、田地一町あたり銭貨三〇〇文《もん》・米五升《しょう》の賦課となって、肥前国全体が広く負担することになったのである。

正応六年四月二二日、平頼綱とその次男資宗《すけむね》は北条貞時《ほうじょうさだとき》の命令で誅殺《ちゅうさつ》された。嫡子宗綱《むねつな》が、父が資宗を将軍にしようと企てていると訴えた結果であった。頼綱の権勢は諸人を恐懼《きょうく》させ、その驕慢《きょうまん》はひそかに非難されていた。この月一三日に、鎌倉は大地震に襲われており、建長寺《けんちょうじ》が倒壊、山崩れが起こり、死者二万三〇〇〇人余に及んだ。その余震と混乱のなかで、頼綱の一族は討たれたのである。これを「平禅門《へいぜんもん》の乱《らん》」という。南北朝《なんぼくちょう》時代の永和《えいわ》元年（天授《てんじゅ》元年〔一三七五〕）、伊豆《いず》熱海《あたみ》に湯治に訪れた禅僧義堂周信《ぎどうしゅうしん》は、平左衛門《へいざえもん》地獄と呼ばれる場所があることを、その日記『空華《くうげ》日用工《にちようく》夫略集《ふうりゃくしゅう》』に記している。平左衛門頼綱が誅《ちゅう》されたとき、その屋敷は地中に没し、頼綱は生きながら地獄に堕《お》ちたと伝えられたというのである。温泉地に〝〇〇地獄〟はつきものだが、同時代の人々にとって頼綱の権勢がひどく理不尽なものと映ったことが、彼を歴史的悪役とする伝承を生んだのだろう。

頼綱滅亡の翌年には、霜月騒動の関係者に対する賞罰の停止《ちょうじ》が発令された。頼綱の主導した時代は、ほとんどなかったことにされたといえようが、しかし、彼が安達泰盛の政策を逆転させる方向に幕府を動かした事実を消すことはできなかったのである。

第九章

両統迭立と徳政令

1

持明院統と大覚寺統

京都の活力

幕府が蒙古《もうこ》への対応に苦慮し、支配や統治の内容を変えていくという体験を強《し》いられている間、朝廷の動向はどうだったろうか。少し時間を戻して、京都の様子を追っていくことにしよう。

院政を立て直した後嵯峨《ごさが》院は、西園寺《さいおんじ》実氏《さねうじ》の娘姞子《きつし》（大宮院《おおみやいん》）との間に、久仁《ひさひと》・恒仁《つねひと》の二人の皇子をもうけ、後深草《ごふかくさ》天皇・亀山《かめやま》天皇として相次いで天皇位につけた。後嵯峨治世期は、火災による御所や大寺院の焼失、さらには飢饉《ききん》など、不運な出来事も多かったが、それらに負けないだけの活力が、京都という大都市に蓄えられていたようである。

宝治《ほうじ》三年（一二四九）には閑院内裏《かんいんだいり》が焼亡、続いて京都市中が大火に襲われ、蓮華王院《れんげおういん》などが被災した。閑院内裏は幕府が再建を請け負い、御家人《ごけにん》に造営箇所を割り当てて、建長《けんちょう》三年（一二五一）に完成した。蓮華王院は九条道家《くじょうみちいえ》などが知行国讃岐国《さぬきのくに》を財源として営作したが、幕府も「訪《とぶらい》」として援助したらしく、「朝家重事《ちょうかちょうじ》」「おおやけ事」のために全国の御家人から金銭を徴収している。その手続きは、各御家人が所定の金額を六波羅《ろくはら》探題《たんだい》に送って「返抄《へんしょう》」（領収書）を取り、それを鎌倉に提出するというものだった。もちろん御家人一族のなかでは、惣領《そうりょう》の分配に従い、庶子が所領規模に

●商いをする女性
民家で草履・魚・柴束などを売る女性と、行商の老婆。二人で楽しげに話しこんでいる。女性たちの活躍も、社会を変える力のひとつであった。（『橘直幹申文絵詞《たちばなのなおもともうしぶみえことば》』）
前ページ図版

見合った額を負担することになっていた。現金の扱いは六波羅、賦課と支払いの確認、すなわち御家人管理は鎌倉という役割分担をみることができる。幕府は、独自の「公事《くじ》」を創出できなかったぶん、朝廷の事業に便乗する形で御家人らに公事への参加を求めており、その際の集金センターとしての六波羅の役割には注目すべきものがあろう。

また、建長五年には、宝治元年に焼けた法勝寺阿弥陀堂《ほっしょうじあみだどう》の再建落成供養が行なわれたが、これは大納言《だいなごん》四条隆親《しじょうたかちか》が備中国《びっちゅうのくに》を賜わって造営したものである。隆親の姉妹には、西園寺実氏に嫁ぎ、後嵯峨院后の大宮院・後深草院后の東二条院《ひがしにじょういん》を産んだ今林准后貞子《いまばやしじゅごうていし》がいる。この時期、四条家は修理職《しゅりしき》（朝廷の造営・修理を担当する役所）の経営を握って、修理職配下の権益の充実に努めており、閨閥《けいばつ》・経済力いずれも充実した状態であった。

康元《こうげん》二年（一二五七）には、西園寺実氏が娘の大宮院のためにつくった五条殿《ごじょうどの》が炎上した。西園寺家に仕えて知行国・荘園《しょうえん》経営などに力を発揮していた橘知茂《たちばなのともも ち》が造営を担当した御所であった。彼は「なじかはまた造りはべらざらん」（どうしてもう一度お造り申し上げないことがありましょうか）と言って、いっそう立派に再建したという。

2

◉焼け残った土倉
京都の大火で、焼け残った土倉《どそう》の前に避難する人々。土倉は金融業者が資産や質物を保管するために建てた、土塗りの堅牢な蔵。（『春日権現験記絵巻《かすがごんげんけんきえまき》』）

後嵯峨院政の終わり

正嘉《しょうか》二年（一二五八）の夏は、長雨が続いて気温が上がらず、不作の年となった。翌年初めには疫病が流行し、またわずかな収穫物が底をついたため飢饉《ききん》が本格化した。京都では、賀茂川《かもがわ》の河原などに死骸《しがい》が放置され、一五、六歳の小尼《しょうに》が死人をむしり喰《く》うさまが目撃されたという。朝廷は飢饉疫疾の終結を祈って、仁王会《にんのうえ》や最勝経《さいしょうきょう》転読などを行なった。幕府は、諸国の地頭《じとう》に向けて法令を発し、飢えに悩む人々が山に入って山芋を掘ったり、海で魚や海藻を採ったりすることを、むやみに禁じないようにと命じている。現実には、地頭は荘域内の山野河海《さんやかかい》に対する管理権を振りかざして、わずかな食を求める人々に厳しい態度で臨んでいたのだろう。幸い七月末には事態は終息に向かい、その秋は豊作になったという。

　文永《ぶんえい》五年（一二六八）、後嵯峨《ごさが》院の五〇歳を祝う催しが計画された。前年から伎楽《ぎがく》の稽古《けいこ》や内々の祝宴などが行なわれ、人々の期待と華やいだ雰囲気が高まっていたが、そこにもたらされたのが、大宰府《だざいふ》―鎌倉を経由してきた蒙古《もうこ》の牒状《ちょうじょう》であった。祝賀事業は中止され、この年一〇月、後嵯峨は亀山殿《かめやまどの》で出家した。亀山殿は嵯峨に設けられた離宮で、洞院実雄《とういんさねお》が讃岐国《さぬきのくに》を造営料国として造進したものである。洞院家は西園寺《さいおんじ》家の流れで、実雄は西園寺実氏《さねうじ》の弟にあたる。娘たちを後深草《ごふかくさ》・亀

西園寺家と洞院家の女性たち

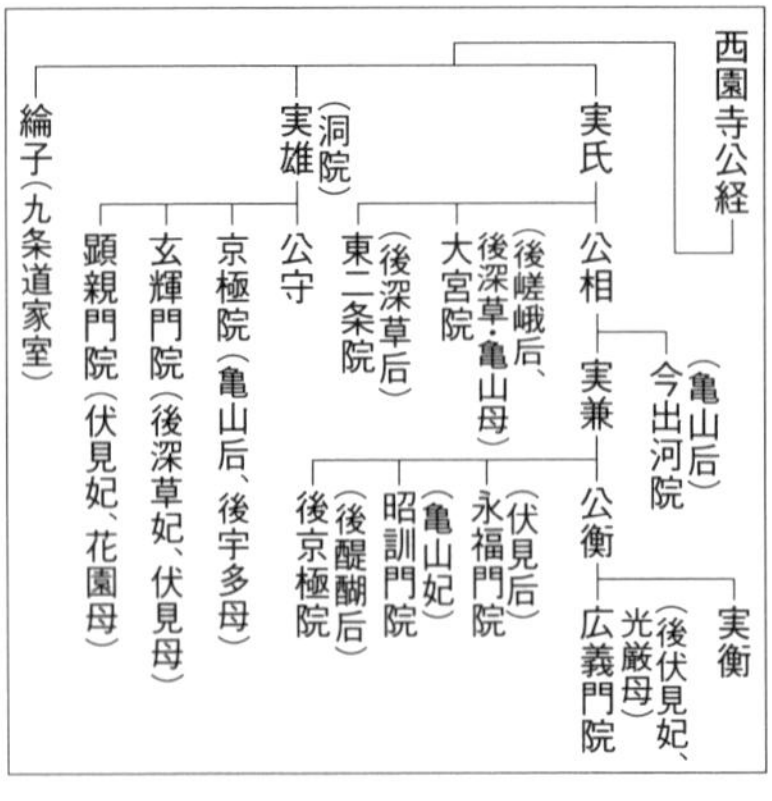

山・伏見《ふしみ》の後宮に入れ、経済力を蓄え、洞院家は西園寺家を脅かすほどに成長していた。

文永九年二月七日、亀山殿で病気療養中であった後嵯峨は、臨終の場所として、かねて敷地内につくらせておいた寿量院《じゆりよういん》に移った。しだいに容体が悪化するなか、一五日明け方より京中は騒然となり、六波羅《ろくはら》において合戦ありとの報が伝えられた。六波羅南方《みなみかた》北条時輔《ほうじようときすけ》が討たれた二月騒動である。その余波が鎮まらぬ一七日朝、ついに崩御。五三歳であった。二六年の長きにわたって朝政を主導し、幕府との協調体制を軌道に乗せた後嵯峨の治世は幕を降ろした。つぎつぎと火災や飢饉などに見舞われたものの、新しく成長してきた人材によって復興はすみやかに行なわれた。それは、物流の中心としての都市京都の発展と軌を一にしていたと思われる。そして、最大の不運である蒙古襲来にあうことなく、後嵯峨は退場したのであった。

後深草と亀山

後深草《ごふかくさ》天皇は、父後嵯峨《ごさが》の譲位により、寛元《かんげん》四年（一二四六）四歳で即位した。建長《けんちよう》五年（一二五三）に元服、母大宮院《おおみやいん》の妹で、天皇より一一歳年長の公子《こうし》（のちの東二条院《ひがしにじようい》ん）が女御《によう》ごに立った。続いて正嘉《しようか》二年（一二五八）、一〇歳の同母弟恒仁《つねひと》が皇太子となった。恒仁は正元《しようげん》元年（一二五九）八月に元服、一二月に即位。亀山《かめやま》天皇である。後嵯峨院は後継者を定めず亡くなったため、崩御後に、後深草院と亀山天皇のどちらが政務の実権を握るか問題となったが、母の大宮院と幕府の支持を得た亀山が親政を行なうことで落着した。文永《ぶんえい》五年（一二六八）に、亀山皇子の世仁《よひと》が皇太子に立てられているので、亀山を治天《ちてん》の君《きみ》とするのは、既定の路線だったと推測される。文永一一年正月、亀山は譲位して院政をしくこととし、かわって八歳の世仁が践祚《せんそ》した（後宇多《ごうだ》天皇）。上皇・天皇など、政治を主宰しうる者が複数いる場合の政権担当者を「治天の君」と呼ぶ。多くの皇室関係者と幕府の意向が絡みあい、この地位をめぐる葛藤《かっとう》は日常化していく。

後深草院は政務からの排除を不満とし、亀山院政開始の翌年には、太上《だいじょう》天皇の称号を返上して出家するなどと言いだした。折しも文永の役の直後であり、対立・混乱の芽を摘んでおきたい幕府は、後深草皇子の熈仁《ひろひと》親王を皇太子に立て、後深草の系統に治天の地位が移る可能性を確保した。ここに、皇統が持明《じみょう》院統《いんとう》（後深草系）と大覚寺《だいかくじ》統《とう》（亀山系）の両統によって運営される「両統迭立《てつりつ》」の端緒が開かれたのである。

両統迭立は、治天の君の地位をめぐる緊張関係であることは間違いないが、それがすべてではない。同母の兄弟である後深草・亀山と、その子孫らについて、家族的な紐帯《ちゅうたい》はむしろ強まっているようにみえる。後嵯峨院以降の特色は、院や女院の周囲に、新たな人的・物的資源を創出するのではなく、公家社会全体のもつエネルギーを皇室メンバーがいかに取り込んでいくかが主題になって

3

●後深草院
父は後嵯峨天皇、母は西園寺《さいおんじ》実氏《さねうじ》の娘大宮院。病弱だったため、父の意は、弟の亀山院のほうにあったといわれる。兄弟間の不協和音が、両統迭立の端緒となった。（『天子《てんし》摂関御影《せっかんみえい》』）

いることであろう。皇室領の管理者として大きな力をもつ、女院宣下《せんげ》を受けた非婚の内親王（八条院《はちじょういん》・宣陽門院《せんようもんいん》など）は、しだいに姿を消す（同種の女院はこのあとも生まれるが、大きな力はもたない）。かわって、有力貴族家から送り込まれた女性たちが、実家の政治力・経済力を背景に、院や天皇の妻・母あるいは祖母としてさまざまな影響力を行使するようになる。

公家《くげ》政権の社会的影響力は減退傾向にあり、何より、彼らの当事者能力が危うくなっていた。幕府に依存し、必要に応じてその介入を求めることで、ようやくバランスをとっていたのである。皇室メンバーは行動をともにすることが多くなり、夫婦・親子・兄弟など家族的な動機に規定される度合いを深める。これまで分散していた皇室利権を、二つの皇統に集中させ、それぞれ直系継承を図ること——これが両統迭立期の課題だったといえる。

亀山の徳政

後嵯峨《ごさが》崩御後の亀山《かめやま》の治世は、鎌倉の安達泰盛《あだちやすもり》の政策と連動して、徳政《とくせい》を志していた。その歩みは幕府ほど急ではなく、霜月騒動《しもつきそうどう》で泰盛派が滅ぼされるころに至って、朝廷の弘安《こうあん》徳政は新政として明示され、その後も継続された。

弘安八年（一二八五）一一月一三日に、公家《くげ》政権は二〇か条の法令を発した。その内容は、幕府が異国警固恩賞として神領興行をうたったことと、まさに表裏をなす。第一条は寺社領を、他寺他社および俗人に寄付することを禁じている。すなわち、寺社領が本来の所有権者でない「甲乙人《こうおつにん》」の手に渡ることとの禁止である。第二条は、「諸社諸寺一旦《いったん》執務の人、かの領をもって別相伝《そうでん》と称し、不慮の伝領に及ぶ。かくのごときの地、訴訟出来《しゅつたい》せば、尋ね究められ寺社に返付せらるべきこと」であり、寺社領流出の原因を糾弾したうえで、訴えがあれば返付を認める旨を述べる。つまり、宗教法人の経営を一時的に預かっているだけの「一旦執務の人」が、寺社領を私物化し、「別相伝」と称して勝手に相続者を定めてしまう行為が批判の対象である。このような相続が重なると、寺社領が知行者として不適切な人物の手に渡ってしまう（不慮の伝領《でんりょう》）のである。

　この新政はほかにも所領に関する規定を多く掲げる。いずれも、本家《ほんけ》や領家《りょうけ》という上位の職《しき》所有者と、預所《あずかりどころ》など現場の知行者との力関係を調整する内容である。知行者の正当な相伝を本家・領家が妨げることの禁止、知行者による寺社への寄進の禁止、女子・僧侶への譲与によって知行権の流出が起こるような事態の禁止などである。笠松宏至《かさまつひろし》が論じているように、「人物《じんもつ》」（一般所領）と「仏物《ぶつもつ》」「神物《しんもつ》」（寺社領）との境界を守ることが定められていると理解できる。同時に、後嵯峨院政下の裁定を絶対視する傾向もみられる。

4

●亀山院
後深草院の同母弟。闊達《かったつ》英明な人柄で、幕府と同調して徳政を推進した。両統間では皇室領の帰属をめぐる争いも多かったが、積極的に関与して所領を集積した。（『天子《てんし》摂関御影《せっかんみえい》』）

「不慮の伝領」すなわち知行の越境を防止するための現実的な施策として、裁判の整備が必要となる。この点について、弘安八年法は、譲状《ゆずりじょう》（遺言状）の後状《こうじょう》（同じ案件について作成された文書のなかで、より日付の新しいもの）の有効、謀書《ぼうしょ》（偽造文書）の破棄、越訴《おつそ》（再審請求）手続き、寄沙汰《よせざた》（訴訟を第三者〔多くは山僧・神人《じにん》など〕に委託する行為）の禁止などを定め、幕府法から多くを摂取した内容になっている。裁判の予審を行ない、院評定《いんのひょうじょう》の席に意見を提出する文殿衆《ふどのしゅう》が活躍を始めるなど、後嵯峨の築いた基礎の上に、蒙古《もうこ》襲来後の社会の急展開に対応する、積極的な施策が打ち出された。

先にも述べたとおり、公家政権の弘安徳政は、幕府の理念に倣うものであると同時に、寺社領の取り戻しを認める幕府法を利用した、寺社の強権的な姿勢を牽制《けんせい》する視点をもっていた。取り戻しが必要な事態を招いた、そもそもの寺社側の行為を非難したのである。どれほどの実効性があったかは不明だが、その批判精神、視点の柔軟さは評価すべきであろう。

皇統の決定と鎌倉幕府

亀山《かめやま》院は意欲的に徳政《とくせい》を進めていた。裁判にかかわる評定衆《ひょうじょうしゅう》・伝奏《てんそう》・職事《しきじ》・弁官《べんかん》・文殿衆《ふどのしゅう》らに命じて、三か条の起請文《きしょうもん》を書かせた。当事者の尊卑や権勢に左右されず、①裁判の迅速な進行、②公正な判定を心がけるとともに、③賄賂《わいろ》を受け取らないことを誓う内容である。月に三度の徳政沙汰《とくせいさた》（政策理念や祭祀《さいし》・祈禱《きとう》関係の審議）と六度の雑訴沙汰《ざつそさた》（所領相論《そうろん》などの一般訴訟審議）が行なわれることになり、幕府の裁判制度に倣って一般訴訟の処理を強化し、「人の煩い」を除くことを第一義に据えたのである。

弘安《こうあん》一〇年（一二八七）一〇月一二日、鎌倉から使節として派遣されていた佐々木《ささき》宗《むね》綱《つな》が、文箱《ふばこ》を持って関東申次《かんとうもうしつぎ》西園寺実兼《さいおんじさねかね》を訪問したという報が、亀山院の御所に伝えられた。実兼は、まず後深草《ごふかくさ》院に文箱を届け、しかるのちに亀山院のもとに伺候《しこう》した。文箱の中身は、皇太子（後深草皇子の熙仁《ひろひと》親王）への譲位を申し入れる文書であった。宗綱は、実兼に文箱を渡したのち、すぐに鎌倉へ向けて出立しているので、これは選択の余地のない、事実上の命令である。ただちに後宇多《ごうだ》天皇から熙仁親王への譲位の儀が執り行なわれ、伏見《ふしみ》天皇が誕生した。後宇多の父である亀山は治天《ちてん》の君《きみ》の座を追われ、後深草院が政務を執ることになったのである。天皇の交替が決まった途端、亀山院の冷泉《れいぜい》万里小路殿《までのこうじどの》は火の消えたようになってしまい、かわって新たに皇居となる富小路殿《とみのこうじどの》には人々が群参

●院政期から鎌倉時代のおもな里内裏
安貞《あんてい》元年（一二二七）の火災以来、宮城内の内裏は廃絶し、里内裏が用いられるようになった。貴族の私邸を転用するだけでなく、閑院内裏のように、本格的に内裏の様式を模した里内裏も建造された。

してあちこち修理するなど、たいへんなにぎわいとなった。亀山院の積極的な政策を長期にわたって続けさせることに危惧《きぐ》を抱いた幕府は、より穏当（あるいは優柔不断）と思われる後深草院を選択したのである。

正応《しょうおう》二年（一二八九）には、またも鎌倉からの指令で、伏見《ふしみ》天皇の皇子胤仁《たねひと》が皇太子に立てられた。これによって、後深草皇統である持明院《じみょういん》統の治世の継続が保証されたのである。さらに九月に至って、将軍惟康《これやす》親王が罪人のような扱いで京都に送還され、後深草皇子の久明《ひさあき》親王が次期将軍として鎌倉に迎えられた。持明院統は治天の君・天皇・皇太子に加えて将軍をも出すことになった。

失意の亀山院と優位を確立した後深草院は、相次いで出家した。伏見天皇の親政が始まってひと月もたたない正応三年三月九日、天皇をねらう武士が内裏《だいり》に押し入り、かなわずとみるや、その場で自害するという事件が起こった。甲斐《かい》源氏《げんじ》の奈古《なこ》八郎《はちろう》浅原《あさはら》為頼《ためより》と息子の為継《ためつぐ》・光頼《みつより》の三人で、内裏の奥深く、天皇の御座所の上で壮絶な自害を遂げたのである。もっとも清浄であるべき天皇の居所が穢《けが》されたことは、天下に大きな衝撃を与えた。さらに為頼の持っていた「鯰尾《なまずお》」という刀が、亀山院側近の三条実盛《さんじょうさねもり》の所蔵するものだったために、事件の真相は亀山院による持明院統排斥かとの疑惑が生じた。亀山院は幕府宛《あ》てに、いっさい関与せざる旨の誓約を提出し、なんとか事なきを得たのである。為頼は、霜月騒動《しもつきそうどう》で多くが討たれた信濃《しなの》小笠原《おがさわら》氏の一族で、所領を没収されて、諸国で悪党狼藉《ろうぜき》を働いていたらしい。霜月騒動残党の反得宗《とくそう》派が、亀山院と結びついた可能性も考えられるが、真相は不明である。

永仁の徳政令

徳政令の意図

中世史を学ぶときに、もっとも奇異に感じられるのが「徳政令《とくせいれい》」だろう。法律で借金帳消しが定められるなんて、どんなとんでもない時代なんだろう――と、疑問がわいてくるところである。ただし、ここまで読んできていただければ、「徳政」は徳に満ちた善政という意味で、借金と関係ないことはおわかりだろう。問題は、当該の法令が〝借金帳消し〟だと人々に認識されたのはなぜかというところにある。

この法令は、永仁《えいにん》五年（一二九七）、得宗北条貞時《とくそうほうじょうさだとき》のもとで発せられた。その全貌《ぜんぼう》を伝えるのは、南北朝《なんぼくちょう》期の康永《こうえい》四年（興国《こうこく》六年〔一三四五〕）九月に、山城国下久世荘《やましろのくにしもくぜのしょう》（京都市南区久《く》世《ぜ》中久《なかひさ》町・久世《くぜ》中久世《なかくぜ》町・久世《くぜ》殿城《とのしろ》町一帯）の百姓が、領主である東寺《とうじ》に提出した申状《もうしじょう》である（『東寺百合文書《とうじひやくごうもんじょ》』）。永仁五年の法令に従って、質入れ・売買地を売り主の百姓が取り戻し、四〇年以上も当知行（実際に耕作・経営すること）を続けていたとこ

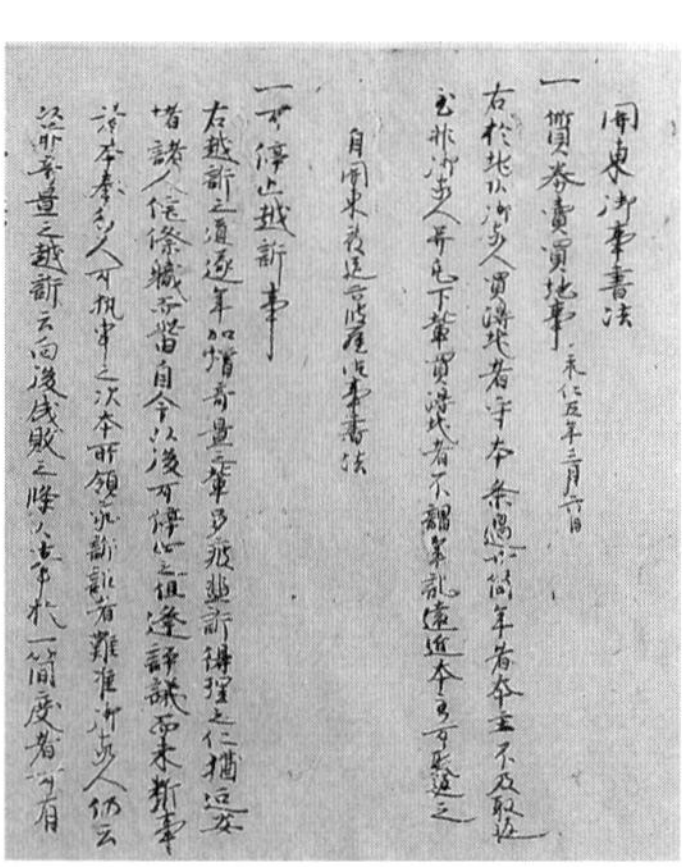

5

◉永仁の徳政令
裁判を起こす者は、訴えの論拠となる法令を、みずから示さねばならなかった。南北朝時代の申状に添付されたおかげで、永仁の徳政令の全貌が伝わったのである。（『東寺百合文書』）

ろ、かつての買い主の子孫が、古い文書を持ち出して返却を求めたというのである。百姓らは現在の知行の正当性を訴え、その根拠となる「御徳政法《おんとくせいのほう》」を参考資料として申状に添付した。中世法は、発布者の側に体系的に保管され、参照されるわけではなかった。裁判はもっぱら当事者である原告・被告の裁量で行なわれ（当事者主義と呼ぶ）、彼らは自分の主張の根拠となる法令を、自分で探し出して示さなければならなかった。その内容は以下の三条である。

①越訴《おっそ》（再審請求）の禁止。
②御家人《ごけにん》所領の質入れ・売却の禁止。この法令以前に売却した所領については本主が取り返せ。買い主の当知行が二〇年以上にわたる土地については、公領・私領を問わず、取り戻しは認められない。ただし、非御家人・凡下《ぼんげ》の輩《ともがら》（身分の低い者）が買得している土地は、知行の年月にかかわらず御家人が取り戻すことができる。
③利銭出挙《りせんすいこ》（銭米の貸借）に関する訴訟の受理停止。

法令の主たる意図は、蒙古《もうこ》襲来をはじめとする激動によって増加していた、動産・不動産をめぐる紛争の抑え込みだったと考えられる。裁判の受理制限と、所領の移動禁止によって、御家人資産の固定化・安定化を図ったのである。いわゆる「徳政令」の眼目である売買地取り戻しは、第二条の付帯条項にすぎず、御家人所領の処分を禁止する前提として、本来の所有状況に復帰させることを意図している。

じつは第二条のような内容は、このときはじめて発布されたわけではない。文永《ぶんえい》四年（一二六七）以来、すなわち異国警固のための動員が幕府首脳の念頭に上ったころから、御家人所領の確定政策が進められた。「御家人等、所領をもって、あるいは質券に入れ、あるいは売買せしむるの条、侘傺《たくさい》（困窮）の基《もとい》たるか」として、売買・質入れ・他人への和与《わよ》（譲渡）などの、一族内での相伝《そうでん》の枠を超える御家人領の移動を禁じたのである。売却先が御家人の場合は売却価格（本物《ほんもつ》）を弁償したうえで、相手が非御家人ならば無償で、取り戻すことが命じられている。子孫をさしおいての他人への和与というのも、内実は売却と変わらなかったと考えられる。弘安《こうあん》七年（一二八四）には、「表裏証文のこと」という法令が出されている。貧しい御家人が富裕の者に対して、実際には所領を売却・質入れしているのに、形式的に親子契約の譲状《ゆずりじょう》を作成することを禁じる内容である。

非御家人からの所領の無償取り戻しは、「延応《えんおう》の制に載せらる」とあり、延応二年（一二四〇）の法令の参照が示されている。非御家人が御家人私領を買得することを禁じるもので、凡下・借上《かしあげ》（金融業者）なら没収、侍《さむらい》以上の身分であっても非御家人なら知行停止という内容である。要するに御家人でない者が御家人領を買っても、有無をいわさず取り上げられてしまうわけだ。このような御家人と非御家人との待遇の差は、鎌倉幕府の一貫した政策である。

ただし、文永四年令は混乱を引き起こしたらしく（訴訟の増大か）、同七年に撤回された。それが同一〇年にはまた復活し、御家人の質券地について、無償取り戻しが命ぜられる。ただし下文《くだしぶみ》などで幕府の認可を得ている所領は対象外となる。さらに文永八年に、寛元《かんげん》元年から康元《こうげん》元年（一二四三〜五六）の幕府裁定については改沙汰《あらためざた》（再審理）に及ばずという不易法《ふえきほう》が設定されていることを受けて、その後の正嘉《しょうか》元年（一二五七）以後に得た下文は、越訴の対象となることを示す。総じて、御家人どうしの取り引きについて、本主への返却を訴え、債権者側の歩み寄りを促しているような語調が感じられる。

この法令は、またも混乱を呼んだものか、弘安年間になると、幕府がとりあえず現在の知行状況を把握しようとする方向の法令が出てくる。関東御領《かんとうごりょう》（将軍の直轄領）の非御家人・凡下による領作の実態の注進、質券地・他人和与地の公事《くじ》・年貢進済励行（弘安七年）などである。また、弘安九年には所領の売買および請所《うけしょ》の禁止が発令された。請所とは本来、荘園領主に一定額の年貢を納入して経営を請け負うことだが、この条文によれば、請所の名を借りて、事実上の所有権の移転が行なわれていたらしい。要するに、文永三年以降、幕府は御家人所領の売却・質入れを問題視し、その禁止あるいは回復をめざしたのだが、実現は難しく、発令・緩和・撤回を繰り返したとまとめることができるだろう。とくに御家人間での土地取引については、買得側の御家人に、御家人層の一員としての協力を求めようとしていたのではなかろうか。一方で、取り引きの相手が非御家人・凡下などの場合は、有無をいわさず返却を求める姿勢を貫いている。徳政令発布において何より明らかであったのは、幕府が、御家人と非御家人・凡下を峻別《しゅんべつ》する意識であった。

徳政令の受容

永仁《えいにん》五年（一二九七）三月六日に鎌倉で定められ、七月二二日付の関東御教書《みぎょうしょ》で六波羅《ろくはら》に通達された徳政令《とくせいれい》は、またたくまに全国に広まった。もっとも早い例として知られているのが、四月一日付で常陸国《ひたちのくに》留守所《るすどころ》から出された下文《くだしぶみ》で、同国総社神主《そうじゃ》の売却した所領について、「関東御徳政」によって取り戻しを命じている（『常陸総社文書』）。

また、異国警固《けいご》番役《ばんやく》の勤仕にあたって、惣領《そうりょう》である兄からの自立を図った志賀禅季《しがぜんき》は、八月五日付の譲状《ゆずりじょう》につぎのように記している（『肥後志賀文書』）。

「養父から譲り受けた豊後国《ぶんご》大野荘《おおののしょう》内の泊寺院主《とまりでらいんじゅ》および地頭職《じとうしき》を、弘安《こうあん》六年（一二八三）頃、大野太郎《おおのたろう》後家の尼善阿《ぜんあ》に四五〇貫《かん》で売却した。このたび『関東御徳政諸国平均の法』が発せられたので、この所職を取り戻そうとしているが、脚気《かっけ》がひどく、すでに明日をも知れぬ命である。とりあえず、兄志賀太郎入道殿にこれを譲ることとする」

関東御教書が六波羅に到着したのは八月一五日だから、同様の通達が九州に届くのは、もっとあとになったはずである。幕府の公式の連絡が行なわれる前から、徳政令の情報は全国に伝わっていた。鎮西探題《ちんぜいたんだい》は混乱を避けるために、正式な関東御教書が到着するまでは、売買地の収穫物には手をつけずに待機するようにとの通達を出したという。

「売った所領を、ただで取り戻すことができる」という情報は、すさまじい速さで全国を駆けめぐり、人々は即座にそれを実現しようとした。文書として残っているのは、国衙《こくが》や守護《しゅご》などに認可を求める紳士的な手続きをふんだケースで、もっと乱暴に売却地取り戻しが図られることも多かったと思われる。各地でさまざまな衝突が起きていたのではないだろうか。鎌倉から六波羅への通達に四か月以上の間があいているのも、幕府が社会的影響の大きさにたじろぎ、関係者間でなんらかの調整を試みていたためと解釈できる。

大野荘の泊寺院主・地頭職のケースでも、返還を要求された善阿は、買得の際に土地とともに取得した手継証文《てつぎしようもん》（相続・買得など、それまでの権利関係を示す証文を貼り継いで巻子《かんす》にしたもの）を返そうとせず、また手をつけるなといわれていた収穫稲を、倉庫を破って運び出してしまったという。本主が土地を奪い返したとしても、買い主の抵抗はいろいろな形で続けられ、のちに禍根を残したのである。

さらに問題なのは、〝徳政令〟が非御家人《ごけにん》や凡下《ぼんげ》にまで歓迎されたことである。幕府は御家人のみを対象としていたつもりだったが、その意図を超えて、この法令は社会全体を動かした。法令の全文を付した山城国《やましろ》下久世荘《しもくぜのしよう》の百姓申状によれば、同荘では「非御家人ならびに凡下の輩《ともがら》質券売買地においては、年紀の遠近をいわず、売り主取り返すべし」と理解して、荘内の売却地の取り戻しが行なわれた。しかも、当時得宗《とくそう》領であった同荘では、給主（経営を預かる者）の千田殿が取り戻しを督励したという。本来の法文は「非御家人・凡下の輩買得地のこと、年紀を過ぎるといえども売主知行すべし」とあって、御家人の所領を非御家人が買った場合は、何年たっていようと、御家人が取り戻すことができるというものである。つまり非御家人・凡下についても、買った土地を無条件で奪われる場合しかありえないのだが、下久世荘の百姓らはいつのまにか、非御家人・凡下の売った土地は、いつでも取り戻し可能であると、読み換えてしまったのである。荘内の土地が、売却以前の本来の秩序に復帰することは、おそらく領主側にとっても都合がよく、千田殿のように後押しする力が働いたのだろう。

ところが、まだ厄介なことがある。そもそも土地を売却するのはそれなりの事情があるからで、徳政令が出たから、売却地を取り返して終わりというわけにはいかなかった。土地の売却は相変わらず続けられ、その際には徳政令を回避する措置が図られた。永仁五年六月というから、やはり徳政令が正式に京都に通達される前のことになる。野部《のべ》友吉《ともよし》なる人物が藤原氏女《ふじわらのうじのめ》に山城《やましろ》国紀伊《きい》郡内の田地一段《たん》を売却し、二通の証文を作成した（もちろん二人とも御家人ではないだろう）。一通は、代価一〇貫《かん》で田地を売却するという売券《ばいけん》、もう一通は「藤原氏女とは、とくに深い縁故がある間柄なので、田地を譲り渡す」という友吉の譲状である（『白河本東寺《しらかわぼんとうじ》文書《もんじょ》』）。「関東御徳政」が問題になった場合に、これは買得地ではなく譲られたものであると言い抜けるために、譲状が用意されたのである。ほかにも「たとえ徳政が行なわれても、この売買契約にはいっさい変更ない」旨の「徳政担保文言」と呼ばれる一文を書き加えることも行なわれた。いったん取り戻した所領をまた売り払う者もあり、徳政令発布をきっかけに、社会のすべての階層で、売買契約の概念そのものがゆらいでしまったといえる。

潜在する本主権

永仁《えいにん》の徳政令《とくせいれい》は驚くべき速さで全国に普及し、やり方はいろいろにせよ、人々はこぞってこれを実行した。蒙古《もうこ》襲来・異国警固《けいご》番役《ばんやく》にかかわる幕府の施策が、かつてない迅速性と実現性をもったことについては前述した。また、合戦や防衛に参加した御家《ご》人《にん》・本所《ほんじょ》一円地住人・神社祀官《しかん》などからは、それまで潜行していた欲求や不満が一度に幕府にぶつけられた。九州を中心に日本全国が異様な熱気に包まれていたことは間違いなく、その勢いのなかで永仁の徳政令は、おそらくは発令以前から、社会全体にいわば待ち望まれていたのである。そうでなければ、人々のあまりにもすばやい対応を説明することができない。

徳政令については、御家人の窮乏を救うための債務破棄という教科書的説明が与えられ、条文にも所領の売却・質入れは困窮のもとであるから……と記されている。しかし笠松宏至《かさまつひろし》によれば、徳政の本質はものごとを〝あるべきところへ戻す〟ことであり、永仁の徳政令も、要するに所領を〝もとに戻す〟のが眼目であったと理解すべきだという。それは民俗学者折口信夫《おりぐちしのぶ》が説いたところの「商返《あきかえし》」、すなわち売買した品物を、ある一

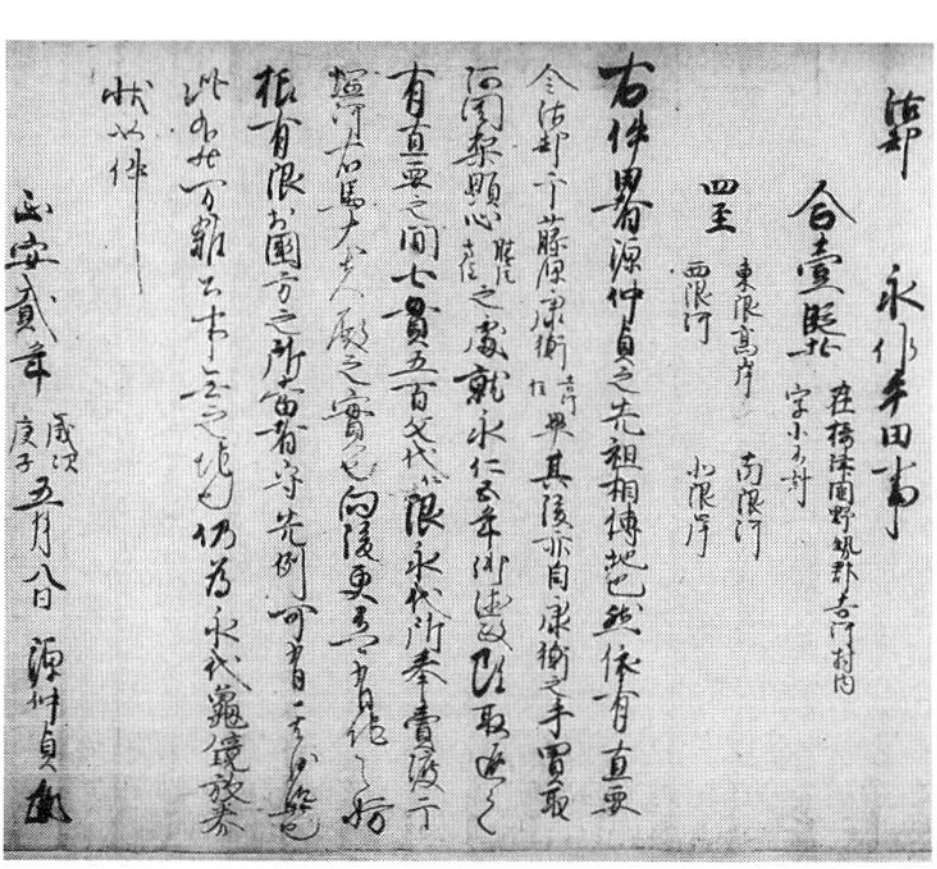

6

◉源仲貞田地売券
正安《しょうあん》二年（一三〇〇）、摂津国《せっつのくに》能勢《のせ》郡内の田地売却の証文。徳政令によって売却地を取り返したものの、金に困って、七貫五〇〇文でふたたび売り払っている。（『勝尾寺文書《かつおじもんじょ》』）

定期間内ならもとの持ち主が取り返すことができるという慣習に基づいている。「商返」の源泉は、天皇のもつ一年限りの暦のもとで、一年ごとにすべてのものがもとに戻り、復活するという信仰であった。

中世の所領に対する本主権（本来の持ち主の権利）については、同じく笠松が明らかにした「闕所《けっしょ》地《ち》給与の原則」がある。犯罪や謀《む》叛《ほん》などによって没収された所領は、本主の血縁者や縁故者に優先的に与えられるというものである。

また、徳政令が問題とする売買・質入れについても、完全に所有権が移転しているケースは意外に少ないのではないかと思われる。他人和与《わよ》・請所《うけしょ》なども問題にされているように、表向きは譲与や経営権の委任の形をとっているが、実態は売却や質入れと同義の契約、さらには売却といっても支払いが長期にわたる場合などがあって、本主と所領との結びつきは簡単には消えなかったのではないだろうか。たとえば、前出の禅季《ぜんき》の所職の尼善阿《ぜんあ》への売却価格は四五〇貫と見えるが、地方武士の家柄の者が一括で支払える金額ではない。金融業者を介した分割払いなど、なんらかの長期にわたる手続きが必要であったと思われる。

さらに、売買契約にも年紀《ねんき》売《うり》・本銭返《ほんせんがえし》など特有の方式があり、前者は一定期間を過ぎれば無償で売り主に戻る有期売却、後者は売却代金（本銭）を支払えば買い戻すことができるという特約つき売却である。また、所有権の移動を幕府に申告して安堵《あんど》の下文《くだしぶみ》や下《げ》知状《ちじょう》を下付されていない場合には、幕府の御家人役賦課などの台帳には、もとの持ち主の名前がそのまま残ってしまう。売買・質入れといっても、きわめて曖昧《あいまい》な行為で、土地と本主との関係がつながったまま、所有・貸借関係が複雑化し、さまざまな問題が生じたことは間違いない。いっせいにもとの秩序に戻すというのも、それなりに合理的な考え方だったのである。

永仁の徳政令の所領取り戻し以外の部分――訴訟の受理範囲の限定と質券売買の禁止――は御家人層の反発を呼び、翌永仁六年二月に撤回された。ただし所領の無償取り戻しについては「改変に及ばず」とされ、このあともさかんに実行された。もともと未分化であった所有や契約の概念は、法による限定をはずされ、ますます当事者の思惑《おもわく》に左右されるものとなったのである。

神領興行令

異国警固の一環として、調伏《ちょうぶく》の祈禱《きとう》を担当する寺社の処遇がたいそう厄介だったことは前にも述べた。御家人《ごけにん》に対する徳政令《とくせいれい》と並んで、神社に対して発せられたのが神領興行令《しんりょうこうぎょうれい》である。幕府は正和《しょうわ》元年（一三一二）に、宇佐《うさ》・筥崎《はこざき》・高良《こうら》・香椎《かしい》・安楽寺《あんらくじ》（大宰府天満宮《だざいふてんまんぐう》）の鎮西《ちんぜい》五社に対して、神領興行令を発した。「興行」とは衰退したり簡略化されたりしたものを、ふたたび盛り立てることをいう。これが所領に適用される場合は、現在の知行者を廃して本来の所有権を回復させることになる。すなわち、一方の興行は他方の排除・抑圧を意味し、多くの衝突を招いたのである。

その内容は、社家から買得した地について、現在の知行者が安堵《あんど》の下文《くだしぶみ》や下知状《げちじょう》を取得していても、年紀法を適用せず社家による取り戻しを認めるもので、相手が御家人・非御家人・凡下《ぼんげ》たるを問わない。これには三名の奉行人が九州に派遣されて実施にあたった。御家人の当知行権は、天福《てんぷく》・寛元《かんげん》年間（一二三三〜四七）以前からその所領について御家人役をつとめた実績をもつ場合はかろうじて保護されたが、ほとんどが神社の権威より下位に位置づけられ、排除されることになった。当然多くの争議が発生したが、神社側は切り札として、それぞれの宗教的シンボルを持ち出して訴える策に出た。強訴《ごうそ》の際に神輿《しんよ》や神木《しんぼく》が振り立てられるのと同様で、こうなると理非の判断を超えた反論不可能な状況となる。

神領の取り戻しは、幕府から派遣された奉行人と、使節の役割を命じられた、近在の在地領主の監督のもとで行なわれた。知行者である在地領主たちは、同じ在地領主層に強制され、所領をとりあげられたのである。この法が適用された事例は、現在判明しているだけで六〇以上にのぼる。徳政＝所領取り戻しは、取り戻される側の存在を切り捨てることで成り立っていたが、神領興行令に至っては、御家人までもが存在を否定される側に置かれてしまったのである。

「およそ神領興行の沙汰《さた》は最勝園寺殿《さいしょうおんじどの》（北条貞時《ほうじょうさだとき》）の御願《ごがん》なり」（『到津《いとうづ》文書《もんじょ》』）といわれ、神領興行令は応長《おうちょう》元年（一三一一）に死去した貞時《さだとき》の

7

遺志によるとされる。彼の死に先立っては「三日病」（マラリア）が大流行し、それに感染したものか、執権北条師時《しっけんほうじょうもろとき》・得宗貞時《とくそうさだとき》が相次いで亡くなった。師時に次いで、連署《れんしょ》から執権に就任した大仏《おさらぎ》（北条時房《ときふさ》の子朝《とも》直《なお》を祖とする一流）宗宣《むねのぶ》も、正和元年六月に死去し、あとには貞時の息子で、一〇歳の高時《たかとき》が残された。

神領興行令は、攘災《じょうさい》のための措置という可能性が強いが、そのような役目は本来、朝廷が担うはずではなかったろうか。

じつは朝廷も、永仁《えいにん》六年（一二九八）に「神領等、非器《ひき》甲乙人《こうおつにん》の知行を止め、本主神官に返付せらるべし」という綸旨《りんじ》を発していた。御家人を対象とした幕府の徳政令に対し、朝廷は神社を分担したと考えられるが、なんの強制力ももたない朝廷に期待する者はわずかだったであろう。蒙古《もうこ》襲来以来、幕府法は確実な実効性をもつものと認識され、そこから生じる問題はすべて幕府に持ち込まれた。立場や利害関係を異にする人々の期待を一身に背負うことになった幕府は、幼少の得宗《とくそう》高時の手にゆだねられたのであった。

8

◉春日社神人（右）と宇佐神宮
右は榊《さかき》や御幣を奉じて進む神人《じにん》。口穢《けが》れた息がかからないように、口元を覆っている（『春日権現験記《かすがごんげんけんき》絵巻《えまき》』）。左は宇佐神宮の本殿。二棟の切妻造平入《きりづまづくりひらいり》の建物が前後に接続する、八幡造《はちまんづくり》の様式である。

社会構造の転換

貨幣の浸透と商人道徳

蒙古《もうこ》襲来の時代はまた、経済構造の転換の時期でもあった。日宋《にっそう》貿易による中国銭の輸入や、銭《せん》貨《か》使用の一般化、諸国への賦課から商業課税への転換などについては前述した。おおよそ一二二〇年代後半には、それまで公事《くじ》として絹布などの繊維製品が納められていたものが、代銭納化される。さらに一二七〇年代には、銭が米の役割を吸収し、年貢の代銭納が一般化するといわれている。一二七九年に南宋《なんそう》が滅亡し、かわって中国の支配者となった元《げん》が紙幣専用政策をとったために、大量の銅銭が東アジア全域に流出し、銭使用が広まったと考えられている。

ただし、商取引のすべてが現銭によって行なわれたのではなく、高額取引・遠隔地間の取り引きは金融業者を介するのが一般的で、現銭以上に信用が、種々の社会的要素を結ぶ役割を果たしていたと考えられる。信用の源泉となるのは、商行為に携わる者の間にはぐくまれた一種の商人道徳であった。彼らにと

9

◉元の紙幣、至元通行宝鈔
元は紙幣による通貨政策をとった。マルコ・ポーロの『東方見聞録《とうほうけんぶんろく》』にも、広範な紙幣流通に驚嘆した旨が記されている。縦が二八cm余の非常に大きなもの。

っては富を築くことと、徳を積むことは同義だったのである。『徒然草《つれづれぐさ》』第二一七段「ある大福長者」の語る処世術を見よう。

「人の生きる目的は、徳＝富を築くことにあり、そのためには①人間《じんかん》常住をモットーとし、諸行無常と悟りすましてはならない、②自分の欲求をかなえようとしてはいけない、③銭を神仏のごとく尊びながら用いよ、④恥ずかしいめにあっても怒ったり恨んだりしてはならない、⑤正直を心がけ、約束を守れ——という五つの原則を守るべきである。これらの義を守って利益を求める人には、自然に富が集まってくることだろう。尽きることのない富を得れば、宴会をしたり、住居を飾り立てたり、願いをかなえたりしなくとも、心はとこしなえに安らかであろう」

大福長者が描き出すのは、倹約をもっぱらにし、正直と誠意と忍耐を心がけて商売に励む商人像である。しかも、中世の軍記物語や説話のなかでしばしば語られる「諸行無常」を観照するなという。一定の契約のもとに商品取引や金銭貸借を行ない、時間の経過によって利を稼ぐ商人にとって、将来を見通すことは不可欠であり、「無常」と投げてしまわずに、みずから世間をコントロールする主体性が必要だということだろう。

これに対し、『徒然草』作者の兼好《けんこう》法師は「銭を貯《た》めても、

10

◉女性の借上
詞書《ことばがき》によれば、七条あたりで金融業を営む女性。富み栄え、美食・大食の末に、ひとりで歩けないほど太ってしまった。侍女に支えられながら、苦しそうに歩む姿。(『病草紙《やまいのそうし》』)

それを遣わず、願いをかなえないのでは貧乏人と同じではないか。それならあくせく働かず、貧乏をいとわずにいたほうがよいではないか」と揶揄《やゆ》する。兼好の語る無常観や清貧は、貴族や有力寺社からなる荘園《しょうえん》領主共同体の資産力の裏付けがあってこそのものにすぎない。その資産管理を担って、利を生み出し、彼らが安心して無常を語り、生活の楽しみを享受できるようにしていたのが、モラルを身につけた金融業者だったのである。

すべてが銭に換算される

文永《ぶんえい》・弘安《こうあん》年間（一二六四〜八八）以降の社会においてみられるのは、この項のタイトルに掲げたとおりの傾向である。幕府がかかわる二つの例をみてみよう。

建長《けんちょう》二年（一二五〇）の閑院内裏《かんいんだいり》の造営は、幕府が請け負って諸国の御家人《ごけにん》らに割り振った。内裏の殿舎や部分ごとに、担当する御家人の名が記された注文《ちゅうもん》（一覧表）が『吾妻鏡《あずまかがみ》』に収録されている。紫宸殿《ししんでん》は執権《しっけん》の北条時頼《ほうじょうときより》、宜陽殿《ぎようでん》は北条重時《しげとき》、小御所《こごしょ》は足利義氏《あしかがよしうじ》など、それぞれの立場や資力に応じて担当箇所が定められている。小規模なところでは、内裏を囲む築地《ついじ》を六本から一本までに分割して担当者を配置している。多くは一

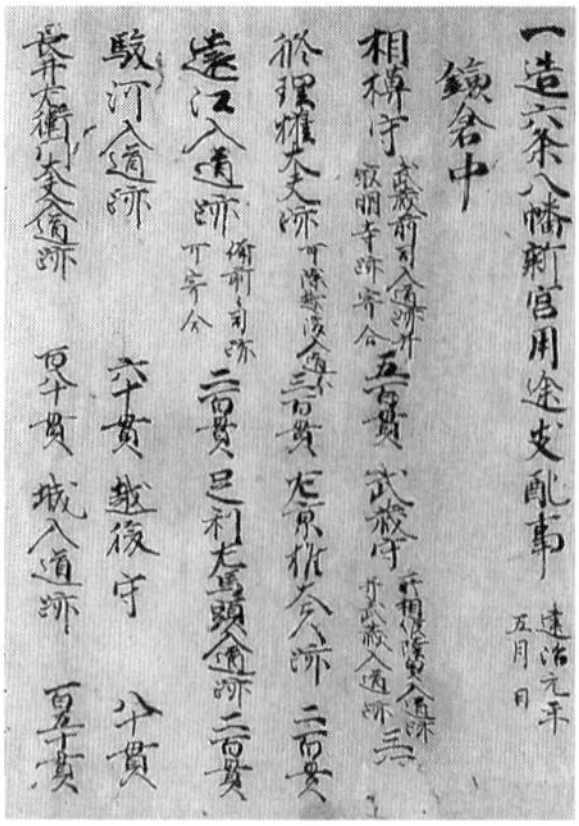

11

●六条八幡宮造営注文（部分）
六条八幡宮の造営費用を、御家人に割り当てた一覧。最初に「鎌倉中」として、得宗北条時宗をはじめとする有力御家人が並ぶ。（『田《た》中穣氏《なかゆたかし》旧蔵《きゆうぞう》典籍《てんせき》古文書《こもんじょ》』）

本とか二本とかの零細な分担だが、ここにもっとも多くの御家人が動員される体制になっている。全部で二五三人の御家人があげられており、幕府の命に従って御家人らが集い、奉仕するという理念が実体化されているといえよう。

四半世紀あとの建治《けんじ》元年（一二七五）に六条八幡宮《ろくじょうはちまんぐう》の造営が行なわれた。同社の前身は、源義家《みなもとのよしいえ》が屋敷の一角に勧請《かんじょう》した鎮守社で、のちに頼朝《よりとも》の帰依を得、幕府の手厚い保護下に、洛中における地位を確立していった。文治《ぶんじ》元年（一一八五）以来、大江広元《おおえのひろもと》の縁者が別当《べっとう》に補任《ぶにん》され、彼らが醍醐《だいご》寺《じ》蓮蔵院《れんぞういん》に関係していたことから、同院院主《いんじゅ》が別当職《しき》を相承《そうしょう》した。文治《ぶんじ》二年・承元《じょうげん》二年（一二〇八）・建治《けんじ》元年の造営注文を一括して、南北朝《なんぼくちょう》期の永和《えいわ》元年（天授《てんじゅ》元年（一三七五））に、当時同宮の別当を兼任していた醍醐寺三宝院《さんぽういん》（満済）に注進した史料が残っている（『田中穣氏旧蔵典籍古文書』）。永和年間に大規模な修理が計画されたらしく、それに先立って、先例を調査したのだろう。

このうち建治元年の注文には、全部で四六九人の御家人が見えており、もっとも大部な御家人交《きょう》名《みょう》となっている。もはや建物の分担は示されず、ただ各人の負担する金額が記されている。費用の総額は六六四一貫《かん》。御家人は「鎌倉中」一二三人、「在京」二八人、「諸国」三一八人に分類される。「諸国」御家人（地方在住御家人）は三貫から一〇貫程度を負担し、「鎌倉中」の人々は全体の三分の二にあたる四五七七貫を引き受ける。とくに目立つのが北条氏で、時宗《ときむね》が五〇〇貫、塩田義政《しおだよしまさ》が三〇〇貫など、ほかよりひとけた多い金額を負担している。御家人らの共感と合意を結集した建築物の修理・新造にあたって、それぞれが土を運び釘《くぎ》を打って参加するイメージは放棄され、資産に応じた配分と集金がみられるのみとなったのである。

また建治の注文では、約九割が〝○○跡《あと》 ○貫〟として、父祖の名によって賦課が指定されている。父祖の所領を受け継いだ子孫たちを一括して把握し、惣領《そうりょう》の采配《さいはい》による進納が期待されていると解釈できる。ほかの事例でも、従来は子孫のそれぞれに催促されていた御家人役が、一三世紀後半に「○○跡」に一括発注される変化がみられる。

たとえば紀伊国《きいのくに》御家人湯浅《ゆあさ》氏の在京番役では、嘉禎《かてい》四年（一二三八）には一族「湯浅御家人等」のそれぞれの名前をあげて、結番《けちばん》（順番を定めて交替で勤務にあたること）して行なうよう命じられている。だが、正応《しょうおう》二年（一二八九）になると「湯浅入道宗重《むねしげ》法師跡」の在京番役として、一七番に分けて、一族の所領を対象に賦課する形式をとる（『紀伊《きい》崎山文書《さきやまもんじょ》』）。また、建治の六条八幡宮造営用途は、紀伊国の「湯浅入道跡　六貫」として賦課されたが、同氏はこれを一門庶子らの所領の規模に応じて配分し、弘安元年（一二七八）に田殿荘《たどののしょう》分として三一〇文があてられたことが知られる。

以上をまとめてみると、一三世紀中葉以降に、個々の御家人把握から、惣領を通じての所領規模把握へ、さらに貨幣経済の進展とともに、人的奉仕から金銭の供出へという御家人役をめぐる二重の変化があったことがわかる。幕府による御家人管理、御家人の奉公の形態が、人的関係から所領や金銭を通じた関係に変わっていったのである。幕府にとって、変動の多い一族内部の状況を逐次把握するのは困難であり、惣領を通じての金銭的関係に転換することは、大幅な効率化を意味したと考えられよう。

侍層の進出

幕府―御家人《ごけにん》関係のみならず、貨幣経済の一般化の流れによって、多くの社会関係が金銭に換算されるようになっていった。公家《くげ》政権においても、荘園《しょうえん》経営・知行国経営・公事《くじ》用途の調達などの場面で、伝統的な文書主義・様式主義が後退して、より実利的な方式が構築されるに至る。

まず、侍《さむらい》層の進出について述べよう。「侍」という語を厳密に定義することは難しいが、武家においては、御家人として認定されていないが、それと同程度の身分の者であり、公家では、四～五位どまりで、院の下北面《げほくめん》（院北面は上下に分かれており、上北面は四位、下北面は五、六位程度の者で構成された）や上級貴族の家司《けいし》などをつとめる家柄ということになろう。知行国主や荘園の領主である主人のもとで、目代《もくだい》や預所《あずかりどころ》、あるいは造営事業の奉行をつとめるなど、経営・実働部門を担う存在であった。ただし、あくまで主人の代官という陰の存在にとどまっていたのである。

ところが、文永《ぶんえい》・弘安《こうあん》年間（一二六四～八八）ごろから、彼らの名前が一般貴族と並んであげられる例が出てくる。弘安六年（一二八三）の今林准后貞子《いまばやしじゅごうていし》（西園寺実氏《さいおんじさねうじ》の妻で、大宮院《おおみやいん》・東二条院《ひがしにじょういん》の母。非常に長寿で、貴族社会のゴッドマザーのような存在だった）による御所の造営にあたって、多くの建物や築垣《ついがき》の建築を担当した者として、前大納言四条隆行《さきのだいなごんしじょうたかゆき》らと並んで、藤原朝昌《ふじわらのともまさ》という名が記されている。亀山《かめやま》院とその妃昭訓門院《きさきしょうくんもんいん》の下北面としての活動が知られる人物で、貞子の所領の経営を請け負っていたと思われる。弘安七年には、惟宗行清《これむねのゆききよ》という者が、小除目《こじもく》（臨時の除目）で、ある国の国《こく》司《し》に任じられた。当該国は新陽明門院《しんようめいもんいん》（亀山の妃）の知行国で、以前から経営を担当していた行清が、正式に国司に任じられたのである。『勘仲記《かんちゆうき》』記主の勘解由小路兼仲《かでのこうじかねなか》は、「侍が主人の知行国の国司になるなんて、聞いたことがない」と憤慨して記している。公家政権で経済活動の尖兵《せんぺい》として活動していた人々が、自立した存在として表面に現われてきたのである。

史料上で確かめられる例はわずかだが、実際には多くの侍が活動の場を広げていたに違いない。主人の政治力や伝統的制度に頼らずとも、在地を支配し、年貢などの取得物を流通・換金することができるだけの社会的仕組みが整いつつあったことが、この傾向を促したと考えられよう。交通・物流・治安などの条件の進化――それは街道の整備のような即物的な要素だけでなく、社会全体を覆う信用構造の発達だったろう――は、現場で活躍する人材の自立を可能にしたのである。

所領経営の請負

知行国経営の実態も大きく変わってきていた。院政期以来の知行国とは、院や皇族・貴族らに国を分配して、適宜公事《くじ》の経費や諸物資を負担させるものだった。知行国を割り当てる際に、受領功《ずりようこう》と呼ばれる任料を納入させる場合もある。これは二〇〇～三〇〇貫《かん》が相場で、知行国主となる階層の人々が無理なく一括進済《しんさい》できる金額であった。そのなかで、西園寺《さいおんじ》家のような有力貴族は、伊予《いよの》国《くに》をほぼ指定席とし、瀬戸内海沿岸を中心に独自の支配網を確立し、朝廷の有力なスポンサーとなっていたのである。知行国制度は公家《くげ》政権の構成員が利権を持ち合い、必要に応じて供出する仕組みとして機能していた。その背景にあるのは、公家社会の一体感、信頼関係だったといってよかろう。しかし、ここにも新しい顔ぶれが進出し、別の形での経費調達が行なわれるようになる。

比叡山延暦寺《ひえいざんえんりやくじ》（山門《さんもん》）の鎮守である日吉《ひえ》大社は、御神体《ごしんたい》として七基の神輿《しんよ》を有し、強訴《ごうそ》の際にはしばしばそれを振り立てて洛中に乗り込んだ。主張が受け入れられなければ、神輿を置き去りにして引き揚げてしまう。上は院から下は一般庶民に至るまで、京都の住人は神威・神罰を畏《おそ》れて、気が気でない日々を過ごすことになり、結局山門のいいなりになるのである。

入京により破損し、穢《けが》れを帯びた神輿は院の主導で造替されたが、もちろん費用の捻出《ねんしゅつ》が問題となる。おおむね一基を新造するのに五〇〇貫、七基すべてで三五〇〇貫余という物入りである（約三億五〇〇〇万円！）。院政期には院の意を受けた近臣《きんしん》受領、その後は有力院宮・貴族が分担して負担していたが、文永《ぶんえい》元年（一二六四）の造替では、右馬権守平敦朝《うめのごんのかみたいらのあつとも》が参河《みかわ》国を賜わり三七〇〇貫を調進した（『公衡公記《きんひらこうき》』）。莫大な金額だが、これは「参河国一任用途」で、同国の一任四年間の経営を請け切ったことを意味する。最初に三七〇〇貫を一括進納すれば、参河国の知行国主として、四年間の任期中の収入は、すべて自分

12

●中世の神輿
神輿は、神の乗り物であるとともに、精緻な工芸品である。神輿造替には、番匠《ばんしょう》・漆工《うるしこう》・蒔絵《まきえ》師《し》・銅細工など、三〇数種類に及ぶ職人がかかわった。

のものになるわけである。おそらく、その数倍の利益を上げる自信があるはずで、公家政権が衰えたとはいっても、経営のやり方次第で、知行国は法外な利益を生み出したのである。

知行国をめぐる関係は、相互の一体感を基盤として必要に応じて融通しあう体制から、任命時一括支払いのドライな契約関係に移行したのである。

敦朝についての手がかりは少なく、後嵯峨《ごさが》院の上北面《じょうほくめん》だったことがわかるくらいである。そのほか「後嵯峨院の御代より」の「洛中に名あるほどの牛」を書きとどめた『駿牛絵詞《すんぎゅうえことば》』という史料のなかに、敦朝朝臣《あそん》が筑紫《つくし》産や越前《えちぜん》産の「勢大なる逸物」の牛を院や女院に献じたと見える。敦朝の牛は全部で四頭が記されるが、なかでも越前牛の「長頭《ながず》巾《きん》」は長い角が後ろ下向きに曲がっていて、顔が角張り、性格のよい立派な牛だったという。筑紫・越前などから当代きっての名牛を調達・飼養する人脈・資力を持ち合わせた有能な人物ということだろう。参河国の一任請負金については、彼自身の力だけでなく、当事者である山門が金主として融資していた可能性も十分考えられる。

13

◉駿牛図
名牛に対する関心は高く、牛の体軀を克明に描写した駿牛図巻が多く作成された。本図は一四世紀初頭のもので、もと一〇図一巻。現在では一点ずつ各所に分蔵される。

のちの正和《しょうわ》四年（一三一五）の神輿造替では、神輿・神宝・雑人《ぞうにん》装束あわせて総額六五〇〇貫の経費の一部二六五〇貫を、院庁《いんのちょう》から京中の土倉《どそう》（金融業者）一軒あたりに一〇貫ずつ課すことが計画された。これには山門が不服をとなえたため、「山門気風の土倉」は除外して、かわりに山門が一軒あたり七五〇疋《ひき》（一〇〇疋が一貫）の祝儀金を徴収することにした。すなわち、一般土倉は院庁が一〇貫を徴収し、山門配下の土倉は、山門主導で一軒ごとに祝儀金七五〇疋を集め、うち五〇〇疋（五貫）を上納したという。要請に対して私的に応じる「訪《とぶらい》」の発想で、院庁の賦課に公式に応じた実績を残したくないところから出た措置である。計算してみると、一般土倉五五軒、山門配下の土倉四二〇軒となり、土倉の数の多さにも驚かされるが、同時に、京都の金融・商業に占める山門の影響力がいかに大きかったかがわかる。

京都から発信される経済活動は、山門という強大な金融センターの成長を背景に、公家政権の制度の利権化、社会関係の実利化へと進んでいった。この傾向は、一般荘園《しょうえん》・御家人領においても例外ではない。

料所

鎌倉時代末期に行なわれた大事業として、二条富小路内裏《にじょうとみのこうじだいり》の造営がある。閑院《かんいん》内裏が正元《しょうげん》元年（一二五九）に焼失したために、西園寺実兼《さいおんじさねかね》の邸宅冷泉《れいぜい》富小路殿が里内裏《さとだいり》（一般邸宅を内裏に転用したもの）として利用されるようになったのだが、嘉元《かげん》四年（一三〇六）に火災にあい、正和《しょうわ》年間に至って公武一体となって新しい里内裏の建設が企画されたのである。正和二年（一三一三）一一月に事《こと》始《はじめ》、同四年二月に上棟、文保《ぶんぽう》元年（一三一七）に完成し、四月に遷幸が行なわれた。指揮を執ったのは西園寺公衡《きんひら》だが、途中で彼が亡くなったため、父の実兼が引き継いだ。

内裏造営の経費は、もちろん朝廷には調達できず、幕府を頼ることになった。幕府は北条《ほうじょう》氏執行部のもつ「料所《りょうしょ》」の一〇年分の年貢を一括進納することで、これにこたえた。全貌《ぜんぼう》は明らかでないが、そのなかの播磨国五箇荘《はりまのくにごかのしょう》が、内裏の修理や季節ごとの調度品の経費をまかなうために西園寺家に預けられたことがわかっている。同荘は平家没官《もっかん》領で、梶原景時《かじわらかげとき》・小山朝政《おやまともまさ》などに充行《あておこ》なわれ、播磨守護《しゅご》の経済基盤になっていた。鎌倉後期の播磨守護は六波羅探題南方《ろくはらたんだいみなみかた》で、同荘が北条氏の管轄下にあったのは間違いない。このように平家没官領・承久《じょうきゅう》の乱後の没収地などで、北条氏が管理していた荘園《しょうえん》の一〇年分の収入が、一括提供されたのである。

「料所」の語は、徳治三年（一三〇八）頃に執権《しっけん》北条貞時《さだとき》に政治上の意見を上申するために作成された、幕府奉行人中原政連《なかはらまさつら》の「諫草《いさめぐさ》」（諫状の草稿）に見えている。

「従来は御家人《ごけにん》が所領を売却することはなく、仮にそのようなことがあれば、当該地を没収していた。ところが近年は世の中がぜいたくになって、所領を売り払ったり、料所に置いたりすることがさかんに行なわれている。料所とは、土地を家人《けにん》に支給せず、富裕の輩《ともがら》に預けて銭貨を充《あ》て取る行為である」

政連は、所領の料所化によって、郎従《ろうじゅう》への愛顧や親戚への援助のような人間関係が破綻《はたん》し、幕府からの賦課を果たせなくなっていることを糾弾し、御家人の資産が実質的に減じていると嘆く。料所とは、要するに所領経営を金融業者に任せて、定額の請負金を手にする方式で、商品経済・貨幣経済の進展が、御家人層に及んだ結果と考えられる。この方式は幕府執行部でも利用されており、内裏造営のための年貢一括進納も、料所経営を請け負う金融業者を介して行なわれたのであろう。急な資金の必要や、定期的な経費の捻出について、料所の設定は非常に都合がよかったらしい。

西園寺公衡は造営事業のつつがない進捗《しんちょく》を願って、毎月祈禱《きとう》を行なうことにした。父実兼からまわしてもらった河内《かわち》国新開荘《しんかいのしょう》について「南都《なんと》の仁《じん》」と契約を交わし、月々定額の祈禱費用を進納させたのである。「南都の仁」とは、奈良興福寺《こうふくじ》を拠点として、金融業を営んでいた者だろう。新開荘の経営を請け負って、毎月一定額を西園寺家に納めたのである。山門《さんもん》（延暦寺《えんりやくじ》）の衆徒が皇室領を請け負った例などもある。

所領の料所化は、実際には広く行なわれ、さまざまな利便を提供していた。公武の領主にとって、所領は銭貨に換算された利権となり、その間をつなぐのは「富裕の輩」「南都の仁」「山僧」などの、貨幣経済の世界を担う人々だったのである。

コラム4

『とはずがたり』の世界

後深草《ごふかくさ》・亀山《かめやま》をめぐる宮廷生活に関しては、前者に仕えて二条《にじょう》と呼ばれた女性の自伝的作品『とはずがたり』に詳しい。二条の父は大納言《だいなごん》久我《こが》雅忠《まさただ》、母は四条《しじょう》隆親《たかちか》の娘で、父方は大臣まで昇る高い家格を誇り、母方も経済力を蓄えた権勢家であった。彼女は幼いころから後深草の手もとで養育され、文永《ぶんえい》八年（一二七一）一四歳の春には正式に仕えるようになった。『とはずがたり』は、院や天皇、女院、上級貴族らの私的生活の側面を語る、稀有《けう》な内容をもつ。宮廷の奥向きで生活する女性の体験を、しばらく追ってみよう。

後深草は心身ともに強靭《きょうじん》さに欠ける人物だったらしく、父の後嵯峨《ごさが》も弟の亀山に期待していたらしい。いきおい、この兄弟は「御仲快《おんなかこころ》よからぬ」間柄であった。しかし幕府が宮廷内の宥和《ゆうわ》を求める意向を示していたため、両者は意識的に交流の機会をもった。互いに御所を訪問しあい、ぜいたくな遊興をともにしたのである。そのような折に、家柄もよく、容貌《ようぼう》や教養にも恵まれた二条は、女房たちのなかの花形的存在であった。さらに彼女は、幼くして母を、出仕後すぐに父を亡くしており、母方の祖父四条隆親からも十分な後見を受けられない立場にあった。魅力的なうえにうるさい親族がいない女性は、男性たちからまことに都合のよいものとして扱われたのである。

亀山院《かめやまいん》は初対面の翌日から求愛の和歌を贈ってくるし、前関白の鷹司兼平《たかつかさかねひら》も機会をみては彼女の袖《そで》を引く。仁和寺《にんなじ》の性助法親王《しょうじょほっしんのう》（後深草《ごふかくさ》の異母弟。彼女は「有明《ありあけ》の月」と呼ぶ）とは、後白河院《ごしらかわいん》の追善仏事の際に出会うのだが、それ以来すっかり思いつめて強引に言い寄ってくる。そのほかに、後深草に侍《はべ》る前からの恋人西園寺実兼《さいおんじさねかね》（雪の曙《あけぼの》）がいる。いずれも超一流の地位・身分をもつ男性ばかりで、二条の周囲はじつに豪華である。

ところが、いずれの関係にも後深草が関与しているので、話はややこしい。彼の暗黙の了解、あるいは積極的な後押しにより、彼女の周囲には濃密にもつれた関係が積み重ねられていった。二条の男性関係を操作することで優位に立とうとする後深草の態度は、まことに陰湿・倒錯的であり、屈折した性格の持ち主であることをうかがわせる。一方、彼女に対して積極的に好意を示す亀山の態度は、『源氏物語《げんじものがたり》』の〝色好み〟の系譜に連なるともみえて、あくまで比較の問題であるが、いっそ気持ちがよい。

二条は、後深草とほかの女性たちとの密会の手引きをも命じられる。院の漁色の対象は広範で、前斎宮《さいぐう》から遊女まで、つぎつぎと使い捨てにしていく。二条は複雑な立場のわが身を嘆きつつ、院が相手にする女性たちについて、簡単になびきすぎておもしろくないとか、容姿がやぼったいなどの批評を加えることも忘れない。自分の家柄の高さや、男性たちからもてはやされる様子をさりげなく強調するなど、屈折した優越感が随所に現われており、痛々しく感じられるほどである。明確な自我をもった女性であるだけに、胸中の葛藤《かっとう》に出口を与えるために、『とはずがたり』は書かれなければならなかったのだろう。

『とはずがたり』の後半は、宮廷生活を逃れた二条の旅の記録になっている。平安文学の女性たちは、国司《こくし》となった父や夫に従って行くぐらいしか地方を体験する機会がなかったが、鎌倉時代の女性にはみずから旅するという選択肢が用意されていた。化粧坂《けわいざか》から鎌倉の街を見下ろした彼女が、階段状に建物が折り重なっているように見える様子を「袋のなかに物を入れたるやうに住まひたる」と描写したくだりは、鎌倉の景観をよく伝えるものとして、しばしば引用される。二条は、前半の宮廷生活の部分では『源氏物語』を、後半の遍歴については西行《さいぎょう》を意識して本書を執筆したといわれる。

嘉元《かげん》二年（一三〇四）、二条は都に戻る。七月には後深草院が崩御。長く宮廷を離れ、尼姿となった彼女は親しく弔問することもできず、院の葬列を裸足《はだし》で追う。後深草の三回忌をもって『とはずがたり』は閉じられる。

第十章

鎌倉時代の終焉

1

公武の役割分担と交渉の実態

関東状と事書

正安《しょうあん》三年（一三〇一）正月八日、「御治世を改め申すべしとの関東（鎌倉幕府）の意向が伝わってきた」と参議右中将《さんぎうちゅうじょう》の三条実躬《さんじょうさねみ》は日記に記した。亀山《かめやま》院が幕府に使者として遣わした高倉永康《たかくらながやす》が、帰洛して報告したのである。一七日に「関東御使《かんとうおつかい》」として隠岐前司《おきぜんじ》佐々木時清《ささきときよ》・山城《やましろ》前司二階堂行貞《にかいどうゆきさだ》が六波羅《ろくはら》に到着、翌日関東申次《かんとうもうしつぎ》の西園寺実兼《さいおんじさねかね》邸に参じ、文箱《ふばこ》を届けた。皇太子の邦治《くにはる》親王（のちの後二条《ごにじょう》天皇）を践祚《せんそ》させ、父の後宇多《ごうだ》院に政務を執らせるようにとの勧告で、これにより、後伏見《ごふしみ》天皇・伏見院による持明院統《じみょういんとう》の治世は終結する。天皇と治天《ちてん》の君《きみ》の地位は、幕府によって決定されるようになり、人事・荘園《しょうえん》・財政などあらゆる案件について、朝廷はほとんど当事者能力を失っていた。持明院統・大覚寺《だいかくじ》統それぞれが、有利な裁定を引き出そうとして鎌倉に使者を送るさまは、世間で「競馬《くらべうま》のようだ」と揶揄《やゆ》されたのである。

幕府からの使者「東使《とうし》」がもたらす知らせとは、どのようなものだったのだろうか。関東申次西園寺家の一員である西園寺公衡《きんひら》の日記のなかに、貴重な実例を見いだすことができる。

弘安《こうあん》一一年（一二八八）正月、関東御使二階堂行覚《ぎょうかく》（俗名盛綱《もりつな》）が入京し、関東申次西園寺実兼の

◉後醍醐天皇
法服をまとい、五鈷《ごこ》（密教の法具）を持つ。一般の天皇像とは、明らかに異質な姿で描かれる。真言密教の一派立川流中興の祖文観《もんかん》に傾倒し、悪党らと通じた。
前ページ図版

もとに参じた。行覚の差し出した文箱のなかには「関東状ならびに事書《ことがき》」の二点の文書が入っていた。「関東状」とは以下のような文書である。

條々の事、行覚をもって申せしむるの由を申すべきむね候ところなり。この旨をもって披露せしめ給うべく候。恐惶《きょうこう》謹言。

正月四日

前武蔵守《さきのむさしのかみ》宣時《のぶとき》　判
相模《さがみ》守貞時《さだとき》　判

進上　右馬権頭《うめのごんのかみ》入道〔三善《みよし》為衡《ためひら》〕殿

現代文に直せば、「条々のことを、行覚に申させますと申し上げるようにとのことでございます。よろしくご主人様にお伝えください」となるだろうか。執権《しっけん》北条貞時《ほうじょうさだとき》と連署《れんしょ》大仏宣時《おさらぎのぶとき》が将軍の意向を受けて（もちろん将軍はお飾りで、得宗《とくそう》貞時に主導権がある）、使節行覚が必要な口上を申し述べるのでよろしくと伝えているのである。文書様式としては「関東御教書《みぎょうしょ》」と呼ばれるものになる。宛所《あてどころ》の右馬権頭入道三善為衡は西園寺家の家司《けいし》で、関東申次本人ではなく、その秘書官に宛《あ》てたへりくだった体裁をとっている。このとき執権貞時は従五位上、連署宣時は正五位下、西園寺実兼は正二位権大納言《ごんだいなごん》である。書札礼《しょさつれい》（手紙をやりとりする際の作法）というのは、原則は同格の者どうしで通信するので、貞時らと同格なのは、四～五位どまりの家司為衡であり、貞時や宣時が直接実兼に宛てて手紙を出すのは失礼にあたる。北条氏の権勢は明らかに西園寺家を上まわっていたが、彼らは官位の昇進を望まず、へりくだった文書様式を使いつづけた。

一緒にもたらされた事書は、治天の君になったばかりの後深草《ごふかくさ》院に対して、政局運営の大綱を箇条書きにして示したものである。事書は案件を列挙する様式で、幕府開創期から公武交渉に用いられた。多岐にわたる内容を、簡明・効率的に記すのに適しているのはもちろんだが、何より、差出書も宛所もないので、書札礼に縛られず、自由に記述できる点が貴重だったのだろう。

幕府は事書によって治天の君に指示を与え、それを伝達するためにひどく低姿勢な文書様式を選択した。この落差は、幕府の優位が制度化され、社会に示される機会が、ついになかったことを表わす。「訪《とぶらい》」による資金援助も同様で、最後まで制度的な裏付けを与えようとしなかったのである。この不可解ともみえる方針が幕府を追い込んでいくことになる。

幕府への期待

御家人《ごけにん》を対象とした徳政令《とくせいれい》が、幕府の意図から離れて、社会の広い階層に受容され、利用されたことは先述した。同様の動きは法令以外の分野でも進行していた。

東大寺《とうだいじ》の造営領国である周防国《すおうのくに》で、同寺別院の阿弥陀《あみだ》寺の僧侶が、寺域内の狼藉停止《ろうぜきちょうじ》を訴える申状《もうしじょう》を提出した。これにこたえて、永仁《えいにん》三年

●伏見天皇綸旨と関東御教書
周防国阿弥陀寺の寺域安堵を命じた綸旨（右）に、幕府が承認を与える（左）。当事者の強い希望によって出されたものだろうが、幕府の文書は、あまり要領を得ない。（『東大寺文書』）

（一二九五）に、東大寺大勧進《だいかんじん》の良観房忍性《りょうかんぼうにんしょう》に宛《あ》てて二通の文書が出された（『東大寺文書』）。一通は一一月九日付の伏見《ふしみ》天皇の綸旨《りんじ》で、甲乙人《こうおつにん》の乱入や濫妨《らんぼう》を禁じ、国家太平のご祈禱《きとう》に励むようにという内容である。加えてつぎのような関東御教書《みぎょうしょ》が残されている。

周防国阿弥陀寺住侶等申す、四至《しいし》内狼藉《ろうぜき》の事、甲乙人等乱入濫妨を停止せらるべきの由、去月九日綸旨披露しおわんぬ。よって執達くだんのごとし。

永仁三年十二月七日　陸奥《むつ》守（大仏宣時《おさらぎのぶとき》）（花押《かおう》）
相模《さがみ》守（北条貞時《ほうじょうさだとき》）（花押）

良観上人御房

阿弥陀寺は周防国の国府《こくふ》にあたる存在で、大勧進は国司《こくし》に相当する。したがって伏見天皇の綸旨は、朝廷の国司支配権に根拠をもつ。だが関東御教書はどうだろうか。「昨月九日付の綸旨を将軍にお見せしました」と、綸旨の内容を将軍が確認したことを伝えるだけで、積極的に何かを命令しているわけではない。

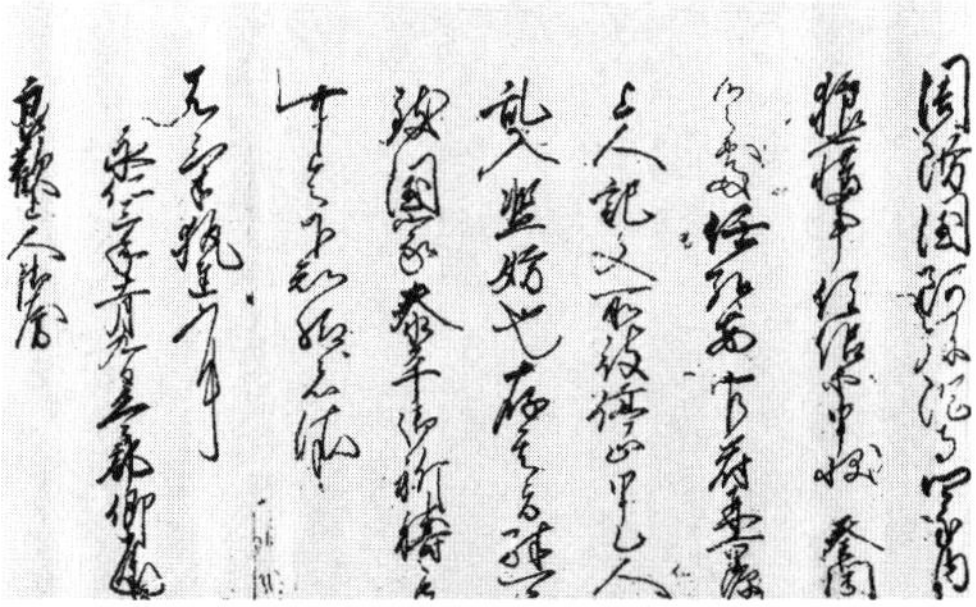
2

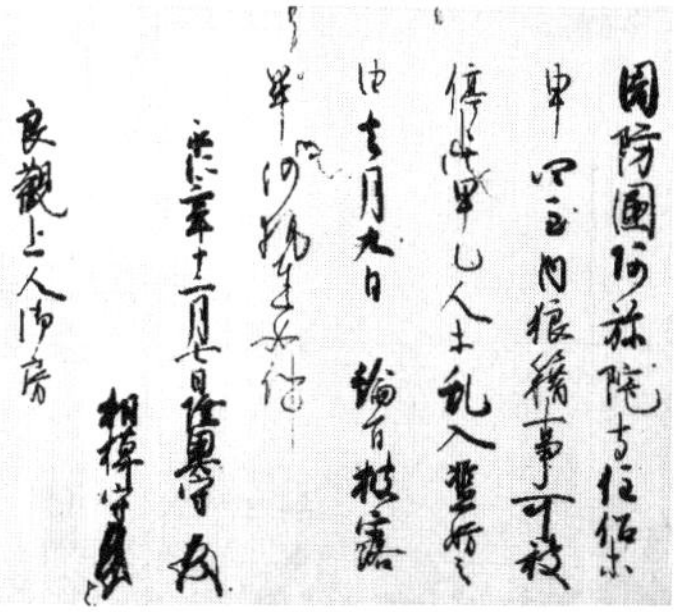
3

忍性は永仁元年に大勧進職《しき》に補《ほ》され、以後、財源である周防国の経営に心を砕いてきた。彼の申請を受けて、同二年には国内諸郷保《ごうほ》における地頭《じとう》の濫妨停止を命じる守護《しゅご》宛の関東御教書、さらに守護から地頭たちに通達する三通の施行状《しぎょうじょう》が出されている。したがって、守護・地頭という幕府本来の支配系統にそった文書は十分整っているといえる。一方で忍性は、国衙《こくが》経営の常道にのっとって綸旨を獲得したが、それだけでは不足と考え、綸旨を幕府に持ち込み、その内容を追認する旨の文書の発給を求めたのだと考えられる。

権利の付与・認定を内容とする文書は、受け取り手、すなわち当事者の主導によって発給される。これを敷衍《ふえん》すれば、特定の案件について、誰に、どのような文書を求めるかは当事者によって選択されることになる。忍性は既定の原則に従って綸旨を求め、そのうえに独自の判断で幕府の文書を要請したのである。

これに対し、幕府はどのような方法でこたえただろうか。その文面はあまり歯切れがよいとはいえない。差し出された文書を確認した旨を伝えるのみである。

4

◉**忍性**
西大寺流律宗《さいだいじりゅうりっしゅう》の僧で、鎌倉の極楽寺《ごくらくじ》を拠点に、非人・病者の救済に尽力した。社会事業を行なう律僧は、大寺院の大勧進に任命され、堂舎の維持や所領の管理などを担当した。

当事者主義の逆襲

前章で経済構造の変化の画期として、一二七〇年代（文永《ぶんえい》～弘安《こうあん》）という時期をあげたが、同じ時期に、当事者の期待や要請が、旧来の管轄を超えて幕府に向かう動きをみることができる。

正安《しょうあん》二年（一三〇〇）に亡くなった村上源氏《むらかみげんじ》堀河為定《ほりかわためさだ》の遺領をめぐって、実子の守忠《もりただ》（為定の老年になってからの子）と甥《おい》の幸徳丸《こうとくまる》とが院文殿《いんのふどの》において争った（『文殿訴訟関係文書写』）。守忠側は、自分の相続の正当性を示すために、「次第相伝《しだいそうでん》の手継証文《てつぎしょうもん》」（代々の相続を示す証拠文書）とともに「関東代々書状」あるいは「関東安堵状《あんど》」と呼ぶつぎのような得宗北条貞時《とくそうほうじょうさだとき》（法名崇暁《すうぎょう》、のちに崇演《すうえん》）の書状をあげた。

遺跡《ゆいせき》相伝のこと、承り候おわんぬ。恐々謹言。

正安三

九月五日　沙弥《しゃみ》崇暁　判

御領等相違なきこと、承り候おわんぬ。恐々謹言。

三月十七日　沙弥崇演　判

「相続のことは承知しました」「御領が正当であることは承知しました」という、気乗りしない様子の文面ながら、貞時は二度にわたって守忠の相続に合意を示している。これらの書状は訴訟の証拠文書として朝廷で認められ、亀山《かめやま》・後宇多《ごうだ》院の叡覧《えいらん》にも付された。幕府から承認を得ることは「当家代々例」と守忠は述べているが、多くの貴族が資産の相続について、朝廷の認可とともに、幕府からも安堵を得ようとしていたのではないだろうか。守忠に敵対する幸徳丸は幕府の法廷でも裁判を起こそうとして、門前払いにあっていたらしい。治天《ちてん》の君《きみ》や天皇位の継承が幕府の意向に左右される現実に倣い、貴族たちも、幕府によってそれぞれの立場や家産を守ってもらおうとしていたのである。多くの要請が幕府に持ち込まれていたに違いない。

一定の地位や縁故のある人々に対しては、幕府はしぶしぶながらもなんらかの対応を起こさざるをえなかった。しかし、大多数の人々の働きかけは管轄外として拒否された。弘安二年（一二七九）、鴨《かも》社の社司職《しやしき》をめぐる争いで、朝廷の決定に納得のできない禰宜《ねぎ》のひとりは関東に下向《げこう》して訴えた。だが幕府からは「関東の口入《くにゆう》の限りにあらず」と拒否され、朝廷では「朝議を誹謗《ひぼう》するか」と非難されて、八方ふさがりになってしまったという（『吉続記《きちぞくき》』）。また、弘安九年には、太政官弁官局《だいじようかんべんかんきよく》の実務官人小槻《かんじんおづき》氏の一族内部での争いの過程で、奏聞《そうもん》された「関東状」が関係者による偽造であったことが露見した（『勘仲記《かんちゆうき》』）。不要な裁定を下したくない幕府の意向とはかかわりなく、当事者の選択は幕府へと集中し、幕府を圧迫するようになっていたのである。

悪党の時代

悪党の跳梁

鎌倉時代後期の大きな問題は「悪党《あくとう》」である。社会・経済の矛盾の体現であり、幕府を滅亡に追い込んだ要因として重要視されるが、その本質をどのように考えるべきだろうか。

幕府法では、正嘉《しょうか》二年（一二五八）の追加法に「国々に悪党蜂起《ほうき》せしめ、夜討・強盗・山賊・海賊を企つるの由、その聞こえあり」と見え、悪党は重犯罪人を指す語として用いられていた。だが特徴的なのは、悪党が郡郷や荘園《しょうえん》などの既存の領域を超え、広域にわたって治安を乱す点だった。右記の法令と前後して、奥大道《おくたいどう》（鎌倉から奥州《おうしゅう》に至る街道）や出羽《でわ》・陸奥《むつ》における夜討・強盗蜂起が、往還《おうかん》の人々を脅かしていることが取り上げられ、守護《しゅご》・地頭《じとう》らに警固の強化が命じられている。しかも悪党はたんなるアウトローではなく、構造的な問題に根ざした存在であった。それは弘安《こうあん》七年（一二八四）の幕府法が、悪党＝

5

●異形の者たち
『峯相記《みねあいき》』は悪党について、「異類異形で、烏帽子や袴を着けていない」と記す。彼らの逸脱のいでたちは、非人の衣装に源流をもち、婆娑羅《ばさら》に通じていた。（『融通念仏縁起絵巻《ゆうずうねんぶつえんぎえまき》』）

御家人《ごけにん》である場合を想定していることから明らかといえる。御家人や本所《ほんじょ》・領家に仕えるはずの荘《しょう》官《かん》などが、荘園支配や交通を攪乱《かくらん》して悪党と呼ばれ、それどころか、守護代・得宗被官《とくそうひかん》、大寺社や朝廷の有力者とつながっていたのである。既存の支配が生み出した勢力が、想定の範囲を超えて成長し、衝突・暴発などに至ったのが悪党問題だったといえよう。

正和《しょうわ》四年（一三一五）一一月、播磨国矢野荘《はりまのくにやののしょう》（兵庫県相生《あいおい》市）別名《べつみょう》に、同荘例名《れいみょう》の公文《くもん》寺田《てらだ》法念《ほうねん》率いる数百人の悪党が討ち入った。彼らは政所《まんどころ》以下多くの建物を焼き払い、刃傷《にんじょう》に及び、数百石《こく》の年貢米を奪った。この悪党集団には法念一族のほかに、近隣の地頭らも加わっていたという。同じころ、伊予《いよ》国弓削島荘《ゆげしまのしょう》（愛媛県弓削町）では、讃岐《さぬき》国から数百騎を率いて攻め込んだ悪党を雑掌《ざっしょう》の承誉《しょうよ》が撃退し、領主東寺《とうじ》に対して忠節を尽くしたと述べた。一方で彼は荘民に対してさんざんの非法を働き、東寺に罷免されると、数百の大勢をかたらった悪党と化して荘内に攻め入ったという（『東寺《とうじ》百合文書《ひゃくごうもんじょ》』）。

荘園経営をゆるがす悪党行為は、彼らなしには荘園経営が成り立たないという事実と表裏の関係にあった。現地の事情に根ざした経営能力や人脈の形成などが公文・雑掌などの荘官たちを支え、悪党行為の結果解任されても、ふたたび高額の任料を支払い、年貢を請け負って、しばしば荘官の地位に返り咲いたのである。先に述べた年貢の銭納化・所領の料所《りょうしょ》化の傾向により、荘園領主に規定の額を納めてしまえば、米などの年貢物は自由な商品となる。この商品を自分の才覚と裁量で動かすのが請負代官《うけおいだいかん》で、彼らは商品と銭貨《せんか》の取り引きを通じて互いに結びついた。既成の秩序と折り合いをつけて活動していれば「有徳人《うとくにん》」（金持ち・優勢者）と呼ばれてうらやまれただろうし、大きく逸脱すれば悪党と指弾されたのである。

違勅院宣と武士の出動

悪党の実態はさまざまであるが、それが史料上に現われるのは、荘園《しょうえん》支配への敵対者として、領主が幕府に排除を求める場合である。この際に用いられるのが悪党という呼称であり、幕府による召し取りに至る過程での手続き用語とみるべきではないかという意見が、山陰加春夫《やまかげかずお》・近《こん》藤成一《どうしげかず》らによって出されている。近藤の「悪党召し捕りの構造」によって、その手続きをみてみよう。

荘園領主側は直接幕府に訴えるのではなく、まず院に対して悪党の乱行を告発し、「武家に対して違勅院宣《いちょくいんぜん》を発行して、（悪党を排除する）使節の派遣を申請し、本来の秩序を取り戻してほしい」と願わなければならなかった。院はこれにこたえて「違勅狼藉《ろうぜき》があったので、武家に命じて排除させるように」という内容の院宣（違勅院宣）を関東申次西園寺《かんとうもうしつぎさいおんじ》氏に宛《あ》てて発行する（天皇親政時には院宣ではなく、違勅綸旨《りんじ》が発行される）。同氏からは六波羅探題《ろくはらたんだい》に宛てて、院宣の旨を施行《しぎょう》するようにとの

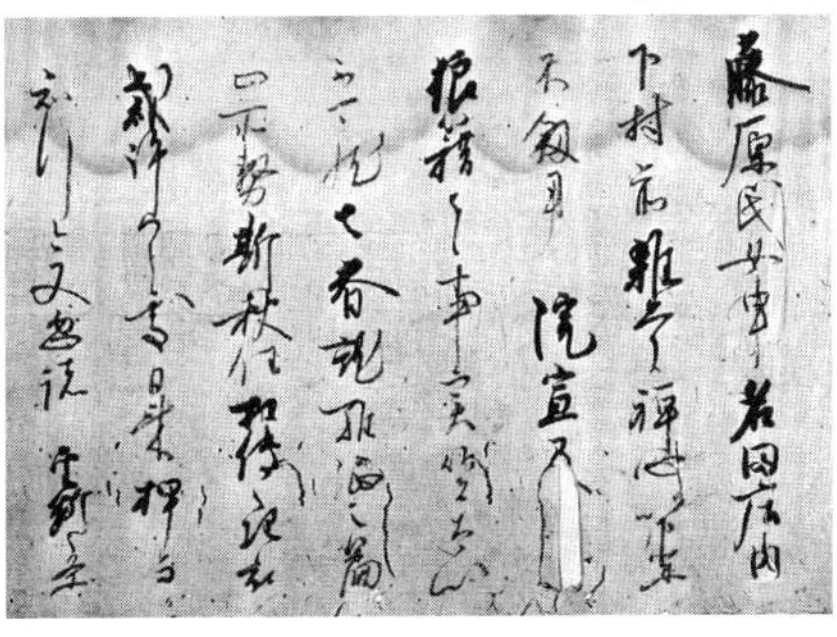
6

◉伏見上皇院宣（部分）
若狭国《わかさのくに》名田荘で濫妨狼藉《らんぼうろうぜき》を行なう「悪党」らについて、「違勅の科を逃れがたし」と述べ、関東申次を通じて武家に出動を要請している。『大徳寺文書《だいとくじもんじょ》』

文書が出される。しかるのちに、探題は召し捕り実行にあたる御家人《ごけにん》（通常二名が組んで臨み、「両使《りょうし》」と称した）に命令を発するのである。すなわち、

荘園領主→院→関東申次→六波羅探題→武家使（両使）

という流れになる。

幕府は悪党禁圧のために種々の法令を発したが、その及ぶ範囲は、守護《しゅご》を通じて、悪党の引き渡しを荘家《しょうけ》（荘園の現地事務所）に命令するところまでであった。荘園内部に入部して、悪党の探索・捕縛を行なうのは越権行為で、荘園の領域内は荘園領主の独占的な支配下に属すると考えられていた。しかし、荘園支配をめぐる矛盾の先鋭化に伴い、荘園領主層は「本所《ほんじょ》一円地であるけれども、違勅狼藉が発生したので取り締まってほしい」と武家に要請するようになった。武家の管轄外であるはずのこの要求を実現するためのしかけが、違勅院宣の申請に始まる込み入った手続きだったのである。

関東申次を経由する公武交渉の公式ルートで要請されれば、幕府としては応じざるをえなかったのだろう。手続きを完結させるために奔走するのは、もちろん当事者たる荘園領主側のメンバーである。申状《もうしじょう》を作成して、院・関東申次・六波羅と順番にまわって文書を獲得し、最後に両使のもとに六波羅探題からの命令文書を届けて出動を促すのである。そもそも違勅院宣の発給と関東申次の経由というアイディアを生み出したのが、当事者の力だったと考えられる。幕府の強制力を利用するために、「違勅」という言葉が何度も用いられ、そのたびに〝勅〟の権威が貶《おとし》められるという事実

に、院も荘園領主層も、おそらく拘泥《こうでい》しなかった。創成期の院政がもっていた鷹揚《おうよう》さは、実利を優先するに迷うことのない柔軟な心理構造として生き残っていた。得宗《とくそう》や執権《しっけん》が、公家《くげ》政権への対応の方法を曖昧《あいまい》にしている間に、公家側は、幕府のもつ強制力を、公正な秩序回復機能としてみずからの領域に引き入れる手続きを完成したのである。

御家人の経済活動

貨幣経済と物流が活発化し、悪党が活躍する社会構造の変化に、御家人《ごけにん》たちがまったく取り残されていたわけではなかった。御家人自身が悪党として現われる現象が起こっていたのである。

備後国大田荘《びんごのくにおおたのしょう》（広島県甲山町《こうざん》・世羅町《せら》）では、悪党排除の要《かなめ》となるはずの守護《しゅご》その人が、領主高野山《こうやさん》から悪党として指弾されている。元応《げんおう》元年（一三一九）末、同国守護長井貞重《ながいさだしげ》が、守護代円清《えんせい》とその子息高致《たかむね》を、同荘倉敷《くらしき》（年貢米の積み出し拠点。大田荘は内陸荘園《しょうえん》なので、海運に便利な場所に別に倉を設けていた）尾道浦《おのみちのうら》（尾道市内）に送って襲わせたというのである。円清らは数百人の悪党を率いて（数百人規模での襲撃というのも、

7

◉浄土寺多宝塔
浄土寺《じょうどじ》は西大寺流《さいだいじりゅう》の律宗寺院。瀬戸内海海運の要衝として栄えた尾道に集まる富に支えられて、鎌倉末に再興された。本堂・多宝塔は嘉暦《かりゃく》二・三年の建立で、いずれも国宝。

悪党行為を訴える際の常套句《じょうとうく》のようである）①往古以来の守護不入の地に乱入し、②神社仏閣・民家など一〇〇〇余軒を焼き払い、③大船数十艘《そう》に積み込んであった年貢などの物資を運び去り、④刃傷《にんじょう》殺害を行ない、⑤「当浦名誉悪党」を捕らえると称して、新任の預所《あずかりどころ》と下部《しもべ》たちを捕縛するという悪行を繰り広げた。尾道は港として栄え、富裕な地であったので、守護貞重はかねてから侵入の機会をうかがっていたのである。高野山側は、貞重の悪行を訴えて院宣《いんぜん》を得たのだが、六波羅《ろくはら》奉行人の飯尾《いのお》為連《ためつら》が貞重と結託しており、院宣を担当奉行人にまわさず、握りつぶしてしまったという（『金剛峯寺文書《こんごうぶじもんじょ》』）。

長井貞重は六波羅評定衆《ひょうじょうしゅう》である。同氏は大江広元《おおえのひろもと》の子孫で、両探題に次ぐ重要な地位にある家柄だった。近衛《このえ》家領の摂津《せっつ》国垂水牧《たるみのまき》の荘官《しょうかん》を代々つとめるなど、貴族社会とのつながりもある。荘園現地に蓄えられた富を奪うとともに、京都において召し捕り命令の阻止を図るという両面展開が可能な立場だったのである。

高野山側は、貞重を「狼藉《ろうぜき》を鎮める立場の守護が、賊徒を養い、賄賂《わいろ》を取り、国中で山賊・海賊・夜討・強盗を働く」と罵倒《ばとう》する。貞重もまた、悪党追捕《ついぶ》をうたい文句に尾道を襲っていたから、誰もが悪党を糾弾し、みずからを正当と主張していたことになる。高野山はふたたび院宣を請い、幕府による貞重の押さえ込みを願うしかなかった。

貞重がねらったという尾道の富も、これに先立つ弘安《こうあん》から正安《しょうあん》年間（一二七八〜一三〇二）にかけて大田荘の預所として活躍した和泉法眼淵信《いずみほうげんえんしん》によって築かれたものかもしれない。淵信は地頭《じとう》との裁判に勝ち抜き、百姓らにさんざんの非法を行なって訴えられ、年貢を使い込み、伊予《いよ》・長門《ながと》・出雲《いずも》などの多くの荘園の年貢を請け負い、財宝を蓄え、数百人を従えていたといわれる人物である（『高野山文書《こうやさんもんじょ》』）。物流の活発化とともに、港湾都市尾道が富のターミナルとなり、多くの人々を引きつけたことがわかる。よくも悪くもエネルギッシュとしかいいようのない淵信のような人物の築いた富とシステムを、荘園領主層や武家がさらおうとする行為こそが「悪党」と「悪党追捕《ついぶ》」の本質であったといえるだろう。

富の形成と流通に主体的にかかわった幕府配下の人物としては、得宗《とくそう》被官《ひかん》安東蓮聖《あんどうれんしょう》が有名である。彼は北条《ほうじょう》氏一門と、それに密着した西大寺《さいだいじ》系律宗《りつしゅう》寺院の力を背景に、播磨《はりま》国福泊《ふくどまり》の築港ほか水運の整備に尽力し、金融活動を行ない、政治権力と結びついた「富裕人」として活躍した。

悪党というのは、まったく相対的な呼称である。「富裕人」と「悪党」は表裏の存在であり、追捕する者とされる者も、いつでも入れ替え可能だった。彼らが、さまざまな社会集団との葛藤《かっとう》を通じて、いかに編成されていくかが、鎌倉幕府末期の状況を決する鍵《かぎ》となっていく。

8

◉安東蓮聖
鎌倉後期の富裕な得宗被官。西国方面の得宗領の代官をつとめ、山門領の年貢の請負なども行なっていた。縦横の活躍は悪党に通じるが、得宗に従っていれば「有徳人《うとくにん》」である。

後醍醐登場

持明院統の人々

本章の最初で述べたように、正安《しょうあん》三年（一三〇一）、治天《ちてん》の君《きみ》は伏見《ふしみ》院から後宇多《ごうだ》院に替わり、大覚寺《だいかくじ》統《とう》の後二条《ごにじょう》天皇が践祚《せんそ》した。皇太子には、持明院《じみょういん》統から後伏見院の弟富仁《とみひと》親王が立った。ところが延慶《えんきょう》元年（一三〇八）に後二条が早世、一二歳の富仁が践祚して花園《はなぞの》天皇となり、治世はまたも持明院統に帰り、後二条の弟の尊治《たかはる》親王が皇太子となった。これがのちの後醍醐《ごだいご》天皇だが、彼は後二条皇子の邦良《くによし》が成長するまでの中継ぎと見なされており、後宇多から「一期《いちご》ののちは、邦良親王に譲与するように」と命じられていた。

花園天皇もまた、兄の後伏見院に跡継ぎが生まれるまでのつなぎの扱いであった。正和《しょうわ》二年（一三一三）に誕生した後伏見の皇子量仁《かずひと》親王は、花園の猶子《ゆうし》とされた。彼はこの甥《おい》をわが子のごとくはぐくみ、のちに『誡太子書《かいたいしのしょ》』という訓戒の書を与えている。花園の退位後には、伏見后の永福門院《えいふくもんいん》（西園寺《さいおんじ》実兼《さねかね》の娘）を中心に、後伏見・花園兄弟、後伏見の妃《きさき》の広義門院《こうぎもんいん》（西園寺公衡《きんひら》の娘、永福門院の姪《めい》）、量仁《かずひと》親王が

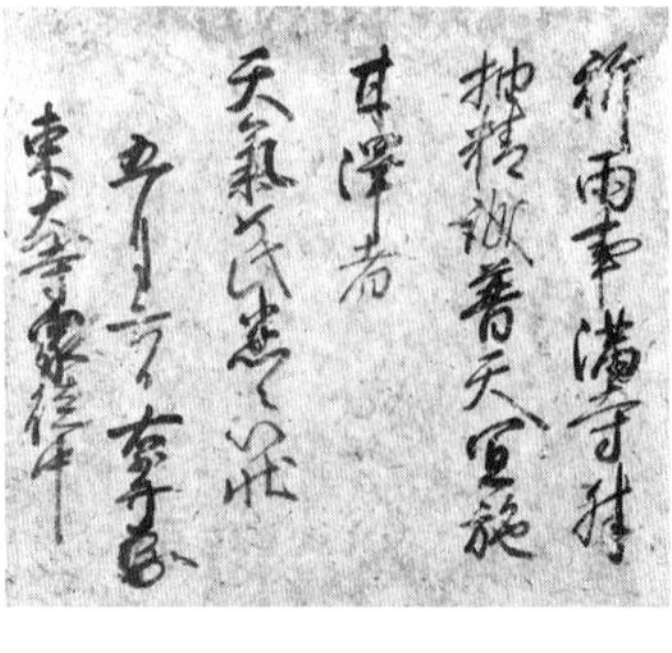
9

●後醍醐天皇綸旨
東大寺に祈雨の祈禱を命じたもの。綸旨《りんじ》は天皇の命令を伝える様式で、漉《す》き返した薄黒い紙を用いる。後醍醐は綸旨に万能の効力を与えた。（『東大寺文書』）

持明院殿で生活をともにした。従来なら、豪華な御所を建ててくれる有力近臣のひとりもいたところなのだろうが、もはやそのような人材は望めなかった。これだけ多くの皇室メンバーが同居するのはめずらしい。多少の軋轢《あつれき》は生じたが、おおむね円満な暮らしであったことは花園《はなぞの》の日記『花園天皇宸記《てんのうしんき》』に詳しい。不安定な政治状況のなかで、彼は学問に励み、量仁の成長を見守りながら日々を送る。

京極為兼と『玉葉和歌集』

持明院統《じみょういんとう》の人々は、和歌の世界に新しい流れをつくった。伏見《ふしみ》天皇は永仁《えいにん》元年（一二九三）、第一四代の勅撰和歌集の選定を企図し、二条為世《にじょうためよ》・京極為兼《きょうごくためかね》らを撰者に任命した。彼らはいずれも藤原《ふじわらの》定家《さだいえ》の子孫として和歌の世界を主導する立場にあったが、前者が伝統的な詞《ことば》を用いて雅《みやび》な世界を描こうとしたのに対し、後者は心の動きに従って自由に詠むことを奨励した。二条派・京極派の対立はしだいに激化し、延慶《えんきょう》三年（一三一〇）には、関東をも巻き込んで激烈な論争となった（『延慶両《えんきょうりょう》卿訴陳状《きょうそちんじょう》』）。

京極為兼は伏見院の寵臣《ちょうしん》として仕え、持明院統の人々は、彼と政治・和歌両面で深く結びついていた。だが、為兼はみずからを恃《たの》むことすこぶる厚く、目にあまる専横ぶりであったため、その結末は不幸だった。為兼は謀叛《むほん》の疑いをかけられ、永仁六年、佐渡《さど》に流された。いったんは許されて帰洛し、為世との論争を経て『玉葉和歌集《ぎょくようわかしゅう》』を完成させたのだが、正和《しょうわ》四年（一三一五）、またしても反幕の陰謀を企てたとして六波羅《ろくはら》に捕らわれた。今度は土佐《とさ》に配流となり、京都に戻れないまま、元徳《げんとく》四年（元弘《げんこう》二年〔一三三二〕）に没した。彼が武士たちに連行されるさまを見て、後醍醐《ごだいご》天皇近臣の日野資朝《ひのすけとも》が、「なんとうらやましい。人として世にあるからには、あのようになりたいものだ」と言ったと『徒然草《つれづれぐさ》』に見える。武士の力に抑圧されつつ、皇室権威の回復を夢見る廷臣として、共感するものがあったのだろうか。両統迭立《てつりつ》期の有力廷臣は、屈折した心情と傲岸《ごうがん》なふるまいが特徴である。

伏見院にも疑惑が及び、「関東の〝貴命〟によって皇位に就くという恩義を受けた身で、どうして関東を軽んじることがありましょうか」と神仏に誓った起請文《きしょうもん》を送って弁明したが、幕府の信用は回復されぬままであった。『玉葉和歌集』は二〇巻、二八〇〇首という、二一代の勅撰集のなかでも最大の規模を誇る。伏見院と為兼の歌をひとつずつあげてみよう。

山の端も　消えていくへの　夕霞《ゆうがすみ》　かすめるはては　雨になりぬる　（春上・伏見院）

枝にもる　朝日のかげの　少なさに　すずしさ深き　竹の奥かな　（夏・為兼）

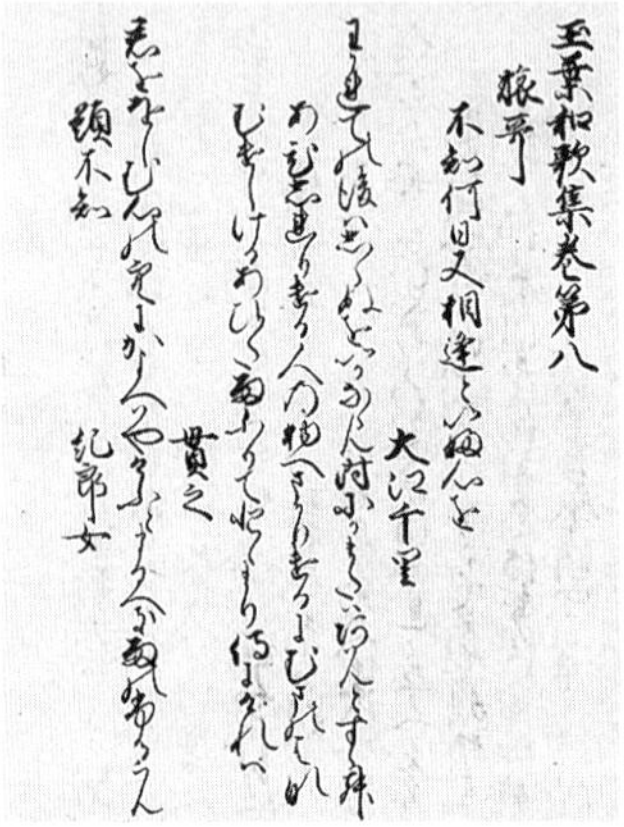

10
◉『玉葉和歌集』
京極為兼撰の一四番目の勅撰和歌集。大胆で斬新な技法を取り入れ、清新自由な歌風を創出した。『新古今』で行きづまった和歌の世界に新風を吹き入れた非凡な成果といえる。

また、京極派女流歌人の随一といわれる永福門院《えいふくもんいん》の歌を示す。

花のうへに　しばしうつろふ　夕づく日　入るともなしに　影消えにけり

何となき　草の花咲く　野べの春　雲にひばりの　声ものどけき

（『百番御自歌合《ひゃくばんおんじかあわせ》』五番）

自然を率直に観照して、時間の推移や心の流れを詠み込んだ清新な歌風といえよう。シンプルで合理的な作風は新鮮だが、感受性や表現力の本来の力が試されることから、一般に評価される水準に達するのは難しかったかもしれない。

京極派の歌風は持明院統の人々によって伝えられ、さらに一七代勅撰集『風雅和歌集《ふうがわかしゅう》』（貞和《じょうわ》五年〔正平《しょうへい》四年・一三四九〕成立）を生むが、観応《かんのう》の擾乱《じょうらん》（一三五〇～五二年）の混乱によって断絶した。為兼の陰謀の詳細は不明だが、彼の存在は持明院統をユニークな文化集団として編成するとともに、幕府の警戒を招いて後醍醐の登場を準備したのである。

文保の和談

花園《はなぞの》天皇の在位はすでに一〇年に及ぼうとしていた。もちろん大覚寺《だいかくじ》統《とう》は皇位交替をめざして工作を続けている。持明院《じみょういん》統が鎌倉に送った使者が「関東形勢すこぶる不快」という報告を持ち帰ったため、花園はすっかり嫌になってしまった。「皇太子の尊治《たかはる》親王は、和漢の学問に優れておられ、お年も私の父といってもいいくらいだから（二一歳の花園に対して、尊治は三〇歳。皇太子としては異例に高齢である）、関東の人々がみな支持するのはしかたないけれど、でも私も一生懸命学問に励んでいるし、徳とか仁とか心がけているのに……」と、やり場のない気持ちを日記に書きつけている。

皇位をめぐる思惑《おもわく》が錯綜《さくそう》するなか、東使《とうし》摂津《せっつ》親鑒《ちかあき》が入京した。文保《ぶんぽう》元年（一三一七）四月のことである。このとき示されたのが、いわゆる「文保の和談」で、「幕府としては二つの皇統のいずれも断絶しないようにと考えているので、皇位については両統で御和談（お話し合い）のうえ決定し、やたらに関東に使者を派遣するのはおやめになるように」という内容である。譲位の申し入れがあると期待していた大覚寺統は不満を表明し、それに対して親鑒は「皇太子尊治親王が践祚《せんそ》したあかつきには、後二条《ごにじょう》院の一宮（邦良《くによし》親王）を皇太子とし、そのつぎに後伏見《ごふしみ》院の宮（量仁《かずひと》親王）を皇太子にする」という事書《ことがき》を示した。このとおりにすれば大覚寺統の天皇が二代続くことになり、持明院統はもちろん抗議したが、容《い》れられなかった。

「文保の和談」は、皇位の交替についての明確なルールを定めたものではなく、大覚寺統からのた

天皇家系図（後嵯峨〜後醍醐）

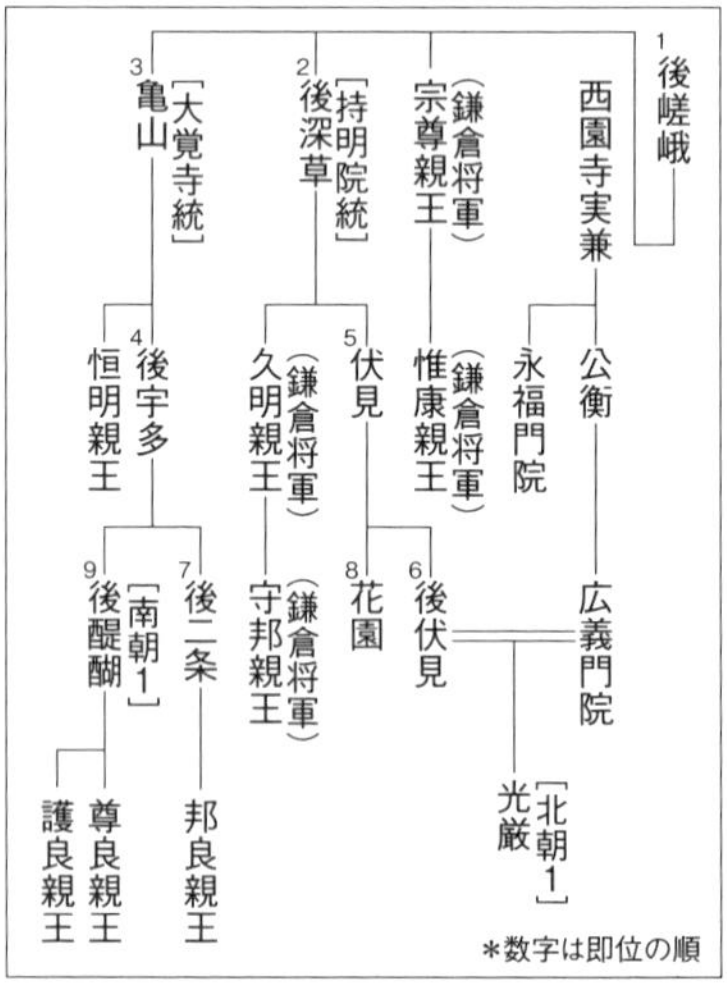

び重なる要請をかわすことを直接の目的とした提言にすぎない。「御和談あるべし」とは「どうぞお話し合いでお決めください」という意味だが、生産的な話し合いができないから、鎌倉に使者を送っているのである。幕府の真意は、現状の据え置きにほかならない。だが九月に伏見院が崩御すると、大覚寺統の要求はますます急となり、翌年二月、幕府の申し入れによって花園譲位、後醍醐《ごだいご》（尊治親王）践祚《せんそ》、そして皇太子には邦良親王が据えられた。大覚寺統に風が吹いてきたのである。

花園は冷泉富小路内裏《れいぜいとみのこうじだいり》を後醍醐天皇に明け渡した。彼に院政の可能性はなかったから、二二歳にして早くも余生である。前に触れたとおり、冷泉富小路殿は幕府からの料所《りょうしょ》献納によって新造された里《さと》内裏で、花園が前年四月に遷幸してから一年にもなっていなかった。もっとも、遷幸直前に「御和談」の知らせをもった東使摂津親鑒が入京し、即時の譲位も心配されたのだから、しばらくの間でもここで過ごせた幸運を喜ぶべきだったかもしれない。

正中の変

大覚寺《だいかくじ》統《とう》の治世は、後宇多《ごうだ》の院政によって始まった。しかし元亨《げんこう》元年（一三二一）に、後宇多は幕府の同意を得て政務を後醍醐《ごだいご》天皇に譲った。翌元亨二年に、長く関東申次《かんとうもうしつぎ》として朝幕間の政治を担った西園寺《さいおんじ》実兼《さねかね》が死去、同四年には後宇多院が崩御した。後宇多は後二条《ごにじょう》天皇の没後は密教に傾倒し、さらに邦良《くによし》親王を正嫡と認識していたため、後醍醐天皇とは不和であった。『花園天皇宸記《はなぞのてんのうしんき》』によれば、後宇多の晩年の政務にはいささか放恣《ほうし》なところがあり、「末代の英主」ではあるが晩節を汚したという。後醍醐と後宇多・邦良の間には、明らかに冷たい空気が流れており、くわえて亀山《かめやま》院晩年の子である恒明《つねあき》親王という微妙な存在もあって、すでに二流に分かれていた皇統は、さらなる分裂と対立に向かっていた。

後宇多崩御から三か月たらずの九月一九日、京中四条《しじょう》のあたりで捕物沙汰《とりものざた》があり、多くの死傷者を出す合戦のあげく、謀叛《むほん》人の土岐《とき》頼有《よりあり》・多治見《たじみ》国長《くになが》が自殺した。続いて六波羅《ろくはら》の使者が西園寺邸に向かい、日野《ひの》資朝《すけとも》・俊基《としもと》の引き渡しを要求した。土岐・多治見の両人は、資朝らから幕府転覆の陰謀を持ちかけられ、来る二三日の北野祭《きたのまつり》の際、警備のために六波羅の武士が出払っている間に、六波羅を襲って探題を誅《ちゅう》し、山門・南都の僧兵勢力を味方につけて宇治《うじ》・勢多《せた》を固め、近国武士の与同《よどう》を募る計画だったという。

後醍醐からはただちに、自分は陰謀に関与していないと弁明する使者が発せられた。幕府はこれを受け入れて後醍醐については不問とし、資朝を佐渡《さど》に流罪、俊基は証拠不十分のため放免した。元亨四年が一二月に正中《しょうちゅう》と改元されたため、この事件を正中の変と呼ぶ。

11

◉大覚寺
嵯峨《さが》天皇の離宮から発展した真言宗寺院。後宇多院は寺内の蓮華峰寺を御所として院政を行ない、諸堂を整備した。以来、彼の皇統の拠点となったため、大覚寺統の称が生まれた。

後醍醐の使者をつとめて鎌倉に下った万里小路宣房《までのこうじのぶふさ》は、安達時顕《あだちときあき》と長崎高綱《ながさきたかつな》（円喜《えんき》）から尋問を受けて震えあがり、室外の板敷きの場所にまで後ずさりしてしまって笑いものになったという。安達時顕は霜月騒動《しもつきそうどう》で滅びた泰盛《やすもり》の弟顕盛《あきもり》の子孫、長崎円喜は、平禅門の乱で粛清された平頼綱《たいらのよりつな》の弟長崎光盛《みつもり》の子孫で、息子の高資《たかすけ》とともに内管領《うちかんれい》として権勢をふるっていた。時顕・円喜両人は、得宗《とくそうほ》北条高時《うじようたかとき》の後見として、実質的に幕府を動かしていたのである。対面する場合の席次は、身分指標として非常に重要だが、公式の官位で絶対的に上位にいる宣房が、はるか末席まで下がってしまう様子は、彼らの力関係を如実に表わしている。だが、幕府要人が宣房をあざけるのみで満足し、後醍醐に対する明確な処分を下さなかったのは、決断力の不足だったといえよう。ここで不穏の芽を摘んでおかなかったことが、幕府滅亡の遠因となる。

元弘の変

寵臣《ちようしん》を流罪にされても、後醍醐《ごだいご》は意気軒昂《けんこう》であった。そもそも万里小路宣房《までのこうじのぶふさ》に持たせた勅書が、「関東は戎夷《じゆうい》なり、天下管領《かんれい》しかるべからず。聖主《せいしゆ》の謀叛《むほん》と称すべからず、ただ陰謀の輩《ともがら》あり」（幕府は蛮族なので、天下を治めさせるわけにはいかない。天皇が謀叛を起こすということはない、陰謀をたくらむ者がいただけだ）などと述べた、幕府に喧嘩《けんか》を売っているような文面だったという。

宮中においては正中《しようちゆう》三年（一三二六）二月より、中宮禧子《きし》（西園寺実兼《さいおんじさねかね》の娘）の御産御祈《おさんおいのり》が修《しゆ》されていた。これは断続的に元徳《げんとく》元年（一三二九）末まで行なわれたが、その間に禧子の出産の事実はない。彼女の懐妊そのものが虚偽で、祈禱《きとう》のほんとうの目的は関東調伏《ちょうぶく》だった。密教に耽溺《たんでき》していた後醍醐は、みずから護摩《ごま》を焚《た》き、修法《しゅほう》を行なうこともあったという。彼の肥大した自我は密教僧文《もん》観《かん》ら多くの異形《いぎょう》の人材を引きつけ、その宮廷にはオカルティックな雰囲気が漂っていた。

　正中三年はまた、皇太子邦良《くによし》親王が没した年でもある。後醍醐一宮の尊良《たかよし》・亀山《かめやま》皇子の恒明《つねあき》・後《ご》二条二宮《にじょうにのみや》の邦省《くにみ》（邦良《くによし》の弟）など多くの親王が立太子を願ったが、持明院《じみょういん》統の量仁《かずひと》が順当に皇太子となった。持明院統は後醍醐の在位が一〇年を過ぎるころを見計らって皇位交替工作を強化したが、後醍醐はさらに過激な道をとった。

　元徳《げんとく》三年（元弘《げんこう》元年〔一三三一〕）八月、後醍醐は神器《じんぎ》を携えて、笠置山《かさぎやま》に走った。幕府は二〇万八〇〇〇の大軍を派遣してこれを追う一方、量仁を践祚《せんそ》させて光厳《こうごん》天皇とした。九月二八日、笠置城は落ち、後醍醐はかぶりものもなく、小袖《こそで》と帷《かたびら》を身に着けただけの姿で捕縛された。彼は六波羅南《ろくはらみなみ》方《かた》に連行され、神器は新天皇のもとに引き渡された。六波羅からは捕らえた人々の首実検をするよう要請があり、関東申次西園寺公宗《かんとうもうしつぎさいおんじきんむね》が出向いて、後醍醐本人を確認し、また尊良親王・妙法院宮《みょうほういんのみや》尊澄法親王《そんちょうほっしんのう》（後醍醐の第三皇子）なども確認された。いずれも「このたびのことは天魔の所為《しょい》なので、幕府に寛宥《かんゆう》の処分を願ってほしい」と訴える始末で、すこぶる情けなかったらしい（「元弘の変」）。

　一一月になって、六波羅からひそかに文箱《ふばこ》が届けられた。六波羅探題も西園寺氏も開けることを禁じられ、直接内裏《だいり》に届けるよう、鎌倉から指示されたものだという。内裏に残された後醍醐の持ち物に「蛮絵御手箱《ばんえのおんてばこ》」があるはずだから、それを封をしたまま差し出すようにとの内容である。謀《む》叛《ほん》の決定的な証拠となる文書などが収められていたものだろうか。結局それらしい箱は見つからず、後《ご》伏見《ふしみ》院がその旨を自筆の書状にしたため、西園寺公宗の手から探題府の使者に手渡された。夜になって公宗を通じ、「幕府からの密書を拝見させてほしい」という六波羅探題の希望が伝えられた。内裏側は「見せるわけにいかないが、ちょっとした問い合わせにすぎない」という表向きの返答をし、一方で「内々に見せてもいい」と知らせてやったという（『花園天皇宸記《はなぞのてんのうしんき》』）。

鎌倉から京都諸方面への連絡や、幕府の政治的決定は、六波羅探題の頭越しに行なわれていた。六波羅は通信拠点とされるのみで、情報の圏外に置かれることがしばしば生じたのである。もちろん、探題の金沢貞将《かねざわさだゆき》が、鎌倉の父貞顕《さだあき》に頻繁に手紙を書いて情報交換をしていたように（金沢文庫に

12

13

◉愛染明王像（上）
後醍醐天皇は、みずから護摩を焚き、ゆらめく炎の中で幕府調伏を祈願した。彼の宮廷には異形の輩《ともがら》が夥集《いしゅう》し、彼らを優遇する天皇の措置は、既存の体制との軋轢《あつれき》を生みつづけた。

◉称名寺（下）
横浜市金沢区所在。金沢実時が六浦荘《むつらのしょう》内に建立した菩提寺。鎌倉末期につくられた浄土式庭園が復元されている。同氏が収集した典籍・文書類を収めるのが金沢文庫。

大量の貞将書状が残されている）、京都と鎌倉との連絡は密接に行なわれていた。しかし私的な通信が盛んなのは、公的な情報の回路に不備があるからとみることもできる。鎌倉における意思決定とその周知・実現についての手続きが、必ずしも明確でなかったことが、必要以上の秘密主義や各方面との連携のきしみとなっていたのではないだろうか。そして京都での駐在生活は、六波羅を頼りにしてくる貴族社会の人々との間に、ある種の連帯感を生んでいたのである。

六波羅探題は後醍醐追捕《ついぶ》の拠点であると同時に、治安の低下した都市京都や持明院統の人々の庇《ひ》護《ご》者として機能した。状況がしだいに煮詰まっていくなか、元徳四年（元弘二年）三月、後醍醐は数百騎の武士に囲繞《いじょう》されて配流地の隠岐《おき》へと旅立った。

鎌倉幕府の最期

北条氏の分裂——嘉元の乱と嘉暦の政変

得宗《とくそう》は強力なリーダーシップを発揮しながら、専制権力を強めてきた。北条貞時《ほうじょうさだとき》以来、得宗は

「相模守殿《さがみのかみどの》」などの受領《ずりょう》名に基づく呼び方ではなく、「太守《たいしゅ》」と称され、まさにほかの幕府構成員から超越した地位を獲得したようである。だいたいが北条氏代々の主要メンバーは、個人的能力が非常に高いという印象が強いのだが、応長《おうちょう》元年（一三一一）貞時が没して高時《たかとき》にかわるころには、さすがに息切れしてくる。高時には二人の兄がいたが、いずれも早世し、彼は九歳で得宗となった。「現《うつつ》なき人」「亡気《ぼうき》の体《てい》」などと評される人物で、もっぱら闘犬《とうけん》や田楽《でんがく》に耽《ふけ》っていたという。

貞時時代の嘉元《かげん》三年（一三〇五）年には、連署《れんしょ》の北条時村《ときむら》が殺害され、その首謀者とされた北条宗方《むねかた》（貞時の従弟《いとこ》）が討たれ、多くの死傷者を出しながら真相は不明という事件（嘉元の乱）が起こった。得宗を支えて要職を歴任する体制が確立したかとみえる北条氏の内部では、相変わらず陰湿な葛藤《かっとう》が続いていた。正和《しょうわ》五年（一三一六）、高時は執権《しっけん》に就任したが、正中《しょうちゅう》三年（一三二六）に病気のため出家。そのあとには金沢貞顕《かねざわさだあき》が推されたが、これを不満として高時の弟泰家《やすいえ》が出家、続いて貞顕も出家してしまった（嘉暦《かりゃく》の政変）。貞顕は、高時の息子邦時《くにとき》

14

●妖怪とともに舞う北条高時
田楽を好む高時が舞っていると、どこからともなく現われて、ともに舞う者らがいる。じつは異類異形の妖怪であった。（『太平記《たいへいき》絵巻《えまき》』）

が成長するまでの中継ぎの位置づけだったらしいが、鎌倉幕府の粛清の歴史にかんがみて、泰家派の恨みをかうよりは退くことを選んだのだろう。得宗＝高時を安定した核に据えられないまま、御内人《みうちびと》の権力が幕府の公的側面にまで及ぶ傾向が現われていた。安達時顕《あだちときあき》・長崎円喜《ながさきえんき》らが、幕政を左右していたのである。

後醍醐《ごだいご》が笠置山《かさぎやま》に走る直前には、円喜の息子長崎高資《たかすけ》をねらった陰謀が発覚した。高資の叔父高頼《たかより》が首謀者として奥州《おうしゅう》に流されたが、その黒幕は得宗高時だったという。高資の力が大きくなりすぎたことを恐れて、これを討とうとしたのだが、発覚したために、高頼にすべてを背負わせたのである。内管領《うちかんれい》と得宗との間にも、うそ寒い空気が流れ出していた。

辺境の逆襲

各地では悪党《あくとう》の活動が絶えず、正和《しょうわ》四年（一三一五）には疑わしい者も含めて、悪党の名を地頭御家人《じとうごけにん》に注進させることを守護《しゅご》に指令、実施のために文保《ぶんぽう》二年（一三一八）には山陽・南海一二か国に使節が派遣された。一方、北方では蝦夷《えぞ》がたびたび蜂起《ほうき》し、幕府を悩ませた。蝦夷は本州北端を管掌する北条《ほうじょう》氏の支配下にあり、その代官として「東夷《とうい》ノ堅《かた》メ」の「エゾ管領《かんれい》」をつとめたのが安藤《あんどう》氏である。中世の説話集『地蔵菩薩霊験記《じぞうぼさつれいげんき》』のなかに、安藤五郎《ごろう》が幕府の命令で蝦夷島《えぞがしま》に渡ってその地の人々を征服したが、同じときに、鎌倉建長寺《けんちょうじ》の地蔵菩薩も姿を変えて蝦夷島を教化していたという話が見える。安藤氏とともに、鎌倉の禅宗の教線が北方にのび、政治・宗教が相伴って支配を展開していた様子がうかがわれる。

日蓮《にちれん》の手紙によれば、文永《ぶんえい》五年（一二六八）、蒙古《もうこ》の国書が日本に服属を迫ったのと同じ年に、北方では蝦夷の反乱が起こり、その鎮圧に向かった安藤五郎は、逆に首を取られてしまったという。その後も蝦夷の抵抗は続いていたらしく、元応《げんおう》二年（一三二〇）頃からは蜂起《ほうき》や合戦が繰り返されるようになった。さらに安藤氏の五郎季久《すえひさ》と又太郎季長《またたろうすえなが》の間で争いが起こり、内管領《うちかんれい》の長崎高資《ながさきたかすけ》が、両方から賄賂《わいろ》を取っていたためにいっそう事態は混乱、ついに両人が部下の蝦夷らを動員して戦闘に及んだという。もともとの嫡流家であった〝五郎〟を名のる系統が弱体化したため、一族の主導権をめぐる抗争が生じたと思われる。幕府は鎌倉から大軍を送って鎮圧に努めたが、なかなか成功せず、ようやく嘉暦《かりゃく》三年（一三二八）に双方の和睦《わぼく》がなった。『保暦間記《ほうりゃくかんき》』は「承久《じょうきゅう》三年（一二二一）以来、関東の下知《げち》が軽んじられることなどなかったのに、高資の政治が腐敗しているために、世が乱れ、人が背くことになった」と記す。そして「この状況を好機として、内裏《だいり》の近習《きんじゅう》・公卿《くぎょう》・殿上人《てんじょうびと》らが後醍醐《ごだいご》天皇に討幕を勧めた」ともいわれる。

15

◉蝦夷の姿
鎌倉時代末成立の『聖徳太子絵伝《しょうとくたいしえでん》』に描かれたもの。一三世紀後半には「北からの蒙古襲来」といわれる、元《げん》の樺太《からふと》（サハリン）方面への侵攻があり、蝦夷の叛乱の一因となった。

幕府滅亡

元弘《げんこう》の変の与同者《よどう》のうち、大塔宮尊雲法親王《おおとうのみやそんうんほっしんのう》・四条隆資《しじょうたかすけ》・楠《くす》木正成《のきまさしげ》らは、追及の手を逃れていた。ここでまたしても、親王の令旨《りょうじ》が反体制勢力を結集させる働きをする。後醍醐《ごだいご》の皇子にして天台座主《てんだいざす》であった大塔宮尊雲法親王が、還俗《げんぞく》して護良《もりよし》と名のり、配流された父にかわって討幕を訴える令旨を発し、馳《は》せ参ずる軍勢を鼓舞したのである。元弘三年（一三三三）播磨《はりま》太《たい》山寺《さんじ》に宛《あ》てた令旨は、北条《ほうじょう》氏を「伊豆国在庁北条遠江前司時政《いずのくにざいちょうほうじょうとおとうみぜんじときまさ》之子孫東夷《とうい》」と貶《おとし》め、彼らが後醍醐を隠岐《おき》に流したことを「下《げ》剋上《こくじょう》の至り」と非難し、高時一族の追討を訴える。大塔宮の京中潜伏のうわさは六波羅《ろくはら》を震撼《しんかん》させ、幕府に不満をもつ勢力を蜂起《ほうき》させた。後醍醐は元徳《げんとく》三年を元弘元年と改元したが、幕府・持明院《じみょういん》統はこれを用いず、元徳四年を正慶《しょうきょう》元年と改元した。したがって元弘元年以来、二つの年号が並立する。

笠置《かさぎ》山《やま》での後醍醐の夢想のなかで、彼を庇護《ひご》し、帝位に返り咲かせてくれる者として予言されたのが楠木正成である。畿内で活躍する悪党的武士と考えられる正成も、軍事活動を活発化

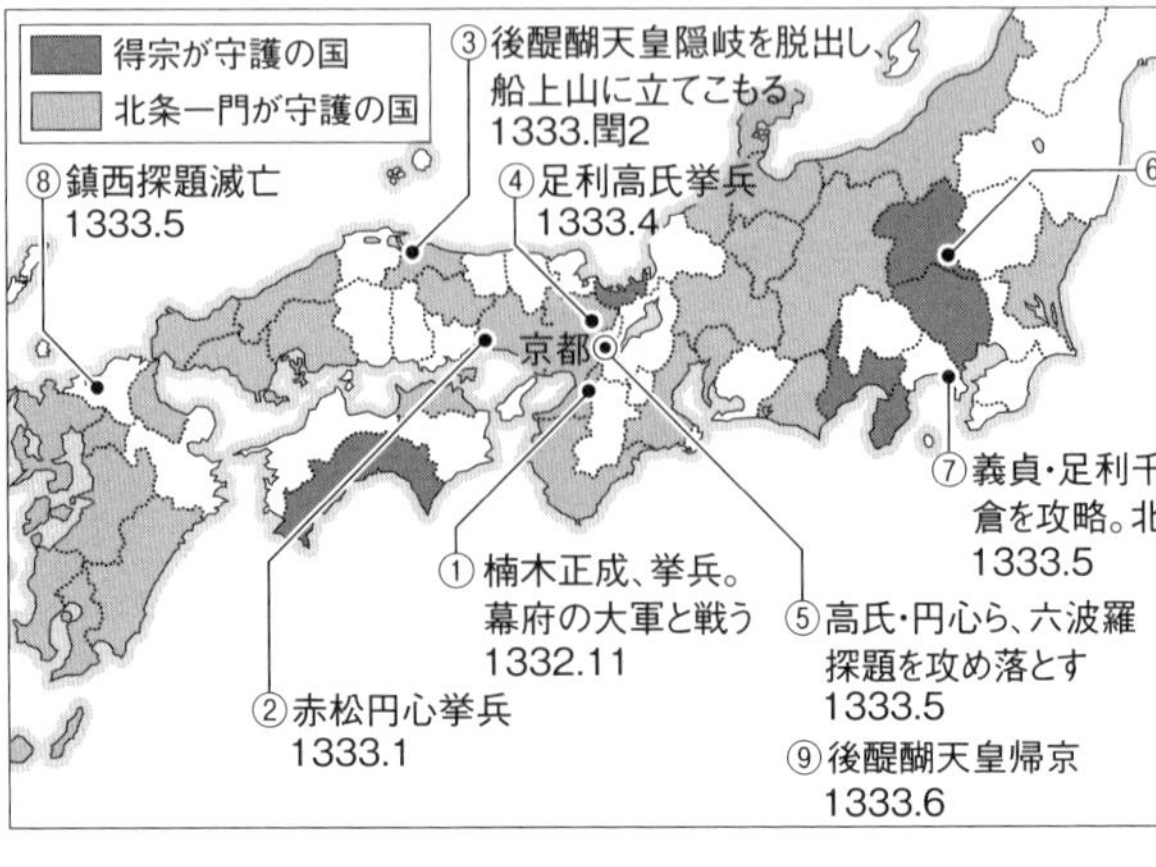
⑥新田義貞挙兵 1333.5
⑦義貞・足利千寿王ら、鎌倉を攻略。北条氏滅ぶ 1333.5

●幕府滅亡の経緯
北条一門は多くの国の守護職を掌握して、その力は盤石にみえたが、楠木正成の挙兵に続いて各地でつぎつぎと討幕の火の手があがり、わずか半年ほどの間に滅亡に追いやられた。

させた。正慶二年（元弘三年）正月一九日、四条隆貞《しじょうたかさだ》（隆資《たかすけ》の息子）を大将とし、楠木一族が加わった軍勢は、天王寺《てんのうじ》に城郭を築く六波羅軍を攻めた。幕府側は続々と援軍を繰り出し、楠木軍は楠木城・千早城《ちはやじょう》に拠《よ》りつつ、石礫《いしつぶて》を用いて抗戦した。三月一二日、幕府側から寝返った赤松《あかまつ》円心（則村《のりむら》）が京都に侵攻、後醍醐は隠岐を脱出して伯耆船上山《ほうきせんじょうさん》に入る。

鎌倉から援軍として上洛した足利高氏《あしかがたかうじ》（のちに後醍醐の諱《いみな》尊《たか》治《はる》の一字を与えられて、尊氏と名のる）は、いったんは京都で後醍醐近臣の千種忠顕《ちくさただあき》らの軍と戦うものの、後醍醐の綸旨《りんじ》を受けて変心し、丹波《たんば》篠村八幡宮《しのむらはちまんぐう》において反幕の旗を掲げる。彼の転身が転機となり、戦況は後醍醐優勢へと振れた。五月七日、高氏・忠顕・円心らは京都に総攻撃をかけ、六波羅を壊滅させる。両探題北条仲時《なかとき》・時益《ときます》は光厳《こうごん》天皇をはじめとする持明院統メンバーを伴って鎌倉をめざしたが、近江番場宿《おうみばんばじゅく》（滋賀県米原《まいばら》町番場）において後醍醐方の悪党の攻撃を受け、四三〇余名が全滅した。この地の蓮花寺《れんげじ》に残された過去帳には、討死《うちじ》に・自害した者たちの名が延々と記され、彼らの凄絶《せいぜつ》な最期をうかが

16

◉**蓮花寺供養塔**
番場宿は中山道の要地で、鎌倉時代から宿の機能を果たしていたといわれる。幕府勢は、光厳天皇、後伏見・花園両上皇を同行しており、彼らも凄惨な体験を強いられた。

わせる。

直後に、九州では少弐《しように》・大友《おおとも》・島津《しまづ》氏が鎮西《ちんぜい》探題を滅ぼし、上野《こうずけ》で挙兵した新田《にった》義貞《よしさだ》が鎌倉を攻撃する。五月一八日から二二日まで、鎌倉全体を戦場として攻防が展開された。北条氏の各門流に率いられた幕府軍は諸方で奮戦したが、ついに力尽き、葛西谷《かさいがやつ》の東勝寺《とうしようじ》にこもった。『太平記《たいへいき》』によれば、北条氏一門二八三人と家臣ら総勢八七〇人が落命し、これらを見届けたうえで、最後に得宗高時《とくそうたかとき》と安達時顕《あだちときあき》が自害したという。

もちろんこの数字には誇張もあろう。だが、対立と粛清を繰り返してきた鎌倉幕府の最期は、六波羅も鎌倉も、ほかに例をみないほどの一丸となっての滅亡であった。支配圏を広げ、社会の期待を集めながら進んできた幕府は、発展しながら追いつめられ、拡大しながら閉塞《へいそく》してきたのである。その最期がたんなる退廃の帰結でないことは、得宗のもとに結集する意志の強さに、明確に示されていたのである。

17

◉北条高時腹切りやぐら
やぐらは崖面に掘り込まれた横穴式墓地。東勝寺《とうしようじ》跡の奥にあり、中に高時墓といわれる塔が建つ。江戸時代の地誌には、ここで北条氏紋所の三鱗《みつうろこ》の古瓦や人骨が掘り出されたと見える。

京・鎌倉　ふたつの王権

おわりに

国家・天下の可視化

本書の冒頭でみた、年中行事における貴族・庶民それぞれの空間を思い出していただきたい。前者の静謐《せいひつ》と後者の喧噪《けんそう》――両方がそろうことによって人々の生活が営まれ、社会が成り立っていた。その根底にあったのは公家政権による時間の管理である。毎年一一月には、暦博士が翌年の暦を作成して天皇に奏進する「暦奏《れきそう》」という儀式が行なわれた。この暦によって一年が大小の月に分割され、閏月《うるうづき》の有無や時期が決定され、年中行事の日程やさまざまな行動の吉凶が定まったのである。

ところが、鎌倉末期に時間さえもがゆらぐ事件が起こる。正中《しょうちゅう》元年（一三二四）一二月、洛中におかしなうわさが流れた。

「諸国からの年貢納入が遅れているため、来年の正月を閏一二月とし、閏正月を正月として新しい年を始めるという綸旨《りんじ》（天皇の命令を記した文書）が出されたそうだ」

正中二年の暦は、もともと正月を閏月としていた。暦を一か月ずらし、正中元年に閏月をまわして一三か月にすれば、年内の予算獲得に余裕をもたせることができるというわけである。そのように朝廷が命じたといううわさだけでなく、綸旨《りんじ》の写しと称するものが巷間《こうかん》に多数出まわっていたらしい。しばらくして、この綸旨は中原章緒《なかはらあきお》という法曹官人《ほうそうかんじん》が、酒宴の席の冗談で作成したものと判明した（『花園天皇宸記《はなぞのてんのうしんき》』）。

時間の管理が後退する一方で、空間的な「国土」「天下」が意識されるようになっていった。蒙古《もうこ》襲来という史上稀《まれ》にみる外圧を体験して、防衛すべき国土、「神風」に守られる神国として、自分たちの生きる世界が明確な形をもつようになったのである。同時に、施政者にとっては、わが身の徳と、国家の安寧とが等値される思考の形態が生まれる。花園天皇は、疫病《えきびょう》の流行や、神社の火災の報などに接し、「朕《ちん》の不徳のいたすところであり、すでに世も末となったためだろうか」と嘆いた。将来の展望のない地位を受け入れ、学問に精進《しょうじん》し、周囲の人物や事象を公正に見ようとした彼ならではの「不徳の身」意識は、さらなる精励の原動力となる。なかでも、真摯な宋学受容と体制破綻への憂慮は、才なく徳を備えずに「皇胤一統《こういんいっとう》」に安住することを批判し、万世一系への疑念を述べるまでに至った（『誡太子書《かいたいしのしょ》』）。

暦の作成と時間の管理は、天文道・陰陽道《おんみょうどう》などによる、人智を超えた天意をうかがう行為である。それに対し、空間的な「天下」の可視化は、人々の希望的観測や妄想までをはらんで展開する、あくまで人為に発するものであった。

後醍醐の政策と建武の新政

「天下」に対する後醍醐《ごだいご》の対応はどうだったろうか。元徳《げんとく》二年（一三三〇）に全国を襲った飢饉《ききん》のなかで、彼は米価の高騰を抑えるため、関所における関米《せきまい》・関銭《せきせん》の徴収禁止を命ずる綸旨《りんじ》を発する（『東大寺文書《とうだいじもんじょ》』）。これは、全国の交通路を掌握していた幕府と、多くの関所を運営していた寺社勢力に対する挑戦であった。同時に、『太平記《たいへいき》』によれば、彼はこの飢饉について、「朕《ちん》不徳あらば、天我一人を罰すべし。黎民《れいみん》何の咎《とが》有りてかこの災いにあう」と慨嘆したという。

後醍醐による米価安定策は一定の効果をあげた。この政策が、従来の〝飢饉→公卿《くぎょう》勅使《ちょくし》発遣《はっけん》〟型の撫民《ぶみん》と一線を画すのは明らかである。彼は神仏を経由することなく、直接民衆に目を向けた。「天我一人を罰すべし」と述べるとき、彼の自我は天下と一体化するまでに肥大し、同時に、無限の要素を含むはずの天下は、彼の自我と同レベルにまで縮小されている。世界に対する畏怖を忘れ、わが身のうちに天下を抱えた後醍醐にとって、もっとも直接的な解決方法をとることを阻むものはなかったといえよう。民衆の苦しみさえもが、幕府・寺社の勢力を削《そ》ぎ、天皇の権威を示すための口実にすぎなかったのかもしれない。

後醍醐における天下とわが身との一体化は、大覚寺《だいかくじ》統《とう》の密教《みっきょう》への傾倒から生まれた一面もあると思われる。密教的な世界観の摂取と、さまざまな修法《しゅほう》の実施（安産祈禱《きとう》に名を借りた幕府調伏《ちょうぶく》法など）は、世界を掌中に収め、思いのままに動かすことができるような幻想をつくりだしていたのではないだろうか。

それらの要素から導き出された全能感こそが、後醍醐を暴挙とも思える幕府追討に駆り立て、多くの追随する勢力を生んだ。支配を拡大しつづけているかにみえる幕府を滅ぼす、破壊のエネルギーをもたらしたのである。

文字どおり天下を掌握した後醍醐は、時間管理の立て直しを試みる。その成果が、彼の撰によって建武《けんむ》元年（一三三四）に成立した『建武年中行事《ねんじゅうぎょうじ》』と解釈できよう。朝儀の復興を意図し、朝廷の年中恒例の行事について、実施時期の順に解説したものである。儀礼の振興は公家政権の常套的な政策ではあるが、あまりにも芸がなく、それが実現されることはなかった。建武政権の組織や人材の配置も、一見画期的なようだが、じつは律令《りつりょう》的な官制体系を独善的に運用したにすぎなかった。後醍醐の情熱は、新しい国家像を描き出すには至らず、新政権は新しい酒を古い皮袋に盛る体のものに終わったといえよう。

この巻の扱った時代には、「国家」や「王土」は、少なくとも人々の意識のうえにあった。だがその「国家」は、むしろ当時の支配の性格が曖昧《あいまい》で、拠《よ》るべき共同体が未成熟であったからこそ生み出された概念だったと位置づけられる。

中世人の世界

この巻が叙述してきた時代の人々は、世界をどのようにとらえ、そして自分の心の中にどんな世界をもっていたのだろうか。第七章の登場人物たちを思い出してみよう。千葉《ちば》氏配下の寺山殿《てらやまどの》の所領支配は、暴力的な抑圧と隷属の連鎖する人間関係によって成り立っていた。恐怖をもって支配し、領民の萎縮《いしゅく》や自立した地位からの転落を招くのは、けっして効率のよいやり方ではなく、生産的な関係とはいえないだろう。

一方で、極楽往生を希求し、作善《さぜん》を積んでいた藤原実重《ふじわらのさねしげ》はどうだろうか。訥々《とつとつ》と善根を書き綴《つづ》り、念仏を唱えながら仏の姿を摺《す》る様子を想像するとき、私たちは、もはや自分たちがもつことはできないと思える、素朴で純粋な心のありように感慨を抱く。しかし、在地における実重の立場を考えれば、恐怖によって支配する寺山殿と、浄土を観想する実重とは、じつは同じ人物の表と裏にすぎないのではないか。寺山殿が百姓重光《しげみつ》の田畑を刈り取り、追い出そうとしたのも、重光が寺山殿の仏事にかかわるつとめを果たさなかったためだったのである。百姓にとって恐怖の対象でしかない寺山殿の、仏以外が知ることのない内面を、たまたま見せてくれたのが「作善日記」だったと考えることも十分可能なのである。

諏訪社《すわしゃ》の上原敦広《うえはらあつひろ》はどうだろうか。殺生《せっしょう》の忌避と、神への畏怖《いふ》との間で悩む彼は、在地の領主階級としてどのような人物だったのだろうか。生活の現場においては、仲間とともに嬉々として野山を駆けめぐって獣を狩り、諏訪社の祭祀《さいし》の席では、神への畏敬と共同体行事への参加に、高揚した気分でいたかもしれないのである。狩りにしても、作物を荒らす害獣の駆除や頭数の調整など、村落共同体の維持にとって必要な、領主層のつとめであった。

都市が野生を含みこんで成り立っていたように、実存に立ち向かう個々の人間も、みずからのうちに対立する要素を抱え、矛盾のうちにそれらを養っていたといえよう。彼らを束ね、彼らの利害を代弁してくれる組織として構想されたのが、鎌倉幕府であった。

武家政権の行方

建武《けんむ》政権を倒した室町幕府《むろまちばくふ》は、佐藤進一《さとうしんいち》が鮮やかに切り分けたとおり、将軍足利尊氏《あしかがたかうじ》による主従制的支配権と、その弟直義《ただよし》による統治権的支配権の行使という、二頭制によって運営された。幕府が京都に居を定め、朝廷と空間を共有するようになったこと、および直義が合理的政務運営を実施したことにより、公武の関係における鎌倉時代のねじれ現象は整理されていく。幕府は政治的判断の主導権を握り、将軍は貴族社会の一員として儀礼に参加し、武家は公家の伝統的性格を庇護《ひご》するパトロンとなっていくようにみえる。一方で、南北朝の動乱はいつまでも解消されず、各地で独自の勢力が組織され、幕府を脅かしつづけたのである。室町時代の「国家」について語ることは、あまり意味がない。三代将軍義満《よしみつ》の「日本国王」号の問題があるが、これも全国支配を反映したものではなかろう。同時に、室町将軍のもとでの裁判の原則は、将軍親裁・代替わりごとの裁定のやり直しへと進み、鎌倉幕府の理非による裁定や合議制は忘れられていく。

足利直義を嚆矢《こうし》とする公武関係の整理と、裁判や法のあり方の変化をみることによって、逆に鎌倉幕府がどれほどわかりにくい権力だったかが、きわだって感じられる。彼らはなぜ、朝廷に対する優越を、文書様式や制度のうえで明らかにしなかったのか。きわめて民主的で合理的にみえた裁判制度は、なぜ将軍独裁の方向に退行したのか。

近代的なそれとは異質な支配の性格と、きわめて先駆的にみえる法制度という組み合わせは、室町時代に入っていったん解除され、私たちになじみのある「前近代的な世界」に向かうように、方向づけられたのである。

ここで、近代歴史学の黎明《れいめい》期に内藤湖南《ないとうこなん》が語った有名な言葉を思い出してみよう。

「大体今日の日本を知るために日本の歴史を研究するには、古代の歴史を研究する必要は殆《ほとん》どありませぬ。応仁《おうにん》の乱《らん》以後の歴史を知っておったらそれでたくさんです」(「応仁の乱について」大正一〇年〈一九二一〉八月、史学地理学同攻会講演)。

おそらく応仁の乱以降に、近代につながる前近代が始まる。室町時代は、私たちには理解が難しくみえる時代と、思い描きやすい前近代とをつなぐところに位置するのである。

応仁の乱以前と現代

しかし、内藤が上記のように述べたのは大正一〇年である。近代は、すでに現代と同じではなかろう。「今日の日本を知るためには、応仁《おうにん》の乱《らん》以後の歴史を知っておったらそれでたくさん」という言葉は、現代の日本には、もはやあてはまらないのではないだろうか。

先に、中世の人々についてあげた問いに、私たちはどう答えるだろうか——「現代に生きる私たちは、世界をどのようにとらえ、そして自分の心の中にどんな世界をもっているのか」

近代がつくりあげてきた規範や、近代が達成した繁栄がすべてではなかったことは、この二〇年ほどで加速度的に明らかになっている。国家や民族とは何かという問題が痛切に提示され、暴力があらわになり、社会や組織への信頼がゆらぎ、人間の尊厳が脅かされている。文明が一巡した段階の、問いつづけ、答えを求めつづけなければならない状況は、この巻が叙述してきた時代を考える姿勢と重なるものであろう。そして、何より必要とされているのは、自分が親しんできた原則や常識と、まったく異なる種類の社会の枠組みを想像する力なのである。

近代日本を知るには、応仁の乱以後の歴史を知っていれば事足りるかもしれない。しかし、現代について考えるためには、応仁の乱以前にさかのぼる力が必要である。

鎌倉時代の終わり

どんな時代にも終わりがくる。それが不当あるいは不合理な体制であれば仕方もなかろうが、文句のつけようのない目標のもとに進んでいたとしても、やはり頓挫《とんざ》するときがやってくる。

鎌倉幕府は、理非による裁定を標榜《ひょうぼう》し、海外からの侵略という未曾有《みぞう》の国難を耐え抜き、民衆を慰撫し、社会の秩序を支えてきた。その中枢でつねに緊張を強《し》いられてきた執行部にしてみれば、これ以上何を望むかといいたかったかもしれないが、それでも終わりはやってきたのである。幕府の発信する法や制度が、幕府の予想を超える形で社会に受け止められ、社会によって主導権を奪われたことが、主たる原因だったと考えられよう。

全国を統治する政権が生まれ、そして滅びるという出来事自体が、わが国でははじめての事件だった。そして武家政権は再組織され、公家政権の生き延びる力は、ふたたび試されることになったのである。

成』第10巻、三弥井書店、1999年
• 納富常天『金沢文庫資料の研究』法蔵館、1982年
• 橋本義彦『平安の宮廷と貴族』吉川弘文館、1996年
• 本郷和人「文保の和談」『UP』281、1996年
• 百瀬今朝雄「元徳元年の『中宮御懐妊』」『金沢文庫研究』274、1985年
• 山陰加春夫「『悪党』に関する基礎的考察」『日本史研究』178、1977年
• 山陰加春夫『中世寺院と「悪党」』清文堂出版、2006年

全体にかかわるもの

• 網野善彦『蒙古襲来』小学館文庫、2001年
• 石井進『日本の中世1　中世のかたち』中央公論新社、2002年
• 石井進ほか校注『日本思想大系新装版　中世政治社会思想　上』岩波書店、1994年
• 笠松宏至ほか校注『日本思想大系新装版　中世政治社会思想　下』岩波書店、1994年
• 河内祥輔『日本中世の朝廷・幕府体制』吉川弘文館、2007年
• 近藤成一編『日本の時代史9　モンゴルの襲来』吉川弘文館、2003年
• 五味文彦『増補版　吾妻鏡の方法――事実と神話にみる中世』吉川弘文館、2000年
• 五味文彦編『日本の時代史8　京・鎌倉の王権』吉川弘文館、2003年
• 佐藤進一『鎌倉幕府守護制度の研究――諸国守護沿革考証編』東京大学出版会、1971年
• 佐藤進一『日本中世史論集』岩波書店、1990年
• 佐藤進一『鎌倉幕府訴訟制度の研究』岩波書店、1993年
• 佐藤進一『古文書学入門』法政大学出版局、2003年
• 佐藤進一『日本の中世国家』岩波現代文庫、2007年
• 本郷和人『中世朝廷訴訟の研究』東京大学出版会、1995年
• 本郷恵子『中世公家政権の研究』東京大学出版会、1998年
• 本郷恵子「公家と武家」網野善彦ほか編『岩波講座　天皇と王権を考える2　統治と権力』岩波書店、2002年
• 美川圭『院政――もうひとつの天皇制』中公新書、2006年
• 元木泰雄編『日本の時代史7　院政の展開と内乱』吉川弘文館、2002年
• 渡辺尚志・五味文彦編『新体系日本史3　土地所有史』山川出版社、2002年

• 本郷恵子『中世人の経済感覚――「お買い物」からさぐる』NHKブックス、2004年
• 松尾容孝「伯耆国東郷荘下地中分絵図（東大模写本）」小山靖憲・下坂守・吉田敏弘編『中世荘園絵図大成　第一部』河出書房新社、1997年
• 湯浅治久『中世東国の地域社会史』岩田書院、2005年
• 『四日市市史16　通史編　古代・中世』四日市市、1996年

第八章

• 相田二郎『蒙古襲来の研究　増補版』吉川弘文館、1982年
• 石井進『石井進著作集9　中世都市を語る』岩波書店、2005年
• 川添昭二『注解　元寇防塁編年史料――異国警固番役の研究』福岡市教育委員会、1971年
• 川添昭二『日蓮とその時代』山喜房佛書林、1999年
• 佐藤進一「凝念自筆仏書の紙背文書（抄）」『中央史学　2』、1979年
• 佐藤鉄太郎『蒙古襲来絵詞と竹崎季長の研究』錦正社、2005年
• 杉山正明「モンゴル時代のアフロ・ユーラシアと日本」近藤成一編『日本の時代史9　モンゴルの襲来』吉川弘文館、2003年
• 杉山正明『興亡の世界史9　モンゴル帝国と長いその後』講談社、2008年
• 高橋典幸「鎌倉幕府軍制の構造と展開――『武家領対本所一円地体制』の成立」『史学雑誌』105－4、1996年
• 高橋典幸・山田邦明・保谷徹・一ノ瀬俊也『日本軍事史』吉川弘文館、2006年
• 永井晋『人物叢書　金沢貞顕』吉川弘文館、2003年
• 福島金治『安達泰盛と鎌倉幕府――霜月騒動とその周辺』有隣新書、有隣堂、2006年
• 本郷和人「霜月騒動再考」『史学雑誌』112－12、2003年
• 村井章介『アジアのなかの中世日本』校倉書房、1988年
• 村井章介『北条時宗と蒙古襲来――時代・世界・個人を読む』NHKブックス、2001年
• 村井章介『中世の国家と在地社会』校倉書房、2005年
• 百瀬今朝雄『弘安書札礼の研究』東京大学出版会、2000年

第九章

• 岩佐美代子「花園天皇宸記の『女院』」『日本歴史』639、2001年
• 海老名尚・福田豊彦「『田中穣氏旧蔵典籍古文書』『六条八幡宮造営注文』について」『国立歴史民俗博物館研究報告』45、1992年
• 笠松宏至『徳政令――中世の法と慣習』岩波新書、1983年
• 五味文彦『武士と文士の中世史』東京大学出版会、1992年
• 近藤成一「内裏と院御所」五味文彦編『中世を考える　都市の中世』吉川弘文館、1992年
• 佐藤進一・網野善彦・笠松宏至『日本中世史を見直す』平凡社ライブラリー、1999年
• 次田香澄校注『とはずがたり　上・下』講談社学術文庫、1987年
• 伴瀬明美「院政期～鎌倉期における女院領について――中世前期の王家の在り方とその変化」『日本史研究』374、1993年
• 伴瀬明美「鎌倉時代の女院領に関する新史料――『東寺観智院金剛蔵聖教』第二八〇箱二一号文書について」『史学雑誌』109－1、2000年
• 伴瀬明美「東寺に伝来した室町院遺領相論関連文書について」『史学雑誌』108－3、1999年
• 三角洋一『岩波セミナーブックス　とはずがたり』岩波書店、1992年

第十章

• 悪党研究会編『悪党と内乱』岩田書院、2005年
• 飯倉晴武『地獄を二度も見た天皇　光厳院』吉川弘文館、2002年
• 井上宗雄『人物叢書　京極為兼』吉川弘文館、2006年
• 岩佐美代子『京極派歌人の研究』笠間書院、1974年
• 岩佐美代子『京極派和歌の研究』笠間書院、1987年
• 岩佐美代子『永福門院――飛翔する南北朝女性歌人』笠間書院、2000年
• 岩橋小弥太『人物叢書　花園天皇』（吉川弘文館、1990年）
• 榎原雅治「本所所蔵『文殿訴訟関係文書写』」『東京大学史料編纂所紀要7』、1997年
• 海津一朗『中世の変革と徳政神領興行法の研究』吉川弘文館、1994年
• 筧雅博「公家政権と京都」『岩波講座　日本通史8　中世2』岩波書店、1994年
• 勝山清次編『南都寺院文書の世界』思文閣出版、2007年
• 黒田日出男『王の身体　王の肖像』平凡社、1993年
• 近藤成一「悪党召し捕りの構造」永原慶二編『中世の発見』吉川弘文館、1993年
• 櫻井彦『悪党と地域社会の研究』校倉書房、2006年
• 佐々木孝浩・小川剛生ほか校注『歌論・歌学集

第四章

- 上杉和彦『日本中世法体系成立史論』校倉書房、1996年
- 上杉和彦『源頼朝と鎌倉幕府』新日本出版社、2003年
- 上杉和彦『人物叢書　大江広元』吉川弘文館、2005年
- 上杉和彦『戦争の日本史6　源平の争乱』吉川弘文館、2007年
- 河内祥輔『頼朝の時代——1180年代内乱史』平凡社選書、1990年
- 五味文彦「平氏軍政の諸段階」『史学雑誌』88−8、1979年
- 五味文彦『源義経』岩波新書、2004年
- 田中稔「醍醐寺所蔵『諸尊道場観集』紙背文書　上・下」醍醐寺文化財研究所『研究紀要』6・7、1984・85年
- 保立道久『義経の登場——王権論の視座から』NHKブックス、2004年
- 元木泰雄『源義経』吉川弘文館、2007年
- 龍福義友『日記の思考——日本中世思考史への序章』平凡社選書、1995年
- 龍福義友「玉葉の「物議」と「時議」——本文復原への一試行」『史学雑誌』114-1、2005年
- 龍福義友「源頼朝『大天狗』書状小考」『日本歴史』691、2005年
- 龍福義友「政治手法の西と東」『愛国学園大学人間文化研究紀要』4〜8、2002〜2006年

第五章

- 入間田宣夫『日本史リブレット　都市平泉の遺産』山川出版社、2003年
- 入間田宣夫『北日本中世社会史論』吉川弘文館、2005年
- 大石直正『奥州藤原氏の時代』吉川弘文館、2001年
- 黒川高明『源頼朝文書の研究　史料編』吉川弘文館、1988年
- 五味文彦「卿二位と尼二位——女人入眼」『日本女性史論集2　政治と女性』吉川弘文館、1997年
- 五味文彦『大仏再建——中世民衆の熱狂——』講談社選書メチエ、1995年
- 佐藤進一『花押を読む』平凡社ライブラリー、2000年
- 本郷和人「信濃源氏平賀氏・大内氏について」『松本市史研究』10、1999年
- 本郷和人『新・中世王権論——武門の覇者の系譜』新人物往来社、2004年
- 村井章介『日本史リブレット　境界をまたぐ人びと』山川出版社、2006年

第六章

- 網野善彦「西園寺家とその所領」『国史学』146、1992年
- 石井進『石井進著作集5　鎌倉武士の実像』岩波書店、2005年
- 上島享「財政史よりみた中世国家の成立——中世国家財政論序説」『歴史評論』525、1994年
- 笠松宏至『日本中世法史論』東京大学出版会、1979年
- 笠松宏至『法と言葉の中世史』平凡社ライブラリー、1993年
- 桜井英治「中世の貨幣・信用」桜井英治・中西聡編『新体系日本史12　流通経済史』山川出版社、2002年
- 佐藤進一「公家法の特質とその背景」笠松宏至ほか校注『中世政治社会思想　下』岩波書店、1981年
- 古澤直人『鎌倉幕府と中世国家』校倉書房、1991年

第七章

- 石井進『中世を読み解く——古文書入門』東京大学出版会、1990年
- 石井進『石井進著作集7　中世史料論の現在』岩波書店、2005年
- 伊藤唯真『伊藤唯真著作集Ⅰ・Ⅱ　聖仏教史の研究』法藏館、1995年
- 伊藤唯真『伊藤唯真著作集Ⅳ　浄土宗史の研究』法藏館、1996年
- 伊藤祐晃『広疑瑞決集・利剣名号折伏鈔』三師講説発刊所、1914年
- 井上聡「御家人と荘園公領制」五味文彦編『日本の時代史8　京・鎌倉の王権』吉川弘文館、2003年
- 黒田日出男『境界の中世 象徴の中世』東京大学出版会、1986年
- 五味文彦『殺生と信仰——武士を探る』角川選書、1997年
- 多賀宗隼『論集　中世文化史　上』法藏館、1985年
- 千葉県史料研究財団編『千葉県の歴史　資料編　中世2（県内文書1）』千葉県、1997年
- 中尾堯編『増補　中山法華経寺史料』吉川弘文館、1994年
- 中澤克昭『中世の武力と城郭』吉川弘文館、1999年
- 禰津宗伸「歴史資料としての『広疑瑞決集』——敬西房信瑞、上原馬允敦広の背景と諏訪信仰」『信濃』628、2002年
- 本郷恵子「鎌倉期の撫民思想について」鎌倉遺文研究会編『鎌倉期社会と史料論』東京堂出版、2002年

参考文献

はじめに

- 網野善彦『異形の王権』平凡社ライブラリー、1993年
- 遠藤珠紀「中世の行事暦注に見る公事情報の共有」『日本歴史』679、2004年
- 遠藤基郎「年中行事認識の転換と『行事暦注』」十世紀研究会編『中世成立期の政治文化』東京堂出版、1999年
- 黒田日出男『増補　姿としぐさの中世史――絵図と絵巻の風景から』平凡社ライブラリー、2002年
- 五味文彦『絵巻で読む中世』ちくま学芸文庫、2005年
- 藤原良章「絵画資料再論」小野正敏・五味文彦・萩原三雄編『中世資料論の新段階　モノとココロの資料学』高志書院、2005年

第一章

- 石井進「院政時代」『石井進著作集3　院政と平氏政権』岩波書店、2004年
- 鎌倉佐保「荘園整理令と中世荘園の成立」『史学雑誌』114－6、2005年
- 五味文彦「院政と天皇」『岩波講座　日本通史7　中世1』岩波書店、1993年
- 土田直鎮『日本の歴史5　王朝の貴族』(改版)中公文庫、2004年
- 橋本義彦『平安貴族社会の研究』吉川弘文館、1976年
- 橋本義彦『平安貴族』平凡社選書、1986年
- 美川圭『院政の研究』臨川書店、1996年
- 美川圭『白河法皇――中世をひらいた帝王』NHKブックス、2003年
- 元木泰雄『院政期政治史研究』思文閣出版、1996年

第二章

- 上島享「一国平均役の確立過程――中世国家論の一視角」『史林』73－1、1990年
- 上島享「平安後期国家財政の研究－造営経費の調達を中心に」『日本史研究』360、1992年
- 上島享「庄園公領下の所領認定」『ヒストリア』137、1992年
- 上島享「受領成功の展開」上横手雅敬監修『古代・中世の政治と文化』思文閣出版、1994年
- 遠藤基郎「院政期儀礼体系の素描――仏事を中心に」羽下徳彦編『中世の政治と宗教』吉川弘文館、1994年
- 遠藤基郎「御斎会・『准御斎会』の儀礼論」『歴史評論』559、1996年
- 遠藤基郎「過差の権力論――貴族社会的文化様式と徳治主義イデオロギーのはざま」服藤早苗編『叢書・文化学の越境4、王朝の権力と表象――学芸の文化史』森話社、1998年
- 大石直正「平安時代後期の徴税機構と荘園制」『東北学院大学論集』1、1970年
- 佐々木恵介『日本史リブレット　受領と地方社会』山川出版社、2004年
- 五味文彦『梁塵秘抄のうたと絵』文春新書、2002年

第三章

- 上原真人「院政期平安宮――瓦からみた」高橋昌明編『院政期の内裏・大内裏と院御所』文理閣、2006年
- 河内祥輔『保元の乱・平治の乱』吉川弘文館、2002年
- 神田龍身「男色家・藤原頼長の自己破綻――『台記』の院政期」小島菜温子編『叢書・文化学の越境　王朝の性と身体――逸脱する物語』森話社、1996年)
- 小松茂美『図説　平家納経』戒光祥堂出版、2005年
- 五味文彦『院政期社会の研究』山川出版社、1984年
- 五味文彦『平家物語　史と説話』平凡社選書、1987年
- 五味文彦『人物叢書　平清盛』吉川弘文館、1999年
- 五味文彦・櫻井陽子編『平家物語図典』小学館、2005年
- 高橋昌明『清盛以前――伊勢平氏の興隆(増補改訂)』文理閣、2004年
- 高橋昌明『平清盛　福原の夢』講談社選書メチエ、2007年
- 田中文英『平氏政権の研究』思文閣出版、1994年
- 橋本義彦『人物叢書　藤原頼長』吉川弘文館、1988年
- 松薗斉「武家平氏の公卿化について」『九州史学』118・119、1997年
- 元木泰雄『人物叢書　藤原忠実』吉川弘文館、2000年
- 元木泰雄『平清盛の闘い――幻の中世国家』角川選書、2001年
- 元木泰雄『保元・平治の乱を読みなおす』NHKブックス、2004年

スタッフ一覧

本文レイアウト	姥谷英子
校正	オフィス・タカエ
図版・地図作成	蓬生雄司
写真撮影	西村千春
索引制作	小学館クリエイティブ
編集長	清水芳郎
編集	宇南山知人
	阿部いづみ
	水上人江
	田澤泉
	一坪泰博
編集協力	青柳亮
	小西むつ子
	髙橋美香
	林まりこ
月報編集協力	㈲ビー・シー
	関屋淳子
	藤井恵子
制作	大木由紀夫
	山崎法一
資材	横山肇
宣伝	中沢裕行
	後藤昌弘
販売	永井真士
	奥村浩一
協力	株式会社モリサワ

写真所蔵先一覧

所蔵先と写真提供者、撮影者が異なる場合は、(　) 内にその旨を明記した。

カバー

神護寺（提供：京都国立博物館）

口絵

1 櫛引八幡宮／2・3・4 東京国立博物館（提供：TNM Image Archives）／5 厳島神社（提供：京都国立博物館）／6 東大寺（提供：美術院）／7 中尊寺／8 安楽寺

はじめに

1・5 東京国立博物館（提供：TNM Image Archives）／2・3・4・6・7・8・9・10・11 田中家（提供：中央公論新社）

第一章

1 田中家（提供：中央公論新社）／2・3・6・8・10・13 宮内庁三の丸尚蔵館／4 東京国立博物館（提供：TNM Image Archives）／5 三重県立斎宮歴史博物館／7 作画：梶川敏夫／9 八坂神社／11 青蓮院／12 前田育徳会

第二章

1 宮内庁三の丸尚蔵館／2 宮内庁書陵部／3・9 東京国立博物館（提供：TNM Image Archives）／4 山口県防府天満宮／5 山口県教育委員会／6 熊野本宮大社／7 東京大学史料編纂所／8 興福寺（提供：飛鳥園）

第三章

1 春日大社／2 早稲田大学図書館／3・4・10 宮内庁三の丸尚蔵館／5 福岡市博物館（製作：蓮尾正博）／6 ボストン美術館／7 六波羅蜜寺（撮影：浅沼光晴）／8 妙法院／9 厳島神社／11 厳島神社（提供：広島県立文書館）／12 国立公文書館

第四章

1 東京国立博物館（提供：TNM Image Archives）／2 宮内庁三の丸尚蔵館／3 神戸市教育委員会／4 東京大学文学部国語研究室／5 三嶋大社／6・8 国立歴史民俗博物館／7 撮影：石塚善博／9 明王院（提供：鎌倉国宝館）

第五章

1 東大寺／2 神奈川県立歴史博物館／3 個人蔵（複製：神奈川県立歴史博物館）／4 小山文子（提供：小山市立博物館）／5 安養院／6 北海道大学植物園・博物館／7 仙台市博物館／8 三島村／9・10 東大寺／11 神護寺（提供：京都国立博物館）／12 金剛峯寺

第六章

1 建長寺／2 島根県観光連盟／3・6 撮影：石塚善博／4 前田育徳会／5 天理大学附属天理図書館（八木書店『天理図書館善本叢書　和書之部　六十八巻　古文書集』より）／7 日本銀行金融研究所貨幣博物館／8 清浄光寺／9 和泉市久保惣記念美術館

第七章

1 橿原市教育委員会／2 東京大学史料編纂所／3・5 法華経寺／4 清浄光寺／6 国立歴史民俗博物館／7 知恩院（提供：京都国立博物館）／8・13 粉河寺／9 茅野市教育委員／10 神宮司庁／11・12 善教寺（提供：四日市市立博物館）

第八章

1 清浄光寺／2 円覚寺／3 東大寺／4 撮影：八巻孝夫／5・6 韓国国立中央博物館（提供：ユニフォトプレス）／7 池上本門寺／8 日本・モンゴル民族博物館／9 松浦市教育委員会／10・12・15 宮内庁三の丸尚蔵館／11 撮影：石塚善博／13 東京大学史料編纂所／14 筥崎宮／16 個人蔵

第九章

1 出光美術館／2・3・4・7 宮内庁三の丸尚蔵館／5 京都府立総合資料館／6 勝尾寺（提供：箕面市）／8 宇佐神宮／9 日本銀行金融研究所貨幣博物館／10 福岡市美術館（松永コレクション）／11 国立歴史民俗博物館／12 鞆淵八幡神社／13 五島美術館

第十章

1 清浄光寺／2・3・9 東大寺（提供：奈良国立博物館）／4 称名寺（神奈川県立金沢文庫保管）／5 清凉寺（提供：京都国立博物館）／6 大徳寺／7 浄土寺（撮影：村上宏治）／8 久米田寺（提供：京都国立博物館）／10 宮内庁書陵部／11 大覚寺／12 根津美術館／13 称名寺／14 埼玉県立歴史と民俗の博物館／15 上宮寺／16 蓮華寺（提供：米原観光協会）／17 撮影：石塚善博

西暦	年号　干支		天皇		院政	将軍	執権	日本	世界
	北朝	南朝	北朝	南朝					
1318	2 戊午		後醍醐		後宇多	守邦親王	北条高時	後宇多法皇、二条為世に『続千載和歌集』を撰進させる。	
1321	元亨 1 辛酉							後醍醐天皇、院政を停止し、天皇親政とする。後醍醐天皇、記録所を置き、新関を廃止。	イタリア、ダンテ没。
1322	2 壬戌							長崎高資、津軽の安東氏の一族相論に際し、双方から賄賂を取得。虎関師錬、『元亨釈書』撰進。	
1324	正中 1 甲子							後醍醐天皇の討幕計画が漏れ、土岐頼有・多治見国長処刑、日野資朝・俊基、捕らえられる（正中の変）。金沢貞将、六波羅南方となる。	
1325	2 乙丑							幕府、建長寺船を元に派遣。日野資朝、佐渡に配流。	イブン・バットゥータの世界旅行開始。
1326	嘉暦 1 丙寅						金沢貞顕	幕府、工藤祐貞を蝦夷討伐に派遣。	
1330	元徳 2 庚午						赤橋守時	朝廷、京の米価・沽酒法を定め、二条町に市を設ける。	
1331	元徳 3 辛未	元弘 1	光厳	後醍醐	後伏見			後醍醐天皇の再度の討幕計画が漏れ、日野俊基・文観・円観ら捕らえられる（元弘の変）。後醍醐天皇、笠置寺に逃れる。楠木正成、赤坂城に挙兵。幕府、光厳天皇を立て、後醍醐天皇を捕らえる。	大セルビア帝国興る。
1332	正慶 1 壬申	2						幕府、後醍醐天皇を隠岐国に配流。幕府、日野資朝・俊基を処刑。尊雲法親王、還俗し吉野で挙兵。	
1333	正慶 2 癸酉	3						赤松円心（則村）、播磨国で挙兵。後醍醐天皇、隠岐国を脱出、船上山に拠る。足利高氏、幕府に反して、六波羅を陥落。新田義貞、鎌倉に攻め入る。北条高時ら自害し北条氏滅び、鎌倉幕府滅亡。	ポーランド王国統一。

西暦	年号 干支	天皇	院政	将軍	執権	日本	世界
1279	弘安2己卯	後宇多	亀山	惟康親王（源惟康）	北条時宗	幕府、博多で元使を処刑。	元、南宋を滅ぼす。
1281	4辛巳					元・高麗らの東路軍・江南軍、対馬・壱岐に侵攻するが、台風により壊滅（弘安の役）。春日神木、入京する。	
1282	5壬午					日蓮没。北条時宗、円覚寺を創建。	
1284	7甲申				北条貞時	北条時宗没。幕府、新式目38条を制定。幕府、別付衆・奉行人の公正な職務遂行などを定める。	
1285	8乙酉					朝廷、20か条の新制を宣下。平頼綱、安達泰盛らを滅ぼし、金沢顕時を上総に配流（霜月騒動）。	元、第2次ベトナム侵攻に失敗。
1286	9丙戌					幕府、鎮西関連の訴訟を合議の裁定に任せる（鎮西談議所の設置）。亀山上皇、院評定制を改革。	
1287	10丁亥	伏見	後深草			後宇多天皇・亀山上皇譲位。後深草上皇院政を開始。	
1289	正応2己丑			久明親王		久明親王、征夷大将軍となり、鎌倉に下向。	
1290	3庚寅					後深草上皇、出家。浅原為頼ら、禁中に乱入して自害。叡尊没。	
1293	永仁1癸巳					竹崎季長、『蒙古襲来絵巻』を制作。幕府、北条兼時・時家を鎮西探題に任じる。鎌倉に大地震、死者多数。北条貞時、平頼綱・飯沼資宗らを滅ぼす（平頼綱の乱）。朝廷、記録所庭中・雑訴沙汰の制を設ける。	ジャワ、マジャパヒト王国成立。
1294	2甲午					幕府、霜月騒動の賞罰の詮議を停止。	
1297	5丁酉					永仁の徳政令。	
1298	6戊戌	後伏見	伏見			幕府、京極為兼を佐渡に配流。	
1299	正安1己亥					『一遍聖絵』完成。元使の一山一寧、和平の国書を幕府に提出。	オスマン帝国興る。
1301	3辛丑	後二条	後宇多		北条師時	北条貞時、出家。鎌倉に大火。	
1305	嘉元3乙巳					北条宗方、北条時村を殺害。大仏宗宣、宗方を討つ。	
1308	延慶1戊申	花園	伏見	守邦親王		守邦王、征夷大将軍となる。後二条天皇没。	
1310	3庚戌					この年、幕府、苅田狼藉を検断沙汰扱いとする。	オゴタイ・ハン国滅亡。
1311	応長1辛亥				大仏宗宣	北条貞時没。	
1312	正和1壬子				北条熙時	幕府、九州5社に神領興行令を出す。	
1313	2癸丑		後伏見			伏見上皇・京極為兼、出家。為兼撰『玉葉和歌集』成立。	元、科挙を復す。
1315	4乙卯				北条基時	東大寺、強訴。幕府、京極為兼を六波羅に拘禁。	
1316	5丙辰				北条高時	幕府、京極為兼を土佐に配流。	
1317	文保1丁巳					幕府、持明院・大覚寺両統の迭立を提案（文保の和談）。	

西暦	年号 干支	天皇	院政	将軍	執権	日本	世界
1242	仁治3壬寅	後嵯峨		藤原頼経	北条経時	北条泰時没。北条経時、跡を継ぐ。	
1244	寛元2甲辰			藤原頼嗣		道元、大仏寺（永平寺）を開く。	ローマ大学創立。
1246	4丙午	後深草	後嵯峨		北条時頼	名越光時、執権北条時頼の排除を謀るが露見し、配流（鎌倉騒動）。幕府、関東申次九条道家の罷免を奏上。院評定制を開始。	
1247	宝治1丁未					北条時頼、三浦泰村・光村らを滅ぼす（宝治合戦）。	1248　第6回十字軍（～1254）。
1249	建長1己酉					幕府、引付衆を置く。	
1252	4壬子			宗尊親王		宗尊親王、鎌倉に下り将軍となる。	
1253	5癸丑					道元没。日蓮、鎌倉で法華宗を広める。蘭渓道隆、導師となる。	フビライ、大理国を滅ぼす。
1254	6甲寅					幕府、宋船の入港を年5隻に限る。	
1256	康元1丙辰				北条長時	鎌倉、大風雨、死者多数。	
1259	正元1己未	亀山				諸国で飢饉（正嘉の飢饉）。後深草天皇、亀山天皇に譲位。	高麗、モンゴル（蒙古）に服属。
1260	文応1庚申					日蓮、『立正安国論』を北条時頼に献上。	フビライ・ハン即位。
1261	弘長1辛酉					幕府、61か条の関東新制を定める。幕府、諸国の盗賊・悪党蜂起の禁圧を守護に命じる。	ラテン帝国滅亡し、東ローマ帝国復活。
1263	3癸亥					高麗、日本人の沿岸侵略の禁止を要請。朝廷、41か条の新制を宣下。北条時頼没。	宋、公田法を実施。
1264	文永1甲子				北条政村	幕府、領主による百姓の使役などを禁止。	
1266	3丙寅			惟康親王（源惟康）		幕府、引付衆を廃し、評定衆に訴訟を扱わせる。幕府、将軍宗尊親王を廃し、惟康王を征夷大将軍に任じる。	
1267	4丁卯					幕府、越訴奉行を廃止。幕府、御家人所領の質入・売買などを禁止。	
1268	5戊辰				北条時宗	高麗使の潘阜、蒙古国書を持って大宰府に来着。朝廷、蒙古への返書をしないことを決定。幕府、西国の守護・御家人に、蒙古襲来の防備を命じる。	1270　第7回十字軍。
1271	8辛未					幕府、日蓮を佐渡に配流。幕府、鎮西の御家人に下向し、沿岸警固を命じる。蒙古使趙良弼ら、大宰府に来着し国書を提出。	フビライ、国号を元とする。
1272	9壬申					幕府、北条教時・時輔を殺害（二月騒動）。幕府、諸国に大田文の提出を命じる。	
1274	11甲戌	後宇多	亀山			元・高麗軍、対馬・壱岐を侵略し、筑前に上陸するが、大風雨のため撤退（文永の役）。	
1275	建治1乙亥					幕府、異国警固番役を制度化。幕府、元使の杜世忠らを殺害。幕府奏請により熙仁親王が立太子。幕府、異国征伐を企てる。	マルコ・ポーロ、元の大都に到着。
1276	2丙子					幕府、鎮西の御家人に博多の石塁を築かせる。	1278　元、日本商船の交易を許す。

西暦	年号 干支	天皇	院政	将軍	執権	日本	世界
1203	3 癸亥	土御門	後鳥羽	源実朝		北条時政・政子、比企能員を討つ（比企氏の乱）。源実朝、征夷大将軍となる。源頼家、伊豆国修善寺に幽閉。運慶・快慶ら、東大寺南大門金剛力士像を完成。	
1204	元久 1 甲子					源頼家、修善寺で殺害される。幕府、諸国の地頭の非法を禁止。	十字軍、ラテン帝国を建てる。
1205	2 乙丑				北条義時	藤原定家ら、『新古今和歌集』を撰進。北条時政ら、畠山忠重を討つ。時政ら、平賀朝雅の将軍擁立に失敗。北条義時、執権となる。	
1206	建永 1 丙寅					幕府、大罪を除き、源頼朝恩賞地を没収しないと定める。明恵、高山寺を創建。	金、南宋と開戦。インド、奴隷王朝成立。
1207	承元 1 丁卯					専修念仏を禁止し、法然・親鸞を配流。	
1210	4 庚午	順徳				幕府、寺社領の実態調査を守護に命じる。	
1212	建暦 2 壬申					法然没。鴨長明『方丈記』成立。新制 21 条を宣下（建暦の新制）。	少年十字軍。
1213	建保 1 癸酉					和田義盛、幕府を襲い、敗死（和田合戦）。北条義時、侍所別当を兼任。『金槐和歌集』成立。	
1215	3 乙亥					北条時政没。栄西没。	イギリス、マグナ・カルタ制定。
1219	承久 1 己卯					源実朝、公暁に殺害される。九条頼経、鎌倉下向。後鳥羽上皇、源頼茂を討つ。	チンギス・ハーン、大征西開始。
1221	3 辛巳	仲恭 後堀河	後高倉			後鳥羽上皇、北条義時追討の宣旨を下す（承久の乱）。北条時房・泰時、六波羅館に入り、京を制圧。後鳥羽法皇を隠岐国に、順徳天皇を佐渡国に、土御門上皇を土佐国に配流。	カンボジア、アンコール朝滅びはじめる。
1222	貞応 1 壬午					幕府、守護・地頭の非法を禁止。	
1223	2 癸未					宣旨により新補地頭の得分を定める（新補率法）。	
1224	元仁 1 甲申				北条泰時	北条義時没。北条泰時・時房、九条頼経（三寅）の後見となる。北条政子、伊賀氏の謀叛を鎮める。幕府、伊賀光宗の所領を没収。	西夏、金と結ぶ。
1225	嘉禄 1 乙酉					大江広元没。北条政子没。幕府、評定衆を置き、鎌倉大番の制を定める。	ベトナム、陳王朝成立。
1226	2 丙戌			藤原頼経		藤原（九条）頼経、征夷大将軍となる。幕府、銅銭の通用を定める。	
1231	寛喜 3 辛卯					諸国に餓死者続出、大飢饉（寛喜の飢饉）。朝廷、新制 42 条を宣下（寛喜の新制）。	モンゴル（蒙古）、高麗侵攻開始。
1232	貞永 1 壬辰	四条	後堀河			幕府評定衆 11 人、連署起請文を提出。北条泰時、御成敗式目 51 条を制定（貞永式目）。	高麗、江華島に遷都。
1236	嘉禎 2 丙申					幕府、若宮大路に新御所を造営し、藤原頼経が移る。	
1238	暦仁 1 戊戌					将軍藤原頼経、上洛して検非違使別当となる。幕府、京中警固のため篝屋を置く。	タイ、スコータイ朝がカンボジアから独立。

西暦	年号 干支	天皇	院政	将軍	執権	日本	世界
1183	寿永 2 癸卯	安徳	後白河			平維盛ら、源義仲追討のため北陸道へ向かう。義仲、越中国倶利伽羅峠で維盛を破る。平氏、天皇・神器を奉じて西国に向かい、義仲・源行家、入京。院宣により、東海・東山道の荘園・国衙領を復す（十月宣旨）。源頼朝、義仲追討のため源範頼・義経を京に送る。	宋、道学を禁止。
1184	元暦 1 甲辰 （寿永 3）					源義仲、征夷大将軍となる。源範頼・義経、義仲を破り入京、義仲は敗死。範頼・義経、一ノ谷で平氏を破り、平氏は屋島に逃れる。源頼朝、平氏の没官領を得る。義経、検非違使となる。頼朝、公文所・問注所を設ける。	
1185	文治 1 乙巳 （寿永 4）	後鳥羽				源義経、讃岐国屋島・長門国壇ノ浦で平氏を破る（平氏滅亡）。安徳天皇入水。東大寺大仏開眼供養。源頼朝に源行家・義経追討の宣旨を下す。頼朝、日本国惣追捕使・同惣地頭となり、全国に守護・地頭を設置。義経についた公卿を解官し、九条兼実以下 10 人の議奏公卿を置く。	
1186	2 丙午					源頼朝の奏請により、荘園の兵粮米を停止。太政官符により、謀叛人の没収地以外への地頭介入を禁止。	
1187	3 丁未					源義経、陸奥国の藤原秀衡のもとに逃亡。栄西、再度入宋。藤原俊成、『千載和歌集』を奏覧。	アイユーブ朝、エルサレムを奪回。
1189	5 己酉					藤原泰衡、義経を襲い、義経自害。源頼朝、泰衡を追討。	第3回十字軍（～1192）。
1190	建久 1 庚戌					源頼朝、権大納言・右近衛大将となり、辞任。	ドイツ騎士団創設。
1191	2 辛亥					源頼朝、前右大将家政所を開設。建久の新制。栄西、臨済宗を伝える。延暦寺僧徒、強訴。	
1192	建久 3 壬子			源頼朝		後白河法皇没。源頼朝、征夷大将軍となり、将軍家政所を開設。	
1193	4 癸丑					曾我兄弟、工藤祐経を討つ。宋銭通用停止の宣旨。	
1194	5 甲寅					幕府、守護の国衙侵犯を禁止。栄西・能忍らの禅の布教を禁止。興福寺再建。	ホラズム＝シャー朝、セルジューク朝を滅ぼす。
1195	6 乙卯					源頼朝・後鳥羽天皇ら東大寺再建供養に臨席。	
1196	7 丙辰					九条兼実の関白・氏長者を罷免。	
1198	9 戊午	土御門	後鳥羽			源通親、後院別当となる。法然『選択本願念仏集』成立。栄西『興禅護国論』成立。	インノケンティウス3世、教皇となる。
1199	正治 1 己未					源頼朝没。源頼家、家督相続。幕府、頼家の親裁を停止し、北条時政ら御家人 13 人の合議制を定める。東大寺南大門再建。	
1200	2 庚申					上洛を企てた梶原景時、討たれる。	パリ大学、創設。
1202	建仁 2 壬戌			源頼家		源頼家、征夷大将軍となる。栄西、建仁寺を創建。	第4回十字軍（～1204）。

西暦	年号 干支	天皇	院政	日本	世界
1151	仁平1辛未	近衛	鳥羽	藤原頼長、内覧となる。頼長、興福寺衆徒の武装を禁止。藤原顕輔、『詞花和歌集』を撰進。	
1154	久寿1甲戌			延暦寺僧徒、林大夫光家の赦免に抗議し強訴。源為朝の乱行により、父源為義、解官。	イングランド、プランタジネット朝始まる。
1155	2乙亥	後白河		諸国飢饉。源義平、武蔵国比企郡大蔵館で叔父源義賢と合戦し殺害。源義朝、院宣により弟源頼賢を討つ。後白河天皇即位。	このころチンギス・ハーン生まれる（1154・1162・1167年説も）。
1156	保元1丙子			鳥羽法皇没。保元の乱起こる。新立荘園を停止（新制7か条）。記録荘園券契所を復す。	
1157	2丁丑			藤原頼長らの所領を没収し、後院領とする。新内裏造営。新制35か条を下す。	
1158	3戊寅	二条	後白河	後白河天皇譲位。二条天皇即位。	
1159	平治1己卯			平治の乱起こる。源頼朝・義朝・朝長・義平ら、東国に逃亡。	
1160	永暦1庚辰			源義朝・義平、殺害される。源頼朝、捕らえられ、伊豆に配流。平清盛、正三位となる。	
1161	応保1辛巳			平時忠・平教盛、陰謀により解官。	金、宋に侵攻。
1164	長寛2甲申			平氏一門、法華経などの写経を厳島神社に納経。九条兼実、『玉葉』を記す。	金、女真文字で漢籍を翻訳。
1165	永万1乙酉	六条		延暦寺と興福寺の僧徒、席次を争う。	宋と金、和議を結ぶ。
1167	仁安2丁亥			平清盛、太政大臣となる。平重盛、諸国の賊徒を追捕。	
1168	3戊子	高倉		平清盛出家。京に大火。栄西・重源、宋より帰国。	
1170	嘉応2庚寅			藤原秀衡、鎮守府将軍となる。平重盛、摂政藤原基房を襲わせる。	高麗、武臣政権成立。
1171	承安1辛卯			後白河法皇、平清盛の福原別業に御幸。清盛の娘徳子入内（のち建礼門院）。	エジプト、アイユーブ朝興る。
1172	2壬辰			平徳子、中宮となる。宋より後白河法皇と平清盛に贈り物。このころ藤原為経『今鏡』成立か。	
1174	4甲午			後白河法皇・建春門院、平清盛の福原別業に御幸し、平氏一門とともに厳島神社に参詣。	
1176	安元2丙申			建春門院没。伊豆の河津祐泰、工藤祐経により殺害される。	
1177	治承1丁酉			延暦寺僧徒の強訴により加賀守藤原師高を尾張国に配流。京に大火。天台座主明雲、伊豆国に配流。平清盛、西光を斬首、藤原成親・俊寛・平康頼・藤原成経を配流（鹿ヶ谷事件）。	宋、朱熹の『四書集註』が完成。
1179	3己亥			平重盛没。平清盛、関白を藤原基通に替え、院の近臣39人を解官。清盛、後白河法皇を鳥羽殿に幽閉、院政を停止する。この年、『梁塵秘抄』完成。	
1180	4庚子	安徳	後白河	高倉天皇譲位。以仁王、平清盛追討の令旨を下す。安徳天皇即位。以仁王・源頼政ら、宇治川で敗死。源頼朝、伊豆で挙兵するが、石橋山の戦いに敗れ安房国に逃亡。源（木曾）義仲、信濃国で挙兵。頼朝、鎌倉に入り、富士川の戦いで平氏を破る。頼朝、和田義盛を侍所別当とする。平重衡、南都を攻める。	フランス、フィリップ2世即位。
1181	養和1辛丑			平宗盛、畿内と近国9か国の惣官となる。平清盛没。京中に餓死者があふれる。平重衡、尾張国墨俣河で源行家を破る。重源、東大寺再建のため諸国を勧進。	

西暦	年号 干支	天皇	院政	日本	世界
1108	天仁 1 戊子	鳥羽	白河	平正盛、源義親を討ち、但馬守に任じられる。検非違使・源平両氏、延暦寺僧徒の入京を防ぐ。浅間山噴火。新立荘園を停止。	
1109	2 己丑			源為義に源義綱を追捕させる。義綱、佐渡国へ配流。	
1111	天永 2 辛卯			記録荘園券契所を設置。	
1113	永久 1 癸巳			興福寺・延暦寺の僧徒、強訴を繰り返す（永久の強訴）。平正盛・源光国らに僧徒の入京を防がせる。興福寺焼亡。	アンコール朝、全盛期を迎える。
1114	2 甲午			延暦寺僧徒の武装を禁じる。	
1119	元永 2 己亥			白河法皇、関白藤原忠実の上野国の荘園 5000 町を停止。平正盛、西国の賊平直澄を討つ。	金、女真文字を作成。
1120	保安 1 庚子			白河法皇、延暦寺・園城寺僧徒の乱行を制止させる。白河法皇、関白藤原忠実の内覧を停止。このころ『大鏡』成立か。	宋、方臘の乱起こる。
1121	2 辛丑			内大臣藤原忠通、内覧となる。	
1123	4 癸卯	崇徳		平忠盛・源為義ら、延暦寺僧徒の入京を撃退。	
1124	天治 1 甲辰			良忍、融通念仏を始める。中尊寺金色堂完成。中宮藤原璋子、待賢門院となる。	西夏、金に服属す。
1126	大治 1 丙午			藤原清衡、中尊寺金堂・三重塔などの落慶供養を行なう。待賢門院呪詛の嫌疑により、阿闍梨承玄・僧妙心を還俗・配流。	宋、靖康の変（～1127）。 高麗、金に服属す。
1127	2 丁未			寛徳以後の新立荘園を停止し、公民が荘園に入って課役を免れることなどを禁じる（大治の荘園整理令）。この年（または前年）源俊頼、『金葉和歌集』を撰進。	北宋滅び、南宋成立。
1129	4 己酉		鳥羽	京に大火。備前守平忠盛、山陽・南海道の海賊を追捕。白河法皇没。鳥羽上皇の院政開始。	
1132	長承 1 壬子			藤原忠実、院宣により内覧となる。鳥羽上皇、得長寿院（三十三間堂）の落慶供養を行ない、忠盛の昇殿を許す。	西遼成立。
1133	2 癸丑			平忠盛、院宣と称して宋船を渡来させ、大宰府を経ず貿易を独占。	
1135	保延 1 乙卯			平忠盛、海賊首僧源智らを捕らえ、子の平清盛、従四位下に叙せられる。	高麗、妙清の乱（～1136）。
1139	5 己未			平忠盛ら、宇治・淀で興福寺僧徒の入京を防ぐ。成勝寺落成。	
1141	永治 1 辛酉	近衛		鳥羽上皇出家。崇徳天皇譲位。近衛天皇即位。	
1145	久安 1 乙丑			相模国高座郡大庭御厨で、源頼清・源義朝の郎従らの乱行を禁止。興福寺僧徒、金峯山を襲う。待賢門院没。	
1146	2 丙寅			京に大火。平清盛、正四位下に叙せられ、安芸守となる。	
1147	3 丁卯			祇園臨時祭で、祇園神人が平忠盛・清盛の郎等と乱闘（祇園闘乱事件）。延暦寺僧徒と日吉・祇園神人、忠盛・清盛の流刑を要求。	第 2 回十字軍（～1149）。
1148	4 戊辰			藤原忠実、藤原頼長に荘園 18 か所を譲渡。	
1150	6 庚午			興福寺僧徒・春日社神人ら、入京し強訴。藤原忠実、藤原忠通を義絶し、藤原頼長を氏長者とする。	

年表

西暦	年号 干支	天皇	院政	日本	世界
1072	延久4壬子	白河		僧の成尋入宋する。沽価法を定める。斗升法を定める（延久の宣旨升）。後三条天皇譲位。白河天皇即位。	宋、欧陽脩没。
1073	5癸丑			院蔵人所を置く。後三条法皇没。	宋、周敦頤没。
1075	承保2乙卯			宋の皇帝神宗、成尋の弟子に託し、経論・錦などを贈る。延暦寺・園城寺の僧徒、抗争する。	ベトナムで初めて科挙を実施。
1077	承暦1丁巳			宋帝へ返書・信物を贈る。	ドイツ、カノッサの屈辱。
1079	3己未			延暦寺の僧徒、強訴。源重宗、源国房と美濃国で合戦。	
1081	永保1辛酉			興福寺・延暦寺・園城寺などの僧徒の抗争が激しくなる。	1080　宋、官制改革。
1082	2壬戌			熊野の僧徒、上京して強訴する。宋国への返牒を宋商の孫忠に交付。	宋、西夏が永楽城を陥落。
1083	3癸亥			陸奥守源義家、清原真衡を助け、清原清衡・家衡を攻める（後三年合戦、始まる）。	1084　宋、司馬光『資治通鑑』完成。
1086	応徳3丙寅	堀河	白河	白河天皇譲位。白河上皇、院庁で政務をとる（院政の始まり）。藤原通俊、『後拾遺和歌集』を撰進。	宋、司馬光没。王安石没。
1087	寛治1丁卯			源義家、清原武衡らを討つ（後三年合戦、終わる）。藤原宗忠、『中右記』を著わす。	1088　イタリア、ボローニャ大学創立。
1091	5辛未			源義家、弟義綱と抗争。義家の随兵の入京と、義家への田畑寄進を禁止。	
1092	6壬申			源義家の立てた諸国荘園を停止。	
1093	7癸酉			興福寺の僧徒、春日社神木を奉じて入京、近江守高階為家を強訴する（神木動座の初め）。	
1094	嘉保1甲戌			陸奥守源義綱、出羽守を襲った平師妙・師季を討ち入京。権中納言藤原伊房、遼との密貿易が判明して解任。	宋、新法復活。
1095	2乙亥			延暦寺の僧徒、日吉社神輿を奉じ、源義綱を強訴（神輿動座の初め）。	
1096	永長1丙子			京中で田楽が大流行（永長の大田楽）。白河上皇出家。	第1回十字軍（～1099）
1099	康和1己卯			京畿に大地震。白河法皇、皇子の仁和寺宮覚行を親王とする（法親王の初め）。寛徳2年以後の新立荘園を停止（康和の荘園整理令）。	十字軍、イェルサレム王国を建てる（～1291）
1101	康和3辛巳			源義親、九州で乱行、追討使が派遣される。延暦寺の僧徒らが互いに争う。	宋、蘇軾没。
1102	4壬午			延暦寺僧徒の法成寺長吏補任をめぐって延暦寺・園城寺が争う。源義親を隠岐国に配流。	宋、蔡京、宰相となる。
1103	5癸未			興福寺僧徒、春日社の神木を奉じて強訴。	
1104	長治1甲申			延暦寺僧徒、闘乱。園城寺も内紛。鳥羽殿で田楽を催す。紀伊国の悪僧ら、国司を訴える。延暦寺僧徒鎮撫のため、源義家・義綱らに悪僧を追捕させる。	
1105	2乙酉			延暦寺僧徒、祇園神輿を奉じて強訴。藤原清衡、平泉に最初院（中尊寺）を建立。延暦寺僧徒ら、藤原季仲の罷免を強訴。季仲を周防国に配流。	
1106	嘉承1丙戌			京に大火。京中で田楽流行。	
1107	2丁亥	鳥羽		堀河天皇没。宗仁親王践祚。藤原忠実を摂政とする。鳥羽天皇即位。源義親追討に因幡守平正盛を派遣。	

ま行

や行

ら行

わ行

な行

は行

た行

さ行

索引

000 —詳しい説明のあるページを示す。
000*—写真・図版のあるページを示す。

あ行

か行

全集　日本の歴史　第6巻　京・鎌倉　ふたつの王権

2008年5月31日　初版第1刷発行

著者　本郷恵子
発行者　八巻孝夫
発行所　株式会社小学館
〒101-8001 東京都千代田区一ツ橋2-3-1
電話　編集　03(3230)5118
販売　03(5281)3555
印刷所　凸版印刷株式会社
製本所　株式会社若林製本工場

造本には十分注意しておりますが、万一、落丁・乱丁などの不良品がありましたら、「制作局」(電話0120-336-340)あてにお送り下さい。

送料小社負担にてお取り替えいたします。

(電話受付は土・日・祝日を除く9:30～17:30までになります。)

Printed in Japan ISBN978-4-09-622106-8

小学館創立八五周年企画

全集 日本の歴史 全十六巻

編集委員 平川 南／五味文彦／倉地克直／ロナルド・トビ／大門正克

一 旧石器・縄文・弥生・古墳時代
列島創世記
出土物が語る列島4万年の歩み
松木武彦 岡山大学准教授
文字が発達する前の社会は、「モノ」が文字の代わりだった。「モノ」と人との関係から描く、斬新な列島文化史。

二 新視点古代史
日本の原像
稲作や特産物から探る古代の生活
平川 南 国立歴史民俗博物館長／山梨県立博物館館長
二二〇〇年前、日本の稲作技術はすでにほぼ現代のレベルに達していた。出土文字資料から読み解く古代社会の実像。

三 飛鳥・奈良時代
律令国家と万葉びと
国家の成り立ちと万葉びとの生活誌
鐘江宏之 学習院大学准教授
時の支配や文字の普及から、「日本」誕生のシステムを明らかにし、国家のもとで生きる人びとの暮らしを描く。

四 平安時代
揺れ動く貴族社会
古代国家の変容と都市民の誕生
川尻秋生 早稲田大学准教授
自然災害などで変質を迫られる政治体制のなか、激動する時代像を、文学資料を駆使して鮮やかにたどる。

五

新視点中世史

躍動する中世

人びとのエネルギーが殻を破る

五味文彦 放送大学教授／東京大学名誉教授

武家王権の誕生と展開、そして都市に群れ集う人びと。激動する社会を支えたエネルギーの源は何だったのか？

六

院政から鎌倉時代

京・鎌倉 ふたつの王権

武家はなぜ朝廷を滅ぼさなかったか

本郷恵子 東京大学准教授

武家政権はなぜ朝廷を滅ぼさなかったのか。日本独自の二重権力構造を通じて、武家政権誕生の背景を問う。

七

南北朝・室町時代

走る悪党、蜂起する土民

南北朝の争乱と足利将軍

安田次郎 お茶の水女子大学教授

鎌倉幕府崩壊から応仁の乱まで。悪党・土民たちは徒党を組み、守護・地頭は国盗り合戦を始める、群雄割拠の時代。

八

戦国時代

戦国の活力

戦乱を生き抜く大名・足軽の実像

山田邦明 愛知大学教授

将軍・大名と兵士・民衆の両面から、戦乱の世を生き抜く人びとの実像に迫り、躍動する時代を活写する。

九

新視点近世史

「鎖国」という外交

従来の「鎖国」史観を覆す新たな視点

ロナルド・トビ イリノイ大学教授

徳川幕府の外交政策はけっして「鎖国」ではなかった。外からの視点で見出された、開かれた江戸時代像。

十

江戸時代（一七世紀）

徳川の国家デザイン

幕府の国づくりと町・村の自治

水本邦彦 京都府立大学教授

天下人の国づくり、町人・百姓の町づくり・村づくりから探る、現代に連なる徳川幕府のグランドデザイン。

十一 徳川社会のゆらぎ

江戸時代(一八世紀)

幕府の改革と「いのち」を守る民間の力

倉地克直 岡山大学教授

五代綱吉から、老中田沼の時代。幕政の安定とともに産業振興策が採られ、江戸・大坂などの都市が繁栄する。

十二 開国への道

江戸時代(一九世紀)

変革のエネルギーと新たな国家意識

平川 新 東北大学教授

開国へ向かう変革のエネルギーを生み出した背景を解明し、「新たな日本」をめざす時代のうねりを描く。

十三 文明国をめざして

幕末から明治時代前期

民衆はどのように"文明化"されたか

牧原憲夫 東京経済大学講師

大衆はいかにして"文明化"されたか。天皇はいかにして大衆に"認知"されたか。文明国を目指した日本の苦闘。

十四 「いのち」と帝国日本

明治時代中期から一九二〇年代

日清・日露と大正デモクラシー

小松 裕 熊本大学教授

帝国日本の発展の陰で、懸命に生きる市井の人々の声に耳を傾け、地に足の着いた新たな近代史を掘り起こす。

十五 戦争と戦後を生きる

一九三〇年代から一九五五年

敗北体験と復興へのみちのり

大門正克 横浜国立大学教授

戦争という大きな運命に否が応でも「参加」させられることを、日々の暮らしを生きるという視点から捉える。

十六 豊かさへの渇望

一九五五年から現在

高度経済成長、バブル、小泉・安倍・福田政権へ

荒川章二 静岡大学教授

物は溢れているのになぜか満たされない。「豊かさ」というキーワードから見えてくる、欲望の現代社会史。